Александра
МАРИНИНА

*Ш*естерки
умирают первыми

ЭКСМО-ПРЕСС

Москва, 2000

УДК 882
ББК 84(2 Рос-Рус)6-4
М26

Разработка серийного оформления
художников *А. Старикова, С. Курбатова («ДГЖ»),*
М. Левыкина

М 26   Маринина А. Б.
     Шестерки умирают первыми: Роман. — М.: Изд-во
  ЭКСМО-Пресс, 2000. — 384 с.

    ISBN 5-04-004302-3
    ISBN 5-04-000403-6
    ISBN 5-04-005784-9

    В Москве появляется неизвестный убийца-снайпер, каждую
неделю убивающий по одному молодому мужчине. Мафия выходит
на снайпера раньше, чем милиция, и поручает ему убийство оперативника, расследующего незаконные операции по вывозу из страны
драгоценных металлов. В результате стечения обстоятельств киллер
и жертва оказываются по одну сторону баррикад...

УДК 882
ББК 84(2 Рос-Рус)6-4

«...В ПЛЕНУ ТРЕВОГ И ПРЕСТУПНОСТИ»

В канун двухтысячного года Настя Каменская перешагнула границы России и даже бывшего СССР. Феномен «русского детектива» в лице Александры Марининой, женщины-полицейского (как называет ее Аллесандра Миланезе в итальянской газете «Арена»), уже явлен на французском, итальянском, корейском языках и даже на северо-американском диалекте. Следует отметить католическое (!) издательство «Пиэмме», главный редактор которого обосновал свой выбор тем, что ее книги не наносят читателю вреда. Три романа уже прочно вошли в число бестселлеров, что отмечалось год назад на литературном фестивале в Мантуе, посвященном полицейскому роману. Оценки литературных критиков, познакомившихся с произведениями русской писательницы, весьма высоки. «Самая популярная российская писательница... единственный российский автор детективных романов, завоевавший положительные отзывы критики» («Ла Стампа», 1997). «События, описываемые в романах Марининой, правдоподобны, они случаются в повседневной жизни» («Ио-Донна», Фабрицио Драгозей). «...Ей не интересно описывать всего лишь преступления. Она старается передать человеческие проблемы, изучить чувства и характеры» («Ла Стампа», Анна Дзафесова).

Корреспондент «Гадзетта дель суд» Лучо Барбера характеризует творчество Марининой кратко, но сильно: «...Это серьезные драматические повествования!» А приуроченная к Мантуанскому фестивалю рекламная поездка по Италии топ-модели Наташи Стефаненко, которой предстоит сниматься в телесериале по книгам Марининой, произвела такой фурор, что написать об этом сочли необходимым почти все итальянские газеты.

Не меньший накал страстей вокруг произведений Александры Марининой, ставших достоянием читающей Франции, отображают и многие французские газеты. «При условии, что она не потеряется в перипетиях истории, Анастасия внушает невольную симпатию, и нам небезразлична ее судьба». («Ле Женералите»). «Александра Маринина, русская писательница, вчера еще неизвестная во Франции, завтра засияет звездой на литературном небосклоне... Детектив с дьявольски закрученным сюжетом является интересным свидетельством жизни москвичей и печального состояния страны» («Ле Дельфине либере»). «Леденящая точность интриги, штрихами набросанное, очень точно и без ложного пафоса, описание города, терзаемого политическими, экономическими, социальными невзгодами. Прибавьте к этому чувство напряженного ожидания, и получите настоящую книгу, стиль и события в которой вызывают желание узнать продолжение и снова встретить ее героиню Каменскую» («Лё Берри»)...

Разумеется, долгие времена Россия была для Западной Европы неким полем за глухим забором, которым старательно окружили себя мы сами. И обращение нашей страны к открытости стало своеобразным разрушением Берлинской стены, которую, кстати, построили между двумя Германиями также мы сами. Книги Марининой, пришедшие к западному читателю, как бы приоткрыли завесу неизвестности, а предельная откровенность в изображении запретных прежде тем, построенная на абсолютном знании изображаемой жизни силовых и административных органов страны, вызвали еще больший ажиотаж. Именно эта сторона нашей сегодняшней жизни, наши трудности на пути от социализма к капитализму (следует вдуматься — ведь это вновь прорыв в неизвестность! Никому еще не удавалось пройти вспять! — В. Б.) в первую очередь приковывают внимание мира «свободной рыночной экономики». А многое, через что проходит российское общество — коррупция, мафиозная экономика, продажность администрации, заигрывания части парламентариев с преступными кланами, — хорошо знакомо и французам, и итальянцам, и немцам, и американцам. Это особенно привлекает тамошнего читателя. Если при этом оказывается, что Маринина обладает еще и прекрасным стилем, стремлением глубже проникнуть в глубь психологии не только сыщика, но и преступника, и просто запутавшегося в сетях жизни обывателя, то вся эта прежде неведомая им жизнь становится и ближе, и понятнее.

Знакомясь с произведениями литературы другой страны, читатель невольно ищет в них узнаваемые черты. Чем походит или не походит писатель зарубежный на своего, отечественного, работающего на том же материале? И радуется, обнаружив некое сходство: в манере ли письма, в узнаваемых чертах полюбившегося героя. Почти все критики, писавшие о творчестве Марининой, будь то в Италии, во Франции или Германии, находят что-то знакомое в героине романов русской писательницы. «Александра Маринина — московская Мэри Хиггинс Кларк... За героиней Марининой следуешь, как за хорошей приятельницей, и это лучше, чем путешествие по Москве наяву...» (Франция). «Маринина оказывается ближе к Жоржу Сименону, а ее героиня чем-то сродни комиссару Мегрэ, нормальному человеку, способному чувствовать по-человечески и сочувствовать преступникам, предстающим перед правосудием» (Клаудио Кастеллаччи, «Амика», Италия).

Мне почему-то кажется, что оперативный работник Настя Каменская очень близка по духу героине известной итальянской писательницы Дачи Мараини («Голоса», Милан, 1994, Москва, «Радуга», 1997) Микеле, женщине с сильной и впечатлительной натурой, доверяясь собственному чувству человеческой симпатии и справедливости, шаг за шагом распутывающей клубок преступления, в котором переплелись нити чужой жизни и ее собственной. С другой стороны, как непримиримый и честный полицейский, она также напоминает комиссара Каттани из знаменитого телесериала «Спрут», периодическая демонстрация которого дочиста выметает все улицы городов страны, усаживая миллионы людей у экрана. Именно честностью своей, житейской замотанностью, почти безнадежной борьбой с мафией, засевшей не только в Палермо, но и во многих учреждениях страны!

В романе «Шестерки умирают первыми», расследуя преступления таинственного убийцы-снайпера, Настя Каменская, полковник Гордеев и их сослуживцы, отрабатывая версию за версией, вновь выходят на крупный криминальный узел, в котором завязаны интересы крупных мафиозных структур, внешне респектабельных организаций Совинцентра, продажных чиновников госструктур и коррумпированных работников МВД. Опять карусель между жизнью и смертью, хождение по лезвию ножа, и бессонные ночи, и постоянный страх за близких людей, которым также грозит опасность...

Западноевропейскому читателю еще только предстоит встретиться с хорошо знакомыми нам героями. Не сомневаюсь, они обязательно найдут в них сходство со своими детективами. Такая уж у всех у них судьба.

Валентин БОГУН

Глава 1

1

Прижимая к груди толстую папку с документами, Ирина Королева рывком распахнула дверь в помещение протокольного отдела и замерла. Ее рабочий стол, за которым она просидела почти пять лет и на котором в строго определенном порядке все эти годы лежали пятнадцать папок с разными документами, скреперы, дыроколы, клей, пенал с маркерами и прочие необходимые для работы принадлежности, стол, на котором она с закрытыми глазами могла найти любую, даже самую незначительную бумажку, а нужную папку рука сама вытаскивала из стопки безошибочно, потому что порядок всегда был незыблемым и идеальным, этот самый стол сиял девственной чистотой. На нем не было ничего, кроме пары далеко не новых мужских ботинок, стоящих на заботливо подстеленной газетке.

Ирина осторожно подняла глаза и убедилась, что из ботинок тянутся вверх мужские ноги, затем следует небольшое плотное туловище, а завершается конструкция поднятыми вверх руками, ловко протирающими плафоны красивой семирожковой люстры. Заместитель начальника протокольного отдела Совинцентра Юрий Ефимович Тарасов занимался своим любимым делом — наводил чистоту.

— Юрий Ефимович! — в отчаянии воскликнула Ирина. — Что вы сделали!

— Ирочка, вы совершенно не заботитесь о своем здоровье, — ответил он, не прерывая увлекательного занятия. — Вы посмотрите, сколько пыли на плафонах. Видите, тряпочка совсем черная стала. Вы же ослепнете. Нельзя так обращаться со своими глазами. А теперь свет будет яркий, и в комнате веселее станет.

— Где мои документы? — пробормотала она, не в силах двинуться с места.

— Сейчас, Ирочка, сейчас.

Тарасов ловко, несмотря на грузность, спрыгнул со стола и потащил ее к большому встроенному шкафу.

— Вот здесь я вам отвел отдельную полочку и сложил все ваши вещи.

Полочка была застелена чистой белой бумагой, и на ней аккуратной стопочкой лежали все пятнадцать папок, а рядом разложены канцелярские принадлежности. Беда, однако, состояла в том, что шкаф находился довольно далеко от рабочего стола Ирины Королевой.

— Юрий Ефимович, миленький, — взмолилась она, — но я же не могу за каждым документом бегать через весь отдел, мне это неудобно. Я буду целый день не столько работать, сколько сновать туда-сюда.

Тарасов недоуменно посмотрел на подчиненную.

— Глупости, Ирочка. Стол должен выглядеть достойно.

Выглядеть достойно! Тарасов работает в протокольном отделе всего четвертый день, а уже успел довести сотрудников своими претензиями на «достойный вид» чуть ли не до болезни Паркинсона. В первый же день он ошеломил Ирину и ее коллегу Светлану тем, что принялся приводить в «достойный вид» цветы, которые снабженцы доставили для проведения протокольных мероприятий. Он тщательно подрезал стебли, опустив их концы в наполненную водой раковину, обрызгивал лепестки, бросал в вазы таблетки аспирина и кусочки сахара.

— Я вам все расскажу, как надо ухаживать за цветами, чтобы букеты выглядели достойно... — приговаривал он, то и дело бросая бесхитростные взгляды на онемевших от изумления Ирину и Светлану.

Вторым ударом, обрушившимся на сотрудников протокольного отдела Совинцентра, была генеральная уборка, которую затеял новый зам. Он носился с тряпкой, протирая все, вплоть до цветов в горшках и телефонных аппаратов, громогласно обсуждая планы сдачи в стирку тяжелых многометровых штор и обещая принести завтра же специальный порошок для чистки кафеля.

— Девочки, я вам все расскажу, как нужно поддерживать чистоту в ванной, чтобы все выглядело достойно...

Протокольный отдел занимал большой гостиничный номер-«люкс», и, кроме санузла, в нем была еще и кухня. Ирина с ужасом подумала о

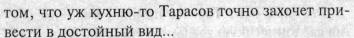

том, что уж кухню-то Тарасов точно захочет привести в достойный вид...

На второй день, услышав, как она по телефону спрашивает у сына, погулял ли тот с собакой, Юрий Ефимович тут же отреагировал:

— Какая у вас собака, Ирочка? У меня у самого три овчарки, я вам все расскажу, как надо ухаживать за собаками.

Подумать только, три овчарки! Есть ли вообще такая область жизнедеятельности, в которой Юрий Ефимович Тарасов не чувствовал бы себя экспертом? Когда Светлана чихала, он начинал пространно рассказывать ей, как нужно лечить простуду, когда Ирина звонила домой сыну, он делал ей замечания и учил, как нужно разговаривать с семнадцатилетним юношей, чтобы держать его в узде, но в то же время не обижать чрезмерной опекой, а когда начальник отдела Игорь Сергеевич Шульгин садился за компьютер, его заместитель был тут как тут с полезными советами по части гимнастики, которую можно и нужно выполнять, сидя на стуле, каждые сорок минут.

— Что за гадость вы едите? — возмущался Тарасов, глядя, как дамы коротают обеденный перерыв за кофе с картофельными чипсами. — Здесь же есть плита. Я принесу кастрюльку и буду варить вам супы.

— Ну нет! — взвился Шульгин. — Этого не будет. Непротокольных запахов я не допущу. Здесь же целый день иностранцы, посетители, офис должен выглядеть достойно.

Этот аргумент Тарасов принял, даже не заметив сардоническую улыбку на лице начальника.

Весь третий день на своей новой работе Юрий Ефимович посвятил разборке и сортировке флагов, которые должны выставляться на стол переговоров. Флаги лежали в отдельном шкафу хаотичной кучей. Вообще-то следить за ними полагалось Светлане, но она не была такой собранной и аккуратной, как Ира, а в последнее время и вовсе забыла про них, с головой погрузившись в переживания по поводу измены мужа, поэтому в шкафу с протокольными символами дружбы и сотрудничества царил катастрофический беспорядок.

И вот сегодня, в пятницу, 24 марта 1995 года, Юрий Ефимович Тарасов заканчивал свой четвертый рабочий день в качестве нового заместителя начальника протокольного отдела. Ирина Королева только что вернулась из ОВИРа, и обморок, к которому она была близка при виде своего убранного стола, мог бы поставить в этом укороченном (по случаю пятницы) рабочем дне достойную точку.

2

Настя Каменская почувствовала, как ей в спину уперлось жесткое колено.

— Руки за голову, пальцы в замок на затылке, — скомандовал ей мужской голос.

Она послушно выполнила указание. Сильные теплые руки обвились вокруг ее сомкнутых рук.

— А теперь скажите «мама».

— Ма... Ой!!!

Мгновенная боль пронзила ее и тут же отступила.

— Все, все, все, — успокаивающе произнес массажист. — Ничего страшного не случилось, я просто поставил вам позвонки на место. Теперь будет меньше болеть. Можно вставать.

Настя поднялась с массажной кушетки и начала одеваться.

— И на сколько мне хватит вашего лечения? — спросила она, натягивая джинсы.

— Как вести себя будете, — лукаво улыбнулся массажист. — У вас, с одной стороны, незалеченная вовремя травма, а с другой — сидячий образ жизни. С травмой уже ничего не поделаешь, вы слишком ее запустили. А смещения позвонков можно избежать, если делать гимнастику.

— Ой нет! — испугалась Настя, которую в дрожь бросало от одного только упоминания о физических упражнениях. Никогда в жизни она не только не занималась спортом, но даже и зарядку не делала. Она для этого была слишком ленива.

— Ну почему сразу «нет»? — удивился массажист, невысокий жилистый парень с кривоватым носом и веселой улыбкой. — Это займет совсем немного времени, буквально пять-семь минут, но как минимум три раза в день. Неужели вам это не по силам?

— Нет, — она решительно помотала головой. — Я буду лениться и забывать.

— Тогда смените образ жизни, — посоветовал он, заглядывая в ее медицинскую карту. — Вы же оперсостав?

— Угу.

— Тогда откуда сидячая работа? Вас, сыщиков, ноги кормят, как волков.

— Меня кормит усидчивость, — усмехнулась Настя, зашнуровывая кроссовки. — Целыми днями сижу, черчу схемы и придумываю разные глупости.

— Погодите-ка, вы не у Гордеева случайно работаете?

— У него самого, — подтвердила она.

— Так вы — та самая Каменская?

— Какая — та самая?

— Про которую говорят, что у нее голова как компьютер. Вы же анализом занимаетесь, правильно?

— Правильно. А что, об этом уже знает вся поликлиника ГУВД? Никогда не думала, что мировая слава настигнет меня в массажном кабинете, когда я буду в полуголом виде.

Массажист расхохотался.

— Не обижайтесь. Мы с постоянными пациентами всегда болтаем. А поскольку травматизм самый высокий как раз среди работников уголовного розыска, то ко мне на массаж чаще всего они и ходят. Кто с ногой, кто с рукой, кто, как и вы, со спиной. Так что я про вас наслышан. Так будете ходить ко мне или ограничитесь одним посещением?

— Посмотрим, — уклончиво ответила Настя. — Сами понимаете, в нашей работе ничего планировать заранее нельзя.

— Ну смотрите.

Ей показалось, что веселый массажист обиделся на нее за явное нежелание ходить к нему лечиться. Но о систематических визитах в поликлинику она и помыслить не могла. Сегодняшнее посещение было исключением из правила, и то только потому, что спина разболелась невыносимо, а место, куда ей непременно нужно было сегодня зайти, находилось всего в двухстах метрах от поликлиники. Немаловажным было и то, что массажист, которого ей так нахваливал Юра Коротков, работал сегодня в первую смену, с восьми утра, поэтому она успевала к десяти часам на работу. Пропускать утреннюю оперативку ей ни в коем случае нельзя было, да и не хотелось.

Выйдя из поликлиники, она завернула за угол и отправилась в издательство, чтобы договориться о переводе французского детективного романа, за который она намеревалась взяться в мае, во время очередного отпуска. На 13 мая назначено ее бракосочетание с Алексеем Чистяковым, а после этого они оба возьмут отпуск и займутся работой в свое удовольствие: Леша будет писать очередную заумную книжку по математике, а она, Настя, будет переводить французский роман, зарабатывая дополнительные деньги, помогающие ей заткнуть прорехи в бюджете.

В это утро понедельника, 27 марта, ей везло. К массажисту не было очереди, редактор, с которым она всегда сотрудничала, на работу пришел даже раньше девяти часов, и к себе на работу, на Петровку, 38, Анастасия Каменская явилась вовремя. Однако на этом везенье кончилось. За несколько минут до начала оперативного совещания у начальника отдела полковника Гордеева к Насте в кабинет залетел взъерошенный Николай Селуянов.

— Аська, тебя Чернышев искал. У него опять труп.

— Где?!

— На этот раз в Талдомском районе. Молодой парень, на вид лет восемнадцать-двадцать. Огнестрельное ранение в голову. Это уже четвертый, если я не ошибаюсь.

Селуянов не ошибался. В течение месяца на территории Московской области были обнаружены три, а теперь уже четыре трупа молодых мужчин в возрасте от девятнадцати до двадцати пяти лет с одинаковыми огнестрельными ранениями в голову. Экспертиза утверждала, что пули, извлеченные из тел, были выпущены из одного и того же пистолета. Оружие в розыске не числилось, стало быть, до этих убийств при совершении преступлений не использовалось. Собственно, к Московскому уголовному розыску эти преступления отношения не имели, ими занимались сыщики из областного управления внутренних дел. Одним из них и был Андрей Чернышев, которого Настя хорошо знала и с которым неоднократно вместе работала. Он-то и обратился к ней с просьбой «покрутить информацию в голове, может, что придумается». Пока ничего интересного не придумалось, все потерпевшие казались ничем друг с другом не связанными, даже знакомы не были. Но для того, чтобы выявить возможные связи между ними, требовалось еще очень много времени и очень большая, скрупулезная работа, включающая, в том числе, и установление всех их школьных и институтских друзей, армейских сослуживцев, соседей по домам и дворам, начиная с самого детства. Единственное, что их связывало, это оружие, из которого они были убиты, по крайней мере, первые трое. Про четвертого потерпевшего ничего известно не было, но Настя была уверена, что и он окажется «из той же компании». Судя по тому, что Чернышев поторопился сообщить ей об очередном убийстве, он тоже в этом не сомневался.

Оперативку начальник провел быстро, выслушал отчеты сотрудников по текущим делам, в конце сообщил о том, что сыщики между собой называли «новыми поступлениями».

— Сегодня утром в Совинцентре обнаружен труп одного из сотрудников протокольного отдела. Туда выехал Коротков, он как раз дежурил. Если нам придется подключаться, то этим займется... этим займется...

Гордеев снял очки и, засунув дужку в рот, стал задумчивым взглядом обводить сидящих в комнате подчиненных. Яркое мартовское солнце вело себя по-хулигански, играя бликами на его гладкой лысине и норовя попасть в глаза. Полковник недовольно щурился и все время ерзал на своем кресле, пытаясь уклониться от назойливого слепящего луча.

— И ведь ни у кого ума не хватит встать и штору задернуть, — проворчал он, резко отталкиваясь от стола и отъезжая на своем роликовом кресле в более безопасное место. — Лесников, займешься Совинцентром, если будет нужно. Ну и, естественно, Анастасия, это уж как водится.

Игорь Лесников обернулся к Насте и сочувственно подмигнул. Если каждый сотрудник отдела по борьбе с тяжкими насильственными преступлениями занимался своими полутора десятками убийств и изнасилований, то Анастасия Каменская занималась всем тем, что «сваливалось» на отдел. Гордеев поручил ей выполнять функции аналитика, и она могла, среди ночи ее разбуди, рассказать все об убийствах и изнасилованиях, совершенных в Москве за последние восемь-десять лет. Сколько их было, как они локализованы на территории города, как меняется их интенсивность в зависимости от времени года, дней недели, праздников и будней и даже дней зарплаты. По каким мотивам, кем и какими способами совершаются эти преступления. Сколько из них раскрыто, какие типичные ошибки и недработки встречаются в работе оперативных и следственных аппаратов, какие доказательства не проходят в суде, из-за каких оплошностей уголовные дела возвращаются судьями для проведения дополнительного расследования. Как меняются ухищрения преступников по части маскировки и сокрытия следов, как развивается и совершенствуется мастерство работников милиции по преодолению этих ухищрений. Настя Каменская знала о московских убийствах все. Но, кроме этого, она помогала в работе по каждому преступлению, которым занимались оперативники ее отдела. У нее было мышление, не ограниченное рамками магических слов «как правило», что и позволяло ей придумывать самые невероятные версии. «Правило может быть только одно — законы природы, — говорила она. — Кирпич, брошенный с высоты, должен упасть вниз, потому что есть закон всемирного тяготения. И если кирпич не падает, я не говорю, что этого не может быть, а ищу причину, по которой он не упал. Может, он был привязан прозрачной леской. Или в него напихали железа и удерживали мощным магнитным полем». И если ей говорили, что муж убил жену, задержан рядом с ее бездыханным телом и во всем сознался, она начинала выстраивать версии, разбив их для начала на две большие группы: убил тот, кто сознался, и убил кто-то другой. Никакие слова о признании убийцы на нее не действовали. Подкуп, желание выгородить кого-то близкого, шантаж, временное помеша-

тельство — да мало ли причин, по которым «кирпич, брошенный с высоты, все-таки не падает вниз».

3

Ближе к полудню появился уставший, с посеревшим после суточного дежурства лицом, Юра Коротков.

— Да за что же нам невезуха такая! — сокрушался он, сидя за столом напротив Насти и большими глотками отпивая из чашки крепкий черный кофе. — Только-только с Галактионовым разделались, а на тебе, пожалуйста, подарочек к 1 апреля. С этим Тарасовым мы намучаемся, вот попомни мое слово.

Настя понимающе кивнула. Две недели назад они закончили заниматься убийством начальника кредитного отдела банка «Эксим» Галактионова, у которого было такое количество связей и знакомств, что на проверку их ушла уйма времени. А в итоге оказалось, что убил его человек, в том огромном списке не числившийся. О знакомстве убийцы и жертвы вообще никто не знал, они познакомились случайно в поезде, почти сутки играли в купе в преферанс и разошлись, обменявшись телефонами.

— Мало того, что в Совинцентре работает три тысячи человек, там еще в гостиницах проживает столько же гостей. А до Совинцентра Тарасов работал в системе Министерства среднего машиностроения, причем работал много лет и на разных

должностях. Что это за убийство? Хвост с предыдущей работы, или он за четыре дня своей деятельности в протокольном отделе успел кому-то на мозоль наступить? Ох, Ася, сил моих нет, скорей бы на пенсию. Кстати, там, в отделе у Тарасова, твоя однокурсница работает. Ты же в 1982-м юрфак закончила?

— Да.

— Вот и она тоже. Королева Ирина. Помнишь такую?

— Иришку? Помню, конечно. Погоди, а кем она там работает? Начальником отдела?

— Разбежалась, — фыркнул Коротков. — Консультантом второй категории.

— Да что ты? — изумилась Настя. — Она же была такая способная. Неужели карьеру не сделала? Надо же, как жалко. А она меня помнит?

— Я не спрашивал.

— Перестраховываешься?

— Ну, мало ли что, — неопределенно пожал плечами Юра. — Вдруг с ней что-нибудь не так, а она побежит к тебе за помощью и советом. Между прочим, это она обнаружила мертвого Тарасова. И, между прочим, свидетелей при этом не было.

— Между прочим, между прочим, — передразнила его Настя. — Между прочим, шила в мешке не утаишь. Если с ней что-то не так, то она поднимет все свои университетские знакомства, чтобы найти кого-нибудь на Петровке, и так или иначе на меня выйдет. Чего зря темнить-то? Ладно, рассказывай, что там стряслось. Еще кофе налить?

— Чуть попозже. Значит, так. Твоя подруга Королева, с ее слов, пришла утром на работу, было это без пяти девять, и страшно удивилась, что дверь уже открыта. Обычно первой приходила Светлана Науменко и никак не раньше четверти десятого. Королева тоже хронически опаздывает и приходит где-то в девять тридцать. К десяти часам подтягиваются начальники. Точнее, так было раньше, до того, как пришел Тарасов. Юрий Ефимович — человек дисциплинированный и устроил женщинам выволочку за опоздания. Мол, официальное учреждение должно работать с того часа, какой указан в справочных документах. Написано, что с 9 до 18 — и будьте любезны находиться на месте, иначе иностранцы нас за серьезных людей считать не будут. Дамы, естественно, заныли, что в силу природной несобранности не могут гарантированно приходить каждый день ровно к девяти. Демократичный Тарасов пошел на уступку и разрешил им опаздывать через день. Он, мол, не тиран, но в девять офис должен быть открыт для посетителей, поэтому один день можно опаздывать Королевой, другой — Науменко. Пусть сами договариваются. На начальников это правило, конечно же, не распространяется, потому что начальники все равно не могут решить те вопросы, с которыми приходят посетители, для этого и существуют консультанты, которые все знают и все умеют. А начальники только

ими руководят. Сегодня Королева должна была прийти первой, к девяти часам. Поэтому она никак не ожидала, что на работе уже кто-то есть. Вошла — тишина, никого не видно. Открыла шкаф, увидела пальто Тарасова, позвала его. Ответа нет. Разделась, прошла на кухню, чтобы включить чайник, а там — покойник. Вот, собственно, и все. В девять десять об этом узнала служба безопасности Совинцентра, а в девять тринадцать дежурная часть ГУВД. Дежурная группа прибыла туда в девять сорок. Сейчас труп повезли к Айрумяну на вскрытие, но на глазок видно, что причина смерти — удушение.

— Весело, — задумчиво протянула Настя. — Ирка вряд ли его задушила, если она до сих пор такая, какой была раньше. Невысокая и худенькая, у нее силенок не хватило бы. Как ты думаешь, на нас это убийство повесят или Центральный округ своими силами обойдется?

— Уже повесили, — хмуро откликнулся Коротков. — Ой, не нравится мне это убийство, Аська, ой не нравится.

— Ладно, не причитай, тебе всегда не нравится. Нормальная реакция.

— Почему нормальная?

— Потому что нормальному человеку убийство и не должно нравиться.

— Я же не в этом смысле...

— Я знаю, в каком смысле. Ты сейчас пойдешь отсыпаться?

— Да куда мне! — Коротков безнадежно махнул рукой. — Дома пацан, как раз уже из школы придет через часок, в одной комнате теща, в другой он возится. Разве тут выспишься? Буду до ночи терпеть. Может, чего полезного еще сделаю. Ты мне кофе обещала, если я правильно понял.

Настя снова включила кипятильник и принялась расчищать письменный стол. Сдвинув в сторону папки и бумаги, она разложила на столе несколько чистых листов. Через некоторое время листы эти покроются одной ей понятными словами, кружочками, закорючками и стрелками. На каждом листе появится группа версий, которые нужно будет проработать, чтобы попытаться понять, кто и почему убил Юрия Ефимовича Тарасова.

4

Он ехал в автобусе, устремив невидящий взгляд куда-то за окно. Сегодня утром, придя на работу и первым делом, как обычно, просмотрев сводку, он узнал об убийстве Тарасова. Глядел на отпечатанные на принтере строчки и никак не мог взять в толк, что речь идет не об однофамильце Юрия Ефимовича, а о нем самом. Известие ошеломило его. Он не хотел в это верить, поэтому тут же кинулся проверять, позвонил Тарасову домой. Но все оказалось правдой. Он не стал разговаривать с женой, потому что был уверен, что она уже получила от работников милиции указание фиксировать все звонки: кто позвонил, когда и зачем. Ему было достаточно услышать ее голос, чтобы понять: беда случилась с ним, с Юрием Ефимовичем.

«А как же я?» — подумал Платонов и тут же устыдился своей мысли. Ну при чем тут его трудности и проблемы, когда нет больше Тарасова? Нет Юрия Ефимовича, нет человека, на которого Платонов мог положиться, которому мог доверять безгранично. И без чьей помощи не мог обойтись. Вот опять он пришел к тому же самому: как же он теперь будет обходиться без Тарасова?

Когда прошел первый приступ отчаяния, нахлынула волна жалости. И только в третью очередь в голову Дмитрию Платонову пришел вопрос: КТО? КТО ЕГО УБИЛ И ПОЧЕМУ?

5

Тяжесть давила на сердце все сильнее, и после работы Платонов поехал не домой, а к Лене. Возле нее он отдыхал, расслаблялся, становился мягким как воск. Лену он знал много лет, еще с тех пор, когда она бегала в школу с портфелем и с огромным бантом в волосах и была для него не Леной, а просто младшей сестренкой друга и коллеги Сергея Русанова. Платонов женился, заводил бесчисленные, большей частью кратковременные романы, а потом вдруг увидел не сестренку, а прелестную девушку Елену Русанову. Так случается часто и со многими, ничего необычного в этом не было. Правда, отношения с Сергеем из-за этого чуть не испортились.

— Не морочь девочке голову! — кричал Руса-

нов. — Ты все равно на ней не женишься, а она так и прождет тебя, пока не постареет.

Конечно, Русанов был прав, для того, чтобы жениться на Лене, Платонову надо было развестись. А на это у него моральных сил не хватало, о чем прекрасно знал и он сам, и его друг. Легкий в общении, контактный, обладающий настоящей мужской привлекательностью, Дмитрий Платонов вел себя с женой так же, как и в первые месяцы после свадьбы, свято веря в то, что умирание влюбленности не делает людей врагами, и даже если ты не трепещешь от восторга и страсти при виде собственной жены, это вовсе не означает, что не нужно быть с ней ласковым, не нужно делать ей подарки и оказывать другие знаки внимания. Его вполне устраивала жена, точно так же, как вполне устраивали его те женщины, с которыми он ложился в постель, с кем — на несколько часов, с кем — на неделю, а с некоторыми даже на несколько месяцев. И он не мог себе представить, как можно, почти ежедневно занимаясь любовью с женой Валентиной, вдруг ни с того ни с сего заявить ей о своем желании развестись. Правда, с Леной все было по-другому. Лену он любил. Но все-таки не настолько сильно, чтобы решиться причинить боль жене.

— Я люблю ее, Сережа, — очень серьезно говорил Платонов. — Я ничего не могу с этим поделать. И она меня любит. Ну, убей меня, если тебе от этого станет легче. Но если мы с Леной расста-

немся, то оба будем страдать. Ты же не хочешь, чтобы твоя сестра страдала, правда?

— Ты подонок, — кипятился Сергей. — Зачем ты вообще все это начал, если знал, что не будешь разводиться? Она что, шлюха, девочка на одну ночь? Как ты мог?

Лена плакала и умоляла их не ссориться. Она любила обоих, любила по-разному, но одинаково сильно.

— Я не хочу замуж, — уверяла она брата, — меня все устраивает. Я просто хочу любить Диму, понимаешь? Я без него жить не смогу.

Сергей уходил, хлопая дверьми, неделями не разговаривал ни с сестрой, ни с Платоновым. Потом все как-то утряслось, ситуация стала привычной, Русанов к ней притерпелся. Главное, чтобы Лена была счастлива.

Платонов открыл дверь своим ключом и сразу услышал быстрые легкие шаги. Лена выскочила в прихожую и повисла у него на шее.

— Димка! Миленький! Как хорошо, что ты пришел.

Обнимая ее и вдыхая знакомый запах ее кожи и духов, Платонов подумал, что, пожалуй, напрасно пришел сегодня сюда. Она так радуется его приходу, она соскучилась по нему, а он совсем не расположен к разговорам, настроение у него хуже некуда. И себе не поможет, и ей вечер испортит.

— Ты надолго? — спросила Лена, заглядывая ему в глаза, и Платонов подумал, что еще не поздно отступить. Взять и сказать сейчас: «На минутку. Очень много работы. Оказался в этом районе, не мог не забежать. Налей мне чаю быстренько, сделай какой-нибудь бутерброд, и я побегу». Он говорил так множество раз, когда действительно оказывался возле ее дома случайно и должен был лететь дальше по своим сыщицким делам, так что Лена не удивилась бы и не обиделась. Но мысль о том, что со своей тяжестью на душе ему придется сейчас остаться одному и бродить по холодным темным улицам, показалась Платонову столь пугающей, что он (в который раз в своей жизни!) смалодушничал.

— Если у тебя нет других планов, — сказал он, кляня себя в душе, — я останусь до завтра.

Лена удивленно посмотрела на него, но ничего не сказала. Если Платонов оставался у нее на ночь, это означало, что его жена Валентина куда-то уехала из Москвы, в командировку, в отпуск или просто к друзьям на дачу. О таких поездках Дмитрий сразу же ставил Лену в известность, и они сообща радостно планировали, как проведут неожиданно выпавшие им вечера и ночи вдвоем. В этот раз он ничего не говорил о предполагаемом отъезде жены, так откуда же возможность ночевать вне дома?

Платонов сел в глубокое мягкое кресло и закрыл глаза. Он слушал шаги Лены и пытался по ним представить себе, что она в данный момент делает. Из комнаты — в кухню. Остановилась, хлопнула дверцей холодильника, чиркнула спич-

кой. Чуть слышно что-то звякнуло. Он безошибочно определил, что Лена достала из холодильника кастрюлю и поставила ее на огонь, потом
сняла крышку и на всякий случай проверила содержимое. У нее было шесть совершенно одина-
ковых маленьких кастрюль, красных в белый го-
рошек, которые ей ужасно нравились, поэтому
Лена складывала в них все, что только возможно.
Несколько раз поначалу случалось, что она ставила на огонь вынутую из холодильника кастрюлю с
супом, а через несколько минут оказывалось, что
вместо супа греется квашеная капуста. Теперь
Лена всегда проверяла кастрюли, но почему-то не
сразу, а после того, как поставит их на огонь. Ло-
гику ее действий Платонов понять не мог, но считал эту странность несущественной.

Скрипнула дверца духовки, что-то громыхну-
ло — Лена достала сковороду. Снова дверца холодильника, звяканье приборов в резко открытом
выдвижном ящике рабочего стола, потом много-
обещающее шипенье. Платонов понял, что из холодильника достали масло, а из ящика — нож, и
сейчас Лена пожарит ему какое-нибудь необык-
новенно вкусное мясо. Он с закрытыми глазами
представлял себе ее пухленькую фигурку в сво-
бодном свитере, снующую от плиты к столу, ее
сосредоточенно наморщенный носик, длинные
темно-шоколадные волосы, перехваченные про-
стенькой ленточкой. Слух у Платонова был пре-
восходный, и такого рода «подслушивание» доставляло ему огромное удовольствие, потому что

невероятно строгий вкус и высокие требования ко всему, что касалось искусства, будь то музыка или литература, кино или живопись.

— Ты еще спрашиваешь, в чем дело! Я же запретила тебе читать его книги. Это дешевка, это конъюнктурная чернуха-порнуха, это...

Она задохнулась от возмущения и не смогла найти нужных слов, только яростно сверкала темными большими глазами.

Дмитрий смотрел на нее и умилялся. Она все еще полагает, что один человек может что-то запретить другому и этот запрет будет эффективным. Типичное материнское мышление. Когда один человек говорит: «Я запрещаю», у другого может быть только две реакции. Либо «Ну и запрещай. А я все равно буду это делать, и даже скрывать от тебя не стану», либо «Я все равно буду делать, только постараюсь, чтобы ты не узнал». Не родился еще человек, который в ответ на запрещение искренне подумал бы: «Ни за что не буду больше так делать».

— А мне нравится, — поддел он Лену. — По-моему, прекрасный писатель, напрасно ты его ругаешь.

— Ты... — Она вдруг расхохоталась. — Мерзавец ты, Платонов! Подловил меня все-таки. Ладно, сдаюсь, ты прав. Если я способна так завестись только оттого, что мы не сошлись в литературных вкусах, то из-за твоих неприятностей я и самом деле с ума сойду. Чего тебе принести? Выпить хочешь?

заставляло работать и логическое мышление, и память, и фантазию.

Прислушиваясь к доносящимся из кухни звукам, он почувствовал, что его немного отпустило. Боль от мысли о смерти Тарасова была по-прежнему сильной, но ощущение безысходности притупилось.

После ужина Лена свернулась калачиком на полу, положив голову Платонову на колени.

— Я же вижу, у тебя неприятности, — тихонько произнесла она. — Почему ты мне никогда ничего не рассказываешь? Ты по-прежнему считаешь меня ребенком, да?

— Не в этом дело, Аленушка, — ласково ответил он, пропуская сквозь пальцы ее длинные шелковистые волосы. — Просто тебе незачем это знать.

— Но почему?

— Мы с тобой тысячу раз это обсуждали, — терпеливо сказал Дмитрий. — Я работаю в Главном управлении по борьбе с организованной преступностью. Ты представляешь себе, что такое организованная преступность? Книжки читаешь?

— И газеты тоже, — усмехнулась Лена. — Ты меня стращать собрался?

— Собрался, — подтвердил он. — И не стращать, а объяснять, что это на самом деле все очень непросто и очень опасно. А у тебя вообще положение сложное вдвойне. О наших с тобой отношениях знает, по-моему, вся Москва, за исключением моей жены. Стало быть, захотев оказать на меня воздействие, в первую очередь схватятся за тебя. А у тебя, помимо меня, дурака никчемного, еще и брат любимый, который тоже работает не абы где, а в Главном управлении по борьбе с экономическими преступлениями. Соответственно, если он кому-то понадобится, то опять-таки возьмутся за тебя. Ты живешь одна, справиться с тобой — проще пареной репы.

— Логики не вижу. Допустим, ты меня убедил, что моя жизнь в опасности. Но это никак не объясняет твоего нежелания делиться со мной своими неприятностями.

— Но ты согласна, что благодаря Сергею и мне над тобой висит постоянная угроза?

— Допустим.

— Так не пойдет. Согласна или нет?

— Ну, согласна.

— А теперь подумай вот над чем. Если над тобой, человеком вполне мирным и занимающимся музыкой, висит постоянная опасность, то в какой обстановке существуем мы с твоим братом? Мы двадцать четыре часа в сутки ходим по лезвию бритвы и, добираясь поздно вечером домой, тихонько благодарим судьбу за еще один прожитый день. Но мы с Серегой — мужики сильные, опытные, битые. Мы свои силы оцениваем реально и опасность не преуменьшаем, но и не преувеличиваем. А если мы с ним будем про все свои проблемы докладывать тебе, то представь, во что превратится твоя жизнь. Ты понимаешь, о чем я говорю?

— Не очень.

— Тогда маленький пример. Мама вед[ет] бенка удалять зуб. «Я совсем не боюсь, — гово[рит] малыш. — Это же, наверное, не больно». А [она] идет ни жива ни мертва. И хотя ей в детстве [тоже] удаляли молочные зубки и она прекрасно [по]мнит, что это абсолютно не больно, ей каж[ется], что ее малыш садится не в зубоврачебное кр[есло], а прямо на электрический стул. Ей кажется, [что] ему причинят непереносимые страдания. Ко[роче,] маме эта процедура стоит в сто раз больше здо[ро]вья и нервных клеток, чем ребенку. Теперь [по]нятно?

— Теперь понятно, — кивнула Лена. Голов[а] по-прежнему лежала у него на коленях, поэт[ому] кивок был обозначен тем, что девушка потер[лась] щекой о его брюки. — Несмотря на то что [ты] старше меня на пятнадцать лет, ты боишься, [что] я буду воспринимать тебя с точки зрения мат[ери]. Ты не передергиваешь, Платонов?

— А женщины всегда нас так воспринима[ют,] — усмехнулся он. — Об этом много напис[ано,] особенно в прозе XIX века. Да и сейчас нет-[нет] да и мелькнет. Вот хоть у Эдуарда Тополя, на[при]мер.

— Ты что, Тополя читаешь? — возмути[лась] Лена. Она резко откинулась назад и теперь с[идела] на ковре, сверкая негодующим взглядом.

— А в чем дело? — весело поинтересо[вался] Дмитрий. Конечно, он прекрасно знал, в че[м де]ло, но ему нравилось дразнить Алену. У не[го]

Она легко поднялась с пола и потянулась к застекленной секции большой мебельной стенки, где стояли рюмки и фужеры.

— А что у тебя есть? — поинтересовался Платонов.

— Что ты приносил, то и есть. Я же сама спиртное не покупаю. Водка еще осталась, коньяк, ликер персиковый и какое-то вино, кажется, мадера. Налить?

— Водку не хочу, — помотал головой Дмитрий. — Хотя надо бы выпить. За помин души только водку можно. Ладно, налей, только чуть-чуть.

Лена молча налила в маленькую стопку водку, принесла из кухни тарелку с немудреной закуской и поставила все это на столик перед креслом, в котором сидел Платонов.

— Кто-нибудь умер? — спросила она почти шепотом.

— Да, милая. Умер замечательный человек, удивительный, человек такой доброты и душевной чистоты, каких я никогда не встречал. Пусть земля ему будет пухом!

Он залпом выпил водку, закусывать не стал, снова откинулся в кресле и прикрыл глаза.

— Он — твой друг? — спросила Лена, отодвигая пустую стопку подальше от края стола и снова усаживаясь на пол.

— Ну, можно и так сказать. Хотя нет, пожалуй, другом его нельзя было назвать.

— Почему?

— Потому что мы почти ничего не знали друг о друге. Вот спроси меня, как он познакомился со своей женой, какую еду он любит, видит ли цветные сны — а я этого не знаю. Друзья обычно знают такие вещи, а я про него ничего такого не знал. И он про меня тоже.

— Что же вас связывало?

— Это трудно объяснить, Аленушка. Мы могли месяцами не видеться и даже не перезваниваться, но, когда встречались, у меня появлялось удивительное ощущение, что рядом со мной находится человек, который никогда меня не предаст. Никогда. Что бы ни случилось. Обычно так воспринимаешь очень близкого и давнего друга, а он не был моим другом. Просто он был... Нет, я не умею это сказать. Ощущение очень яркое, выпуклое, даже осязаемое, а слов подобрать не могу. Мне будет трудно без него.

— Но почему? — настойчиво спрашивала Лена, которая во всем любила логичность и законченность. — Если вы так редко виделись и не были друзьями, то почему тебе будет без него трудно? В чем именно ты не сможешь без него обойтись?

«Дурак! — с досадой осадил себя Платонов. — Чего разболтался? Сентиментальный козел».

— Не обращай внимания на мою болтовню, — уклончиво пробормотал он, наклоняясь и обнимая Лену. — Он был хорошим человеком, и мне жаль, что он умер. Вот и все.

Он украдкой посмотрел на часы. Слава богу,

уже почти половина двенадцатого, можно прекратить все разговоры и идти спать. Все-таки хорошо, что он остался здесь. Ему очень хотелось выговорится, сказать вслух, в полный голос о том, как ему больно. И еще ему очень хотелось помянуть Юрия Ефимовича Тарасова. Помянуть не тайком, наливая рюмку за дверцей холодильника и занюхивая водку рукавом, а открыто сказать хотя бы несколько добрых и искренних слов в память об этом человеке, и чтобы эти слова непременно хоть кто-нибудь услышал. Ему это удалось, и стало действительно легче.

6

Просторные начальственные кабинеты ушли в прошлое, теперь в моде были небольшие уютные рабочие комнаты. На легких черных «угловых» столах, пришедших на смену тяжелым монстрам из орехового дерева с зеленым сукном и вычурными завитушками, появились компьютеры, а вместо собраний сочинений классиков марксизма-ленинизма навесные полки и книжные шкафы ломились от литературы по экономике, финансам, компьютерным технологиям. Немалое место занимал и законодательный материал, и книги на иностранных языках.

Открыв дверь и войдя в комнату, Виталий Васильевич Сайнес в раздражении швырнул плащ на кресло для посетителей, уселся, не зажигая света, за стол и обхватил голову руками. Ему надо

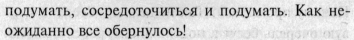

подумать, сосредоточиться и подумать. Как неожиданно все обернулось!

Тарасов умер. Несомненно, это хорошо. Хотя сам Тарасов ничем ему не мешал и вообще больше не работал в системе Минсредмаша, но без него как-то спокойнее. Он был слишком умен и слишком хорошо разбирался во всем, что связано с цветными и драгоценными металлами, поэтому в любой момент мог догадаться. Слава богу, пока не догадался. Теперь уж не догадается.

Плохо другое: Тарасов не просто умер. Он убит. И теперь милиция начнет искать того, кому это было выгодно. А кому это было выгодно? Кому мог насолить этот романтический дурачок, обладатель глубочайших и уникальных знаний, которые он так и не научился использовать на благо собственному карману? Навлек на себя гнев ревнивого мужа? Смешно! Не отдал вовремя долг какому-нибудь крутому дельцу? Еще смешнее. Тарасов в жизни рубля взаймы не взял. А если все-таки догадался? Может быть, поэтому и ушел из системы среднего машиностроения, чтобы развязать себе руки и начать шантажировать тех, кто остался? Но если Тарасова убили по этой причине, то почему же он, Виталий Васильевич Сайнес, ничего об этом не знает? Уж он-то должен был узнать в первую очередь! Кто-то темнит. Тарасов вошел с кем-то в контакт, потребовал себе долю за молчание. Этот кто-то его и убил. Но почему он не сказал о Тарасове остальным?

Почему промолчал? Так не делают. Всегда в первую очередь бегут к подельникам, рассказывают, трясясь от волнения, о шантаже, требуют сообща придумать, как вести себя дальше. А просто взять на себя грех, уничтожить шантажиста потихоньку, не беспокоя остальных и ничего им не говоря, не требуя никакой помощи и даже не заявляя своих прав на больший процент от прибыли (мол, я больше вас всех рискую, на мне теперь труп висит), — это не укладывалось в голове у Виталия Васильевича. По его разумению, чтобы так себя повести, надо иметь очень серьезные, далеко идущие планы. И на первом месте в этих планах должно стоять устранение всех тех, с кем приходится делиться.

Сайнес почувствовал себя неуютно. Кто мог затеять такую игру? Во-первых, тот, кто перекрыл заводу финансирование, из-за чего рабочим нечем платить зарплату. Во-вторых, тот, кто по бартеру гонит этому заводу золотосодержащие отходы производства. В-третьих, та фирма, которая покупает у завода эти отходы в восемь раз дешевле реальной стоимости, но зато за наличные, что позволяет все-таки выплачивать рабочим деньги. И в-четвертых, тот, кто выдал этой фирме лицензию на право торговли цветными металлами и золотосодержащими отходами с зарубежными странами. Так кто же из них контактировал с Тарасовым? По чьему указанию его убили?

Глава 2

1

Запах свежезаваренного кофе приятно щекотал ноздри и создавал в помещении протокольного отдела какую-то совсем домашнюю обстановку. Прекращать работу было нельзя, деловые поездки зарубежных и отечественных бизнесменов не должны срываться из-за того, что кто-то почему-то убил Юрия Ефимовича Тарасова. Консультант третьей категории Светлана Науменко принимала посетителей, начальник отдела Игорь Сергеевич Шульгин осуществлял, как обычно, общее руководство, а Ирина Королева поила на кухне кофе свою однокурсницу Анастасию Каменскую и рассказывала короткую четырехдневную эпопею пребывания на службе нового заместителя начальника.

Настя слушала Ирину, и перед ее глазами вставал образ назойливого нелепого существа, не понимающего сути выполняемой им работы и не чувствующего, какое жуткое впечатление производит он на окружающих.

В первый же день Тарасов принялся наводить порядок, и начал он со стола начальника отдела Шульгина. Начальник в это время вместе с генеральным директором присутствовал на переговорах, Светлана Науменко подавала высоким договаривающимся сторонам кофе и напитки, а Ирина уехала в ОВИР, и шустрый Тарасов моментально пробрался в отгороженный ажурной стойкой с

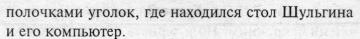

полочками уголок, где находился стол Шульгина и его компьютер.

— Игорь вернулся с переговоров, увидел свой стол и побелел, — рассказывала Ира, разливая кофе по маленьким изящным чашечкам. — Тебе сколько сахару?

— Два кусочка. А почему Шульгин так отреагировал?

— Да у него в столе какого только барахла не было. Презервативы, порнография, немытые рюмки, документы, которые должны быть подшиты в папки, а не валяться бог знает где. И вот представь, он приходит и видит, что все это аккуратненькими стопочками сложено у него на столе. Презервативы отдельной кучкой, порножурналы — отдельно, а сверху на них — открытки примерно такого же содержания. Рюмки отмыты до зеркального блеска и вынесены на кухню. Документы — отдельно, в папку сложены. Впечатление такое, что человек подглядывал в замочную скважину, как ты, к примеру, занимаешься любовью, а потом с невинными глазами начинает тебе советовать, как правильно держать ноги при этом. Ты понимаешь, Настя, ему и в голову не приходило, что то, что он делал, неприлично. Неприлично рыться в чужих вещах. Неприлично навязывать свой стиль жизни людям, которые много лет проработали вместе и выработали свои внутренние правила сосуществования. Неприлично целый день носиться по офису, не закрывая рта, и мешать всем работать. На него невозможно было сердиться, потому что он выглядел при этом очень искренним. Но и терпеть это сил не было. У меня в столе, например, не было ни одной бумажки, ни одной вещи, за которую я могла бы краснеть, даю тебе честное слово, но все равно мне прямо дурно сделалось, когда я увидела, как он с ним обошелся. Так что можешь себе представить, что почувствовал Шульгин, увидев свое хозяйство, выставленное на всеобщее обозрение.

— А Светлана? У нее он тоже навел порядок?

— Еще какой! Сначала все в столе разобрал, а потом в шкафу, где сложены протокольные флаги.

— Короче говоря, он вас всех достал, — резюмировала Настя, допивая свой кофе и ставя чашку на красивое маленькое блюдце.

— Что ты хочешь сказать? Что его убил кто-то из нас?

Настя молча полезла в сумку за сигаретами и долго рылась в ней в поисках зажигалки.

— Послушай, — Ирина встала и отошла к противоположной стене, словно боялась в этот момент находиться рядом с бывшей сокурсницей. — Я, конечно, ни одного дня по специальности не работала, но кое-что из университетского курса помню. Ты подозреваешь меня в первую очередь, потому что я пришла необычно рано и обнаружила его, и при этом не было никаких свидетелей. Так? Ты думаешь, что он нашел у меня в столе что-то такое, что сделало его обладателем тайны, которую мне ни в коем случае нельзя было разглашать. Да? Ну скажи, Анастасия, я права?

Настя молчала. Да, Ирочка Королева была очень способной студенткой, и несмотря на то, что в течение двенадцати с половиной лет, прошедших после окончания юридического факультета, она не работала в правоохранительной системе ни одного дня, хватка у нее осталась. По крайней мере, она не превратилась в курицу, что очень часто случается с женщинами, которые забрасывают свою основную специальность ради семьи и детей.

— Почему ты молчишь? — продолжала Ирина, и голос ее звучал все более жестко. — Ты меня подозреваешь или нет?

— Да, — вздохнула Настя, глубоко затягиваясь и резко выдыхая сигаретный дым. — Я вынуждена подозревать и тебя, и Шульгина, и Науменко, и еще три тысячи сотрудников Совинцентра и столько же тысяч гостей, проживающих в гостинице. А также десятки тысяч людей, работающих в системе Министерства среднего машиностроения.

— Не увиливай, — зло сказала Королева. — Меня не интересуют все. Меня интересует твое отношение лично ко мне. Мы с тобой учились в одной группе, мы вместе готовились к экзаменам и вместе ходили отмечать свои пятерки в «Космос» или в «Огни Москвы». Ты что, забыла это?

— Нет, я помню.

Настя стряхнула длинный столбик пепла в блюдечко, сняв с него предварительно чашку с осевшими на дне остатками кофейной гущи. Раз-

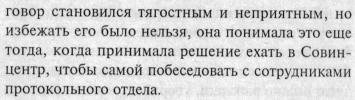

говор становился тягостным и неприятным, но избежать его было нельзя, она понимала это еще тогда, когда принимала решение ехать в Совинцентр, чтобы самой побеседовать с сотрудниками протокольного отдела.

Она смотрела на Ирину и удивлялась сама себе. Оказывается, она совсем не помнила эту женщину. Или, может быть, она просто плохо ее знала? Во всяком случае, сейчас перед ней сидел совсем не тот человек, которого она ожидала увидеть, опираясь на воспоминания двенадцатилетней давности. Ирина поступила на юрфак, будучи на седьмом месяце беременности. До последнего дня ходила на занятия, в роддом ее увезли прямо из лекционного зала. Академический отпуск не брала, зимнюю сессию сдавала вместе со всеми и, к всеобщему удивлению, получила только отличные отметки. Причем очевидцы, присутствовавшие в аудитории, когда Ирина отвечала свой билет, клялись, что отвечала она действительно блестяще и пятерки ей ставили заслуженно, а не из сочувствия к кормящей матери. Все пять лет Ирине Королевой удавалось сочетать отличную учебу с воспитанием ребенка, хотя никто не знал, как ей это удается и чего ей это стоит. Говорили, что у нее какой-то необыкновенный муж, который зарабатывает столько, что может платить кухарке, домработнице и няньке, освобождая любимую супругу от забот по хозяйству и давая ей возможность овладевать юридическими знаниями. Другие говорили, что все это так, только платит за все не муж, а высокопоставленный отец. Третьи утверждали, что все намного проще: Ира подбросила ребенка своей матери, как делают многие рано рожающие девицы, и посвятила себя учебе, а что касается стирки, уборки, готовки и ухода за мужем, что также требует времени и сил, то никакого мужа у нее вовсе и нет. Как было на самом деле, Настя не знала, потому что ее это не особенно интересовало. Она никогда не спрашивала Ирину ни о муже, ни о сыне, они говорили в основном об изучаемых дисциплинах, об однокурсниках и преподавателях, о книгах и фильмах. Между ними не было настоящей дружбы, они не были близки, но всегда радовались обществу друг друга.

И вот сейчас Настя смотрела на Ирину Королеву и понимала, что совсем не знает ее. Что должно было произойти с ней, чтобы после пяти лет каторжного труда, когда приходилось разрываться между учебой и семьей, пустить все коту под хвост и не заниматься юриспруденцией? Ради чего были все эти жертвы? Или не было никаких жертв? Но как же их могло не быть, если, судя по официальным документам, Ирина замужем с 1975 года, а в 1977 году у нее родился сын. И если верить тем же самым документам, и муж, и родители у нее были самыми обыкновенными, ни о каких сверхдоходах и речи идти не могло, поэтому и не было ни кухарок, ни нянек, ни горничных. Тогда выходило, что Ирина должна была обладать не только блестящими способностями, но и усидчивостью, работоспособностью, целеустремленностью. Что же случилось потом? Почему спустя двенадцать с половиной лет она занимает высокооплачиваемую, но до оскомины скучную должность консультанта в протокольном отделе, для которой не нужно не только юридическое, но и вообще высшее образование.

— Видишь ли, Ира, я — профессионал, и я не имею права смешивать работу со своими эмоциями. Если бы на твоем месте была Науменко, я бы подозревала в первую очередь ее. Тот факт, что мы с тобой знакомы, никакой роли не играет. Мне неприятно тебе это говорить, но я, видимо, должна это сделать, чтобы между нами не возникло недоразумений. Подозрения в твой адрес достаточно сильны, но они не менее сильны и в адрес Светланы, и в адрес Шульгина, а завтра появится еще сотня человек, которых найдется за что подозревать. Идет нормальная работа, которая называется проверкой версий. И ты не должна видеть в этом ничего оскорбительного для себя. Другое дело, что тебе кажется, будто я, хорошо зная тебя еще с университетских времен, должна быть уверена в твоей невиновности, и ты обижаешься, что на основании одного лишь факта нашей совместной учебы я не вычеркиваю тебя из списка подозреваемых. Мне жаль, что тебя это обижает. Но нам с тобой придется с этим примириться. Ситуация такова, какова она есть, и изменить ее я не могу.

— Можешь, но не хочешь, — уточнила Ирина, по-прежнему стоя у стены и не подходя к столу.

— Не считаю нужным. Я, Ирочка, давно уже не живу сегодняшним днем. Уверяю тебя, мне было бы намного проще кинуться к тебе в объятия и сказать, что я знаю тебя сто лет и абсолютно убеждена в твоей невиновности. Я была бы хорошей в твоих глазах, и мы бы сейчас не стояли, как непримиримые враги перед дуэлью, а сидели бы рядышком, держались за руки и взахлеб обсуждали бы, кто же это убил нашего Юрия Ефимовича. И если, упаси бог, мне в голову стали бы закрадываться подозрения насчет тебя, у меня были бы связаны руки. Я не смогла бы задать тебе ни одного вопроса, потому что постоянно наталкивалась бы на твой недоуменный и обиженный взгляд: «Ты что, меня подозреваешь? Ты мне не веришь?» И как бы я сказала тебе, что не верю, что подозреваю? Мне что же, служебной карьерой жертвовать, только чтобы не испортить отношения с тобой? Сегодня мне было бы лучше и проще, а завтра я бы волосы на себе рвала. Поэтому я и не хочу менять ситуацию. Пусть она останется такой, как есть на сегодняшний день. Да, мне сегодня тяжело с тобой разговаривать, ты настроена враждебно, ты обижаешься на меня, но я это как-нибудь переживу. Зато потом, если я буду на двести процентов уверена в твоей невиновности, я буду точно знать, что этому есть объективные причины, а не мое слепое доверие к челове-

ку, которого я когда-то, я подчеркиваю, когда-то давно знала.

В кухне повисло недоброе молчание. Настя закурила еще одну сигарету, сделала несколько затяжек.

— Мы можем изменить ситуацию только в одну сторону. Если тебе неприятно общаться со мной, я сейчас уйду, и ты меня больше не увидишь. С тобой будет работать другой сотрудник. Но для тебя это в принципе мало что изменит, потому что подозревать тебя я все равно буду. Так как, Ира? Будем работать или будем эмоции жевать?

Ирина медленно отошла от стены и села на табуретку возле стола.

— Я сделаю еще кофе, — сказала она, не глядя на Настю, и стала засыпать в стоящую на столе кофеварку смолотый кофе. — Ты можешь задавать свои вопросы.

— Может, улыбнешься для приличия? — пошутила Настя, стараясь сгладить возникшую неловкость.

— Нет уж. Отвечать буду добросовестно, это я тебе обещаю, а с улыбками не получится.

— Обиделась?

— А как ты думаешь? — Ирина подняла голову и вызывающе посмотрела на Настю. — А ты бы не обиделась на моем месте?

— Наверное, обиделась бы, — призналась Настя. — Ладно, так и останемся. Я — со своими подозрениями, ты — со своей обидой. Нам нужно

будет научиться жить с этим. Тогда начнем. По-
чему Тарасов пришел в тот день на работу так
рано?

— Не знаю.

— Он ничего не говорил в пятницу о том, что
в понедельник с утра у него назначена какая-то
встреча?

— Нет, не говорил.

— Может быть, он должен был ждать чьего-то
звонка в понедельник утром?

— Мне об этом не известно.

— С кем из работников Совинцентра Тарасов
общался в те четыре дня, что он проработал в
вашем отделе?

— Мне трудно сказать. Сюда к нему никто не
заходил, а с кем он общался, когда выходил из
офиса, я не знаю.

— А он часто выходил из офиса?

— Довольно часто...

2

Светлана Науменко держалась далеко не так
хладнокровно, как Ирина Королева. Она сильно
нервничала, то и дело начиная плакать, пила сер-
дечные капли и сморкалась.

Настя задавала ей те же вопросы, что и Ирине:
с кем общался Юрий Ефимович Тарасов, что рассказывал о себе и о своих знакомых, кому звонил,
почему в тот роковой для него день пришел на работу раньше обычного.

— Может быть, он хотел стены помыть, — предположила Светлана.

— Что он хотел?! — Настя решила, что ослышалась.

— Ну, понимаете, Юрий Ефимович считал, что стены у нас грязные и их нужно помыть. Уборщица этого не делает, но она и не обязана. Игорь Сергеевич категорически запретил ему заниматься уборкой в рабочее время, сюда же люди ходят, а Юрий Ефимович считал, что стены надо помыть обязательно. Вот, может быть...

Науменко всхлипнула и снова потянулась за носовым платком.

— А что, Игорь Сергеевич очень сердился на Тарасова за попытки убраться в помещении отдела?

— Очень. Вы даже не представляете, как он сердился. Правда, вслух он ничего не говорил, Юрию Ефимовичу не выговаривал, но все равно было заметно. Знаете, Шульгин — он такой добродушный, даже немножко легкомысленный, выпить любит, пошутить, посмеяться. А после того, как Юрий Ефимович у него в столе прибрался, Игоря как подменили. Злой ходит, с нами не разговаривает, даже вроде с лица сбледнул.

— Не знаете почему? Не догадываетесь?

— Кому ж приятно, когда у тебя из стола столько гадости вытаскивают и на всеобщее обозрение выставляют.

— А Шульгин не пытался объясниться с Тара-

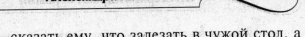

совым, сказать ему, что залезать в чужой стол, а тем более в отсутствие хозяина, неприлично?

— Не знаю, — Светлана шмыгнула носом. — Я не слышала ничего такого.

— А вы, Светлана? Он же в вашем столе тоже порядок наводил. Вы не сделали ему замечание?

— Нет. Он же начальник все-таки.

— Ну и что? Раз начальник, значит, хамить можно?

— Я не знаю...

Науменко разрыдалась.

— Он... Он говорил, что сокращение скоро... На тридцать процентов... Всех...

«Все понятно, — подумала Настя. — Стоя на пороге тридцатипроцентного сокращения, она, конечно же, не рискнула делать замечание новому начальнику. Логика примитивная, но железная. Если собираются сокращать третью часть рабочих мест, и в это же самое время на вакантное место заместителя начальника отдела назначают нового сотрудника, вместо того чтобы сократить эту совершенно никчемную должность, то вновь назначенный, очевидно, важная персона или особа, приближенная к императору, то бишь к гендиректору. Попробуй сделай ему замечание — завтра же без места и останешься».

— А Ирина? Как она восприняла тот факт, что Тарасов рылся в ее столе?

— Злилась, конечно. Даже сказала ему дерзость, но он, наверное, не понял.

— И что же она ему сказала?

— Что-то вроде того, что, мол, кто не знает про тампексы, тому и в женских вещах рыться не страшно. Я думала, он покраснеет, а он даже ухом не повел, будто и не слышал.

— А что, Ирина сокращения не боится?

— Боится, почему же.

— Как же она осмелилась дерзить Тарасову?

— Понимаете, у нас в отделе раньше было по штату два начальника и пять консультантов. Когда Ира пришла сюда, три места консультантов были заняты, ей отдали четвертое и попросили по возможности работать за пятого. Она согласилась, тем более что ее обещали материально поощрять за совмещение участков. Никаких денег ей, конечно, не дали, а когда было сокращение, пятое место консультанта просто сократили, вменив Ире в обязанность выполнять его функции, за ту же самую зарплату, между прочим. Ну, Ирина у нас работы не боится, у нее в руках все горит. Потом один наш сотрудник погиб, попал под машину, Ирка его участок взяла, за это ей категорию повысили. Потом было еще одно сокращение, должность этого погибшего сотрудника у нас отобрали и еще алкаша одного выкинули, вместе с местом, естественно. А Ирке сказали: «Раз вы теперь консультант второй категории, вы должны работать больше. Будьте-ка любезны, возьмите себе и этот участок». Так и получилось, что Ира работает на четырех участках, а я только кофе подаю да флажки с цветочками расставляю. Уж с этим-то она точно справится. Поэтому ее

сокращать нельзя, ей замены нет. Вместо нее придется четырех человек брать, а куда? Должностей-то нет, посокращали все.

— Понятно. Все-таки давайте вернемся к Шульгину. Как вы думаете, почему он спустил с рук своему новому заместителю такую выходку, как обнародование содержимого его письменного стола?

— Да потому же, почему и я промолчала. Сокращения боится. Кому нужны два руководителя для двух подчиненных? Курам на смех. Ясно же, что одного будут сокращать. И ясно, что не того, кого только что назначили.

— Но если это совершенно ясно, то Шульгину терять было нечего, — заметила Настя. — Его сократят в любом случае. Так почему бы не отвести душу и не сказать во всеуслышанье хаму, что он — хам.

— Ой, нет, не скажите, — Светлана всплеснула руками. — Для него очень важно остаться на работе здесь, в Совинцентре. Здесь оклады огромные и часть начислений идет в валюте. Пусть не в нашем отделе, но ему обязательно надо здесь остаться. А Юрий Ефимович — человек гендиректора, это все знали, с ним ссориться нельзя.

«Значит, Тарасов — человек гендиректора. Это уже интересно. К нему я, конечно, не пойду, рылом не вышла. К гендиректору пойдет Юра Коротков».

— Припомните, пожалуйста, все, что Тарасов

рассказывал о себе, о своей семье, — попросила Настя.

— Да он ничего особенного и не рассказывал. Когда учил нас, как за цветами ухаживать, обмолвился, что разводит розы на даче. Еще говорил, что у него три овчарки дома живут, только я не поняла, в городской квартире или на даче. Дети, говорил, выросли, живут отдельно, а он — с женой вдвоем. Про внуков ничего не рассказывал, я, во всяком случае, не помню. Может, их и нет еще.

— А про свою прежнюю работу? Чем раньше занимался, почему решил ее сменить?

— Нет, про это почти ничего не говорил. Упоминал, что работал в Управлении делами Министерства среднего машиностроения. А про то, почему решил сменить место службы, нам и в голову не приходило спрашивать. Здесь платят много... Знаете, — оживилась вдруг Науменко, — был один забавный момент. Когда он свои вещи в стол выкладывал, я заметила такую стеклянную штуковину, не то болванка, не то палка, толстая такая и короткая. Я спросила, что это такое, а он мне ответил, что эта штука весит ровно семьсот пятьдесят шесть граммов, потому что это самый оптимальный вес пресса для приклеивания фотографий на пропуска. Средмаш — закрытая система, там все только с пропусками ходят. Если пресс слишком тяжелый, из-под фотокарточки выдавливается клей, а если слишком легкий — она плохо приклеивается и начинает бугриться.

— Что начинает делать? — переспросила ошеломленная Настя.

— Ну, это он так сказал — бугриться. В смысле, буграми идет. А чтобы пропуск выглядел достойно, вес пресса должен быть ровно семьсот пятьдесят шесть граммов. Якобы эту болванку с таким точным весом для него специально отливали.

— Бред какой-то, — пожала плечами Настя.

— Не знаю, — покачала головой Светлана. — Это его слова, я ничего не выдумала. Ира может подтвердить, она тоже это слышала.

3

Игорь Сергеевич Шульгин разговаривал с Настей неохотно. Был уже конец рабочего дня, он, видно, успел где-то приложиться к рюмке, и напускная бравада явно боролась в нем с нежеланием разговаривать с работником уголовного розыска, чтобы не обнаружить присутствие алкоголя.

— Игорь Сергеевич, это правда, что вам предстоит сокращение почти на треть?

— Не знаю. Я не обращаю внимания на слухи и сплетни.

— Но вы слышали такие разговоры?

— Я не прислушиваюсь к тому, что болтают бездельники.

Настя внимательно посмотрела на Шульгина. Рослый, начавший полнеть и лысеть, он все еще сохранял определенную привлекательность, хотя было понятно, что еще чуть-чуть — и он превра-

тится в обрюзгшего облезлого павиана, у которого за плечами активное алкогольно-сексуальное прошлое, а впереди — тусклая и длинная старость с болезнями печени и простаты. Может быть, он бесится оттого, что предчувствует это?

— Игорь Сергеевич, с вами советовались, назначая нового заместителя?

— Непременно. Я никогда не позволял назначать моих подчиненных без моего ведома.

«Ах ты боже мой, какие мы гордые. Заместитель, между прочим, подчиняется не тебе, а вышестоящему начальнику. Это вышестоящий начальник решает, кто годится, чтобы замещать тебя, когда тебя нет, а кто не годится».

— И вы предварительно изучали кандидатуру Тарасова?

Быстрый взгляд в сторону, судорожное подергивание щеки, но все это так мимолетно, так быстро, словно бы просто почудилось.

— Да, я смотрел его документы.

Ответ Шульгина на этот раз прозвучал не так уверенно.

— Игорь Сергеевич, постарайтесь вспомнить, что в его характеристике убедило вас в том, что Тарасов годится на должность вашего заместителя. Почему вы согласились с его кандидатурой?

— Ну, я сейчас уже не припомню.

— Но ведь это было недавно, Игорь Сергеевич. Королева и Науменко работают у вас несколько лет, в последние годы вы никого не брали на работу, Королева была последней, а потом вы только сокращали должности и людей. Вы просто не можете не помнить, что было написано в характеристике человека, которого вам назначили заместителем. Это же единственное новое назначение в ваш отдел за пять лет.

— Я же сказал, не помню.

В голосе Шульгина явственно послышалось раздражение, которое он тут же постарался притушить.

— Хорошо, пойдем дальше, — легко согласилась Настя. — Как вы отреагировали, когда увидели, что Тарасов разбирал вещи из вашего стола?

— А как я должен был отреагировать? — ответил он вопросом на вопрос.

— Ну, не знаю, — рассмеялась Настя. — Все в такой ситуации ведут себя по-разному. Одни возмущаются и скандалят, другие благодарят за наведенный наконец-то порядок, третьи вообще не обращают на это внимания, вроде так и должно быть. Некоторые хохочут, некоторые выходят из себя от негодования. Вы-то что сделали?

— Какое это имеет отношение к убийству Тарасова? — резко спросил Шульгин. — Вы же не думаете, что это я его убил за то, что он рылся в моем столе?

— А почему нет? — невинно осведомилась Настя, которой уже изрядно надоел этот Игорь Сергеевич с его показной уверенностью в себе и плохо скрываемым паническим ужасом перед перспективой вылететь из совинцентровской кормушки. Мало того, что его заместителя убили

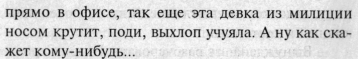

прямо в офисе, так еще эта девка из милиции носом крутит, поди, выхлоп учуяла. А ну как скажет кому-нибудь...

— Почему я не могу так думать? — продолжала она, словно не обращая внимания на бьющую через край ненависть, которая изливалась прямо из глаз Шульгина. — Что противоестественного вы видите в этой мысли?

— Вы... вы... Как вы смеете?!

— А почему нет? — повторила она устало. — Я в равной мере допускаю, что Тарасова могла задушить и Королева, и Науменко, и вы, и кто угодно другой. Поймите же, Игорь Сергеевич, мы знаем об убитом так мало, что не можем с уверенностью вычеркнуть ни вас, ни кого бы то ни было. Если вы знаете о нем больше, чем я, так помогите же мне, поделитесь своими знаниями. Может быть, это поможет снять подозрения и с вас, и с ваших сотрудниц. А пока вы огрызаетесь и всем своим видом показываете, как я вам не нравлюсь, ситуация к лучшему не изменится, в этом я могу вас заверить.

— Вы не имеет права так со мной разговаривать, — вспылил Шульгин. — Кто вы такая, чтобы меня подозревать? Я старше вас на двадцать лет, вы просто сопливая девчонка, а явились сюда права качать. Вы должны убийцу ловить, а вы готовы следом за Тарасовым рыться в чужом грязном белье и в чужих бумагах, даже если они личные. Я не желаю больше с вами разговаривать. Я буду давать показания только вашему началь-

нику, надеюсь, он, в отличие от вас, человек приличный и достойный.

— Вынуждена вас разочаровать, Игорь Сергеевич, с моим начальником вы вряд ли договоритесь. У него характер очень тяжелый, я по сравнению с ним просто бабочка, такая же невесомая и безвредная. И еще одно. Не надо преувеличивать возрастную разницу между нами, я гораздо старше, чем вы думаете.

Настя методично собрала со стола листки с записями, сигареты, зажигалку, сложила все это аккуратно в свою необъятную спортивную сумку и встала.

— Не буду больше отнимать у вас время, Игорь Сергеевич. Завтра вам позвонит мой начальник, с которым вы так мечтаете встретиться, и назначит вам время, когда вы должны будете явиться к нему на Петровку. Там вам понравится гораздо меньше, чем здесь, на привычной вам уютной кухне, где вы на своей территории и можете вести себя так, как вам хочется. Да, кстати, не хочу наносить вам удар в спину, поэтому предупреждаю заранее: завтра мой начальник полковник Гордеев обязательно спросит вас, почему ваши показания не оформлены протоколом. И что вы ему ответите?

— А что я должен ему отвечать? — окрысился Шульгин. — Откуда я знаю, почему вы не записали мои показания в протокол. Чего вы меня запугиваете?

— Ну правильно, — вздохнула она. — Вы не

знаете. Тогда он вызовет меня и спросит об этом. И мне придется ему сказать, что вы были на момент беседы со мной в нетрезвом состоянии, а у лиц, находящихся в нетрезвом состоянии, показания брать нельзя. Как события будут развиваться дальше, я не знаю. Следователь может, например, направить вашему гендиректору бумагу о том, что ответственные работники Совинцентра пьют во время работы и даже в такой серьезной ситуации, как расследование убийства, считают возможным являться на беседу к работникам милиции в пьяном виде. А уж о том, что у них в столах хранится, разговор пойдет отдельно. Я с вашего позволения выкурю еще одну сигарету, а потом вы скажете мне, будете ли вы разговаривать со мной или пойдете завтра на Петровку к полковнику Гордееву.

— Как вы можете утверждать, что я пьян? — упорно возмущался Шульгин. — Вы этого не докажете.

— Докажу, — спокойно сказала она, закуривая и пряча зажигалку обратно в сумку. — В вашем учреждении есть медчасть, я приглашу врача, подписанная им справка будет иметь достаточную силу в глазах следователя. А сказанного им слова будет достаточно, чтобы поставить крест на вашей карьере в этом валютном раю. Одно дело — пить втихую, в уголке и при этом не терять лица. И совсем другое дело — не суметь совладать с соблазном, зная, что с тобой будет разговаривать работник уголовного розыска или следова-

тель. Вы не умеете держать себя в руках и постепенно деградируете, и тот факт, что для определения вашего состояния работник милиции вызвал врача, свидетельствует об этом более чем красноречиво. Две минуты, Игорь Сергеевич, еще две минуты, и я уйду. Если, конечно, вы не передумаете.

Через две минуты Анастасия Каменская обернула вокруг шеи длинный теплый шарф, наглухо застегнула куртку и пошла по длинному извилистому коридору к лифту. Игорь Сергеевич Шульгин не произнес больше ни слова.

4

После семи вечера в управлении уголовного розыска народу было ничуть не меньше, чем днем. Никто не удивился тому, что в начале восьмого на работе появилась Каменская, это было в порядке вещей. Не заходя к себе, она толкнула дверь комнаты, которую занимали Юра Коротков и Коля Селуянов. Оба они сидели за своими столами и как по команде подняли на нее вопрошающие глаза.

— Ну как? Получилось? — спросили они чуть ли не хором.

— Будем надеяться.

Она не раздеваясь уселась на свободный стул и полезла за сигаретами.

— Никогда не думала, что это так трудно. Полдня строила из себя злую тетку Настасью, а все для того, чтобы завтра пришли хорошие маль-

чики Юрочка и Коленька и весь протокольный отдел кинулся к ним в объятия, утопая в слезах и соплях. Ну и сценарий вы мне подсунули!

На самом деле старая как мир схема «злой следователь — добрый следователь» была использована сегодня с несколько иной целью. Настя не ставила перед собой задачу собирать информацию. Ей сегодня нужно было своими глазами посмотреть на трех главных подозреваемых, составить представление об их характере и стиле мышления. А уж потом прикладывать к ним всю ту информацию, которую соберут для нее Коротков и Селуянов. И уж конечно, собирать эту информацию они будут не при помощи длительных душещипательных бесед с тремя главными фигурантами. У ребят для этого есть свои способы, приемы и источники сведений.

Итак, Ирина Королева. Умная, хладнокровная, расчетливая. Следит за каждым словом, случайных проговорок не допускает. Почему-то занимается скучным и неперспективным делом, хотя имеет хорошее образование и прекрасные способности. Имела все возможности убить Тарасова. Судя по заключению врача, смерть его наступила не позже восьми сорока пяти, а через двадцать минут, если верить Королевой, она обнаружила труп на кухне. Если преступница — она, то могла ли она по складу своего характера просидеть двадцать минут в одном помещении с покойником и только потом звонить в охрану? Хватило бы у нее выдержки? Несомненно. Может ли кто-нибудь подтвердить, что она вошла в здание Совинцентра в восемь пятьдесят, как она утверждает, а не раньше на десять-пятнадцать минут? Нет, никто этого подтвердить не может.

Светлана Науменко. Сорокалетняя увядающая красотка, озабоченная семейными неурядицами и перспективой потерять место. Нервы расшатаны, то и дело начинает плакать, руки дрожат. В тот день она пришла на работу в девять тридцать, в это время в протокольном отделе, кроме Королевой, были сотрудники управления охраны. Кто поручится, что она не приходила сюда часом раньше? Муж с ней не живет, дочь отправилась в школу в половине восьмого и не знает, в котором часу мама ушла на работу, без четверти восемь или без четверти девять. Науменко безумно боится сокращения, у нее, в отличие от Королевой, образования никакого нет, и, если ее выгонят из Совинцентра, она такой денежной работы уже никогда не найдет. Чтобы зарабатывать деньги без образования и смекалки, женщина должна быть молодой и длинноногой, тогда еще можно рассчитывать на место секретарши в какой-нибудь фирме. Если смерть Тарасова могла уберечь Светлану от неминуемого сокращения, то очень может быть, что она постаралась эту смерть ускорить. Зачем сокращать живых людей, когда можно просто убрать вакансию...

Наконец, Шульгин Игорь Сергеевич. Негибкий, упрямый. Соображает медленно. На компромисс не идет, но не из принципа, а из тупого упрямства и идиотской самовлюбленности. Пойти на компромисс для него означает отступить, признать свою неправоту, а такие люди неправоту свою не признают никогда и ни при каких условиях. Настя сегодня проверила его, сначала чуть-чуть напугала, потом предложила выход, а он им не воспользовался. Не умеет варианты просчитывать, надеется, что главное — устоять сегодня, а завтра все само собой как-нибудь устроится. Сегодня для него главным было не уступить сопливой девчонке, показать ей свое превосходство, а о том, что завтра его сломает и в порошок сотрет неведомый полковник Гордеев (о чем сопливая девчонка его честно предупредила), он и думать не хочет. До завтра еще дожить надо. Типичная психология убийцы. Сегодня я убрал того, кто мне мешает, а то, что завтра меня за это могут поймать и наказать, так до завтра еще дожить надо...

И последний. Юрий Ефимович Тарасов. Все объяснения его нелепого поведения сразу разбиваем на две основные группы. Группа первая: объяснения, исходящие из того, что он — не особенно умный и к тому же дурно воспитанный человек. Группа вторая: объяснения, исходящие из того, что он вовсе не вел себя таким странным образом. Он был совершенно нормальным, совершенно обычным человеком, а все, что про него рассказывают, — ложь. Трое его сотрудников дружно говорят неправду, потому что кто-то из них его убил, и это оказалось выгодным всем. Может быть, имел место предварительный сговор. Может быть, убийство произошло спонтанно, но потом было решено помочь убийце и уберечь его от ответственности. Может быть, в протокольном отделе Совинцентра творились какие-то крупные махинации, и непосредственный Юрий Ефимович не только обнаружил их, но еще и заявил громогласно о своей находке. Но если коллеги Тарасова говорят неправду, то почему именно такую неправду? Почему бы не начать рассказывать, каким чудесным, каким прекрасным человеком был Юрий Ефимович, и врагов-то у него не было, и слова худого о нем никто не сказал бы, и вообще они все дружно скорбят и рвут на себе волосы. Путь вполне традиционный, так делают многие. Но сотрудники протокольного отдела почему-то начали поливать грязью покойного, причем таким хитрым способом, при котором у каждого из них появился повод к убийству. Если кто-то из них (или все трое) замешан в убийстве, то такой ход, строго говоря, более изыскан, но и более правилен. Разделить подозрения между всеми — это гораздо эффективнее, чем отводить их. Интересно, кто же это среди них такой умный? Уж не Ирина ли?

Глава 3

1

Мартовское солнце было ослепительно ярким, и, глядя на небо из окна второго этажа, можно было легко представить, что наступил разгар лета.

3   Зак. 642

Правда, если подойти к окну поближе и посмотреть не вверх, а вниз, то иллюзия моментально рассеивалась: серость и грязь на тротуарах быстро возвращала романтического мечтателя на грешную землю.

Виталий Николаевич Кабанов, больше известный в определенных кругах под прозвищем Паровоз, стоял у окна и смотрел вниз. Он никогда не занимался самообманом, предпочитая видеть правду, пусть и не всегда приятную. По-видимому, именно эта черта характера позволяла ему на протяжении всей жизни успешно доводить до конца любое начатое им дело. Малейший сигнал о неблагополучии моментально становился поводом для размышлений, а то и решений, причем зачастую радикальных, и это предохраняло Кабанова от неприятностей намного эффективнее, чем связи, дружба, блат и деньги. «Корабль не может дать течь ни с того ни с сего, — любил он говорить. — Либо ты доверился тому, кто его строил, и не заметил, что это невежда и халтурщик, хотя мог и должен быть заметить, либо ты ленился проверять техническое состояние, либо не предусмотрел грозящую опасность. В любом случае виноват только ты сам». До сегодняшнего дня корабли Кабанова течи не давали.

Организаторские способности Виталия Николаевича проявились, еще когда он был школьником. В пятом классе, когда ребят приняли в пионеры, его выбрали звеньевым. К концу учебного года все десять пионеров его звена принесли домой табели, сплошь усеянные пятерками, среди которых изредка мелькали четверки. Родители радовались, учителя удивлялись, одноклассники завистливо хмыкали. Сам Виталик Кабанов из своих методов секрета не делал, с удовольствием объясняя всем, что если человек умеет что-то делать хорошо, то от этого должна быть польза не только ему одному. Один из пионеров его звена обладал врожденной грамотностью и никогда не делал орфографических ошибок, и ему Виталик поручил заниматься со всеми русским языком. У другого мама работала переводчицей и периодически объясняла ребятам все то, что они плохо усвоили на уроках немецкого. У третьего дедушка оказался профессором-историком и с удовольствием рассказывал ребятам о Древнем Египте, фараоне Тутанхамоне и завоеваниях Римской империи. Короче говоря, энергичный звеньевой «пристроил» к делу всех своих пионеров и их семьи.

К восьмому классу, когда пришла пора вступать в комсомол, десятка Кабанова стала притчей во языцех у всей школы, а за Виталиком тогда впервые потянулась слава «паровоза, который вытянет за собой любой состав». В институте активного комсомольца Кабанова ставили на самые разваленные участки общественной работы. Он вкладывал свой организаторский талант в порученное дело, и, когда налаженный механизм начинал бесперебойно работать, ему поручали что-нибудь еще. В таком «аварийном» режиме он просуществовал до сорока восьми лет, пока не

оставил государственную службу и не занялся собственным бизнесом. К этому времени он заслужил прочную репутацию жестокого, крутого на расправу руководителя, но все равно оставался все тем же Паровозом, прицепившись к которому можно было вылезти из самой гиблой ситуации.

Сегодня Виталию Николаевичу исполнилось пятьдесят пять лет, и именно сегодня он вдруг подумал о том, что не так уж хорошо разбирается в людях, как считали и он сам, и те, кто его знал.

— Ты слышал вчера сообщение по телевизору, в криминальных новостях? — спросил он, не оборачиваясь.

— Слышал, — ответил маленький худощавый человек с большими темными глазами и кустистыми бровями, неподвижно сидящий в кресле возле двери. Свободная легкая куртка полностью скрывала и пистолет в плечевой кобуре, и налитую железную мускулатуру.

— И что ты думаешь, Гена? Это то, что нам было обещано?

— Очень похоже. Сказали, что это уже четвертый труп, найденный в области, и все с одинаковыми ранениями. Смерть от выстрела в затылок, как нас и предупреждали.

— И примерно раз в неделю, — добавил Кабанов. — Любопытно. Весьма любопытно. Пойди-ка посмотри, как там наш вольный стрелок поживает.

Худощавый Гена легко поднялся и бесшумно

вышел из кабинета. Вернулся он через несколько минут.

— Полное спокойствие, Виталий Николаевич, — доложил он. — Улыбается, сияет, как будто ничего не случилось.

— И никаких признаков нервного напряжения? Расстройства?

— Ни малейших.

— Весьма любопытно, — задумчиво повторил Кабанов. — Похоже, это как раз то, что нам нужно. Может быть, прекратить это дурацкое соревнование? По-моему, все и так достаточно очевидно. Как ты считаешь?

— Вам виднее, Виталий Николаевич, — сдержанно ответил Гена. — Но я бы не стал торопиться. Как-то очень необычно все это, похоже на больную психику.

— Человек с больной психикой не способен к планомерным действиям, — возразил Кабанов. — Он, вполне вероятно, не будет рвать на себе волосы оттого, что убивает людей, но он и не сможет убивать их систематически, раз в неделю.

— Ну, не скажите. Сумасшедшие способны на все. В любом случае я бы еще подождал.

— И сколько же ты предлагаешь ждать?

— Хотя бы месяц.

— Месяц? Ты хочешь сказать, что четырех трупов тебе мало? Тебе нужно восемь? Что-то ты стал кровожадным, Геннадий, — недовольно поморщился Кабанов.

— Но мы не можем рисковать, — твердо сказал Гена. — Мы должны быть уверены в том, что этот снайпер не ошибается и не дает нервных срывов. Кроме того, мы должны быть уверены, что преступления не будут раскрыты и следы не приведут к нам. Только тогда мы сможем на него полагаться.

— Что ж, может быть, ты и прав. Подождем еще. Сколько человек собираются прийти сегодня вечером?

— Вы лично пригласили восемнадцать, — доложил Гена, достав из кармана маленький блокнот и быстро пролистав его. — И еще семеро выразили желание поздравить вас, если у юбиляра не будет возражений.

— Итого двадцать пять, — кивнул Кабанов. — И у каждого как минимум по пять человек сопровождения и охраны. Ты подумал о том, где их разместить и кормить?

— Я предлагаю в банкетном зале накрыть два стола. Один — для вас и ваших гостей, другой, тоже на двадцать пять персон, для охраны. Каждый гость будет иметь в зале по одному человеку для охраны и личных поручений. Находящийся рядом общий зал можно полностью отдать остальным сопровождающим. Я уже говорил с администратором, он просил не позже трех часов сообщить, нужно ли будет закрывать общий зал для посетителей.

— Сколько человек поместится в этом зале?

— Все сто как раз поместятся. Там тридцать столиков, по четыре человека за каждым.

— Хорошо, Гена, я на тебя полагаюсь. Никаких эксцессов быть не должно, ты это понимаешь?

— Конечно, Виталий Николаевич.

— И вот еще что, Гена...

Кабанов наконец отвернулся от окна и, тяжело вздохнув, уселся за стол. Избыточный вес давно уже сделал его тело грузным, а движения — медленными и неловкими, но светлые внимательные глаза смотрели по-прежнему открыто и цепко. Кабанов никогда не скрывал своего недоверия к кому бы то ни было, полагая, что лучше ошибаться в приятную для себя сторону, нежели дать себя обмануть.

— Подними-ка наши связи в областном управлении внутренних дел. Я хочу знать об этих трупах все. Я хочу быть уверен, что все эти люди убиты из одного пистолета. Ведь вполне может оказаться, что все это просто совпадение. Один из них может оказаться нашим, а все остальные — случайность. Понял меня?

— Да, Виталий Николаевич.

— Иди, Гена. И скажи Эле, чтобы ни с кем меня не соединяла до четырех часов. Я хочу подумать.

2

В кабинет к своему начальнику Дмитрий Платонов вошел, не предчувствуя ничего плохого. Может быть, потому, что с утра мысленно прощался с Юрием Ефимовичем Тарасовым. Идти на

похороны Дмитрий побоялся, так как знал, что среди провожающих в последний путь будет много оперативников. Обнародовать свою связь с Тарасовым он не хотел, правда, скорее по привычке, нежели по необходимости. Скрывать их тесное сотрудничество имело смысл, пока Юрий Ефимович был жив, а теперь, после его смерти, эта тайна мало кому была интересна.

Настроение у Платонова было мрачное, и на вызов начальника он отреагировал мгновенно возникшим желанием послать его куда подальше. Полковник Мукиенко работал в Управлении по борьбе с организованной преступностью всего около трех месяцев, своих подчиненных знал плохо, и общение с ним удовольствия сыщикам не доставляло.

Полковник начал с места в карьер, как обычно, забывая поздороваться.

— Дмитрий Николаевич, вам что-нибудь говорит фамилия Сыпко?

— Так точно, товарищ полковник. Примерно восемь месяцев назад я получил написанное им письмо, в котором Сыпко вскрывал махинации на заводе в Уральске-18, — не раздумывая, доложил Платонов. В вопросе он не видел ничего опасного.

— Что вы сделали по проверке этого сигнала?

— Все, что нужно, товарищ полковник. — Платонов упорно избегал называть Мукиенко по имени-отчеству, боясь не совладать с собственным языком. Одно время он пробовал потренироваться, чтобы без запинки произносить «Артур Эльдарович», но быстро оставил сие пустое занятие. Коварная буква «р» каталась по языку и зубам в произвольно выбранном направлении, упорно не желая становиться на положенное ей место.

— Следует ли ваши слова понимать так, что по материалам проведенной вами проверки уже возбуждено уголовное дело?

— Нет, дело еще не возбуждено.

— Почему? В чем задержка?

Платонов удивленно посмотрел на начальника. Опытный работник, много лет проработавший в системе МВД, мог бы и сам догадаться, в чем бывает задержка, когда расследуешь дела о хищениях и злоупотреблениях. В доказательствах. В этих делах всегда задержка из-за того, что очень трудно собирать доказательства.

— Товарищ полковник, идет сбор информации, документирование преступной деятельности, выявляются связи. Вы же прекрасно знаете, как это непросто.

— Знаю, Платонов, знаю. Но я знаю и другое. На протяжении восьми месяцев вы ничего не сделали по поступившему сигналу. Более того, вы умело прикрывали махинации, творящиеся в Уральске-18. И даже взяли за это взятку.

У Платонова перехватило дыхание. Вот, значит, в чем дело. Да-а, давненько судьба не баловала сюрпризами, расслабился, решил, что теперь

уж до пенсии спокойно доработает. Ан нет, не вышло.

— Я не понял, товарищ полковник, о чем вы говорите.

— О том, Дмитрий Николаевич, что фирма «Артэкс» перевела на один банковский счет солидную сумму в валюте. И сразу же после этого самоликвидировалась. Знаете, на чей счет переведены деньги?

— Нет, не знаю. На чей?

— Точно не знаете? Подумайте, Дмитрий Николаевич, может быть, вам лучше самому вспомнить, не дожидаясь, пока я уличу вас во лжи.

— Я не знаю, о чем вы говорите, товарищ полковник.

— Но о фирме «Артэкс» вы слышали?

— Разумеется. Через нее завод в Уральске-18 продавал списанные приборы, содержащие драгметаллы. Я вышел на эту фирму, проверяя заявление Сыпко.

— Уже хорошо. А про фирму под названием «Натали» вы тоже слышали?

Платонов почувствовал, как пол стал уходить из-под ног. В фирме «Натали» работала его жена Валентина.

— Слышал, — ответил он, не пытаясь скрыть испуг и недоумение. Он и в самом деле не понимал, о чем идет речь.

— В этой фирме, если я не ошибаюсь, работает ваша супруга, Платонова Валентина Игоревна. Верно?

— Верно. Вы хотите сказать, что «Артэкс» перечислил деньги в фирму моей жены, давая мне взятку?

— Да не хочу, а уже сказал. Вам дали взятку за то, чтобы вы перестали крутить это дело в Уральске. А вы ее взяли. Более того, вы выполнили ряд действий, этой взяткой оплаченных.

— Это неправда, товарищ полковник. Я не имел никаких дел с «Артэксом». Я не брал от них денег и не делал ничего для них, я вам клянусь.

— Ну, Дмитрий Николаевич, это смешно, — вздохнул Мукиенко. — Вы мне клянетесь. Да что мне ваши клятвы? Объективно обстоятельства складываются не в вашу пользу. У меня ведь есть все основания вызвать сейчас конвой и отправить вас из этого кабинета в наручниках. Вы хоть понимаете это? Вы должны представить мне доказательства вашей непричастности, вашей невиновности, а вы мне, видите ли, клянетесь. Ну и что я должен делать с вашими клятвами?

— Я готов ответить на любые вопросы, товарищ полковник. Как я могу доказать вам, что не брал никаких денег у фирмы «Артэкс»? Ну как мне вам это доказать?

— А очень просто. Принесите мне все документы, которые вам удалось раздобыть за восемь месяцев работы. Я хочу видеть реальный результат ваших трудов. Или вашего оплаченного безделья. Это уж как получится. И не забудьте принести документы, которые вам привез из Уральска Агаев.

«Это уж хрен тебе, — зло подумал Дмитрий. — Славка Агаев привез с собой две папки. В одной были материалы по списанным металлсодержащим приборам, в другой — по золотосодержащим отходам производства. Документы по отходам я у него забрал и не собираюсь никому показывать даже под угрозой расстрела. А документы по приборам остались у Агаева. Сейчас он, наверное, уже прилетел в свой Уральск. Рейс у него был сегодня рано утром, и погода вроде хорошая, задержек с вылетом быть не должно. Интересно, откуда Мукиенко знает про мою встречу с Агаевым? Конечно, мы обменивались телетайпограммами, никакого секрета из совместной работы не делали, но полковник никогда не проявлял видимого интереса к моей работе по Уральску».

— Я не брал у Агаева документы, я только их просмотрел и вернул ему.

— Вы, конечно, рассчитываете на то, что ваши слова никто не сможет опровергнуть, — почему-то грустно произнес Мукиенко.

— Мои слова может подтвердить Агаев. Зачем же их опровергать?

— Прекратите, Платонов! — вдруг Мукиенко перешел на крик. — Вы прекрасно знаете, что Агаев не подтвердит ваши слова.

— Почему? — Дмитрий по-прежнему не чувствовал ничего, кроме раздражения и усталости. Предощущение беды никак не могло прорваться сквозь тяжелый, будто налитый свинцом, туман, окутавший его мозг. Ни разу в жизни Платонов

не переживал так остро и тяжело горечь утраты, хотя похоронил многих, и родных, и друзей.

— Потому что Агаев найден убитым через час после того, как вас с ним видели вместе. И не надо мне рассказывать, что вы этого не знали. Дмитрий Николаевич, я не люблю делать поспешные выводы, но и затягивать решение вопросов не в моих правилах. В вашем распоряжении десять минут. Либо за эти десять минут вы представите мне доказательства того, что вы не убивали Агаева и не брали за это деньги у фирмы «Артэкс», либо через десять минут вас выведут отсюда в наручниках. Вы меня слышите, Платонов? Платонов!..

Дмитрий привалился к стене и схватился рукой за левую сторону груди.

— Не может быть, — хрипло прошептал он. — Я вам не верю.

— Напрасно, Дмитрий Николаевич. И не надо мне тут изображать сердечный приступ. В вашем распоряжении десять минут.

— Конечно, конечно, — забормотал Платонов, стараясь пересилить разливающуюся по левой стороне тела боль. — Я сейчас принесу вам все документы, они у меня в сейфе. Я сейчас, сейчас...

Неловко повернувшись, он выскользнул из кабинета. Десять минут. Немного, если учесть размеры здания Министерства внутренних дел.

Он зашел к себе в кабинет и мысленно возблагодарил судьбу за то, что его соседа по комнате в

этот момент не было. Через полторы минуты, сунув под язык таблетку валидола, он запер дверь и, стараясь не бежать, направился к лестнице. Лифтом он решил не пользоваться. Выскочив на улицу через бюро пропусков, он тут же нырнул в метро и быстро побежал по эскалатору вниз. Когда истекли отведенные ему для оправдания десять минут, Платонов садился в поезд, идущий в сторону Конькова. Его светлые «Жигули» так и остались стоять у здания министерства.

3

«Хорошо, что Мукиенко не знает про Тарасова, — думал Платонов, стоя в углу качающегося вагона метро и тупо вглядываясь в мелькающую перед глазами черноту. — Но я-то знаю. И я не могу закрыть на это глаза. Три дня назад убит Юрий Ефимович, вчера — Славка. И этот денежный перевод. Круто меня обложили. Но кто? Кто? Господи, как Славку-то жалко! Такой парень хороший... Как же он не уберегся? У него ведь оружие было, я точно знаю, сам видел, когда он куртку расстегнул. И Валентину сюда же приплели. Когда они успели проверку-то устроить? Вчера, что ли? Дурак я, надо было вчера домой ехать после работы, а не к Алене, тогда бы я уже вчера знал про деньги от «Артэкса» и сегодня не выглядел бы так плохо в кабинете у Мукиенко. И еще одно плохо: кто-то вычислил Тарасова».

Он вышел из метро на станции «Беляево»,

купил в кассе жетон для телефона и позвонил жене.

— Валя, у меня неприятности, — сказал он сразу же, как только она сняла трубку. Это означало, что разговор будет предельно сжатым, времени мало, и нужно постараться свести к минимуму ахи и охи.

— Представь себе, у меня тоже, — сухо ответила Валентина, которая не любила, когда Платонов не ночевал дома, даже если причина для этого была более чем уважительная.

— Что случилось?

— Сегодня с утра приходили твои дружки из Управления по борьбе с организованной преступностью и обнаружили на наших счетах какие-то непонятно откуда взявшиеся деньги. Всю душу вынули.

— Много денег?

— Двести пятьдесят.

— Чего? — не понял Платонов.

— Тысяч долларов, чего же еще, — сердито вздохнула Валентина. — Может, ты знаешь, откуда они взялись?

— Знаю. Поэтому и ухожу в подполье. Валя, у меня цейтнот, давай я скажу все коротко. Кто-то хочет меня прижать в углу, и крепко. Эти деньги — один из способов свернуть мне шею, обвинить во взятке. Я исчезаю. Если спросят, где я, честно отвечай, что я тебе позвонил и сказал, что уезжаю срочно в командировку. Куда — не знаешь. Я очень торопился, а ты не спросила. Или

нет, давай так сделаем: ты сейчас включи автоответчик, я тебе позвоню и все скажу как надо. Тогда к тебе вопросов не будет, мол, как же ты не спросила, что случилось, да куда я еду, да почему такая спешка. Тебя вообще дома не было, когда я звонил. Ладно?

— Хорошо. Что еще?

— Давай договоримся о встрече. Принеси мне деньги. Как можно больше. Я не представляю, сколько времени буду в бегах, поэтому возьми все, что есть. Зубную щетку, пасту, мыло, полотенце, бритву, белье, носки и пару сорочек. Возьми мой «дипломат» в шкафу, сложи все в него.

— Хорошо, я поняла. Когда и где?

— Переход с «Новокузнецкой» на «Третьяковскую», первая лестница. Выходи из дома через пятнадцать минут, будет семнадцать тридцать. Примерно в пять-семь минут седьмого приедешь на «Новокузнецкую», постарайся не опаздывать. Стой у первого вагона и смотри на часы. Как только загорится «восемнадцать десять», начинай движение. Поднимаешься наверх по первой лестнице, я буду идти во встречном потоке. Поняла?

— Поняла, Митя. Я все сделаю, ты не волнуйся. Сейчас я включу автоответчик, ровно в половине шестого выйду из дома, в десять минут седьмого пойду на переход с «Новокузнецкой» на «Третьяковскую». Не бойся, я ничего не перепутаю. Ну, все? Ты ничего не забыл?

— Я тебя люблю, — благодарно произнес Платонов.

— И я тебя люблю. До встречи.

Валентина повесила трубку. Он задумчиво постоял несколько секунд возле телефона-автомата, потом пошел к кассе и купил еще один жетон.

— Валюша, мне срочно нужно уехать в командировку, — торопливо заговорил он, услышав тонкий писк включившегося магнитофона в автоответчике. — Может быть, я сумею заскочить домой, взять кое-что необходимое, но скорее всего просто не успею. Когда вернусь — неизвестно. Времени в обрез, поэтому машину оставил на Житной, возле министерства. Там она будет в сохранности. Не волнуйся, я буду звонить. Целую тебя и Мышонка.

Он снова спустился в метро и поехал обратно в центр. Выйдя на станции «Третьяковская», неторопливо пошел к эскалатору, считая про себя секунды. Запомнил, на какой цифре подошел к лестнице и на какой — закончил спуск на «Новокузнецкую». Потом, продолжая счет, прошел от лестницы до первого вагона поезда с той стороны, откуда должна приехать Валентина. Проделал весь путь в обратном направлении, проверяя отсчет. Кое-что уточнил, взглянул на часы и подумал, что не нужно ему сидеть целых двадцать минут на платформе, глаза мозолить. Лучше проехать четыре остановки в любую сторону и вернуться.

Через двадцать минут он с толпой пассажиров начал медленный спуск по лестнице. Согласно висящему наверху знаку, лестница предназначалась только для движения вниз, однако слева всегда протискивался тоненький ручеек упрямых глупых пассажиров, которым лень было сделать еще три шага до следующей лестницы, по которой люди шли вверх. Валентину он увидел издалека. Она шла не поднимая головы, не озираясь, глядя под ноги, что было вполне оправданно, ибо идти навстречу спускающемуся по лестнице многоголовому и многоногому монстру в час «пик» было небезопасно. Платонову даже показалось, что он чувствует запах ее духов. «Я никогда не смогу уйти от нее», — почему-то подумал он совершенно некстати. Поравнявшись с женой, он чуть-чуть сдвинулся влево, задевая ее плечом и разжимая пальцы. Тут же в ладонь удобно легла пластиковая, обтянутая натуральной кожей ручка «дипломата». Он едва успел ласково провести пальцами по нежной ладони женщины. Вот и все. Еще минуту, еще двадцать секунд назад он был обыкновенным человеком, идущим на встречу с собственной женой. А сейчас, взяв у нее портфель и позволив ей уйти, он превратился в беглеца, скрывающегося от правосудия. Он — вне закона.

Дмитрий Платонов буквально спиной чувствовал, как удаляется от него Валентина и вместе с ней — нормальная законопослушная жизнь, легальная и открытая, словно вместе с женой от него отодвигалась та граница, которая только что разделила ТОТ мир и ЭТОТ.

4

В машине было тепло и душно. Андрей Чернышев, оперативник из областного управления внутренних дел, приехал на Петровку за Настей Каменской прямо с бензозаправки, и в салоне все еще витал весьма ощутимый запах бензина.

— Я открою окно, — полувопросительно сказала Настя, берясь за ручку.

— Смотри, чтобы тебе не надуло, — откликнулся Чернышев, которого моментально прохватывало даже на малюсеньком сквозняке.

— Да черт с ним, пусть надует, — беззаботно откликнулась Настя. — Иначе я в обморок свалюсь, я же духоту не переношу.

— Интересно, а как же ты летом на юг ездишь?

— Никак, — пожала она плечами.

— Как это — никак?

— А я не езжу летом на юг.

— А когда ездишь? Осенью, в бархатный сезон?

— Не-а. Я вообще никуда не езжу. Во время отпуска сижу дома, деньги зарабатываю переводами.

— А дача?

— Да бог с тобой, — она испуганно всплеснула руками. — В нашей семье сроду дачи не было.

— Интересно, почему? Сейчас мало людей найдется, у которых дачи нет или участка садового. В основном у всех есть какой-никакой сад-огород.

— Трудно сказать, Андрюша. Сколько я себя помню, этот вопрос даже и не поднимался. Мама много работала, в выходные тоже все время что-то писала, на компьютере работала. Какая ей дача? Папа в уголовном розыске трубил, ему бы на сон пять часов в неделю урвать — уже радость. Ну и я с детства к природе не приучена, выросла городским ребенком, у меня и тяги такой нет, чтобы в лес выехать или там на полянку какую-нибудь. Стыдно признаться, но меня это раздражает. Обязательно что-то колется, что-то кусается, воды горячей нет, мягкого дивана нет, телефона нет. Ну и так далее.

— Хорошо, что ты в городском управлении работаешь, а не в областном, как я, — философски заметил Андрей. — А то как преступление — так природа. Даже если оно совершено в доме, так до него пока доедешь — в машине укачает. И опять же, ехать через ту самую природу, которую ты не любишь.

— Не передергивай, я не сказала, что не люблю, я сказала, что я к ней равнодушна.

Некоторое время они ехали молча, не произнося ни слова.

— Андрюша, не тяни, — наконец сказала Настя. — Выкладывай.

— Да нечего особенно рассказывать, — вздохнул Чернышев. — Опять та же самая история. Выстрел в затылок, револьвер девятимиллиметровый. Труп в лесополосе, недалеко от дороги. Мо-

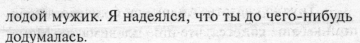

лодой мужик. Я надеялся, что ты до чего-нибудь додумалась.

— А связи?

— Ничего. Никаких связей с другими потерпевшими. По крайней мере, на первый взгляд. Конечно, там еще копать и копать. Я уже, честно признаться, стал понедельников бояться. Как приду на работу — так убийство. Их по выходным дням отстреливают, что ли?

— Похоже. Получается одно из двух: либо потерпевшие — люди, до которых добраться можно только в выходные дни, потому что по будним дням они всегда на людях или под охраной, либо преступник у нас такой специфический. Сумасшедший, например. Или тоже занят полную рабочую неделю. Как ты на это смотришь?

— Я подумаю, — отозвался Чернышев. — Из четырех погибших один — студент, один — коммерсант, двое нигде постоянно не работают. Может быть, дело действительно в их образе жизни. Но где они могли пересечься? Почему их убивает один и тот же человек?

— Стоп, стоп, Андрюша, не один и тот же человек, а из одного и того же оружия. Ну и, если угодно, одним и тем же способом. Но в том, что убийца тот же самый, мы не можем быть уверены.

— Да ладно тебе. Судя по заключению экспертов, во всех четырех случаях выстрел произведен с расстояния 22—24 метра человеком, имеющим рост примерно 168 сантиметров. Если убийцы

разные, то их что, по-твоему, по росту подбирали? Тебе не кажется, что это маловероятно?

— Я не знаю такого слова, — пожала плечами Настя.

— То есть?

— Мы в своей работе не должны заниматься оценкой вероятности. Это одна из самых больших наших ошибок. Мы должны предусмотреть все, понимаешь, все без исключения. У большинства из нас мышление организовано неправильно.

— Интересно ты рассуждаешь. А как же правильно?

— А правильно — это как у компьютера. Ты когда-нибудь играл с компьютером в преферанс?

— Приходилось, — хмыкнул Андрей.

— Тогда ты должен помнить, что, если на одних руках, к примеру, семерка, десятка и туз, машина очень долго думает, какую карту снести. Человек просто помнит, что семерка меньше, туз — больше, и бросает карту не задумываясь, а машина, прежде чем сделать ход, каждый раз просчитывает расстояние от семерки до десятки и дальше до туза, и только после этого делает ход. Она не может запомнить, что семерка всегда меньше десятки, она эту истину открывает каждый раз заново. Кстати, я это всегда учитываю, когда играю. По тому, сколько времени машина думает, можно примерно определить, какие карты на руках у противника. Если сброс карты идет сразу, значит, она в данной масти либо вообще единственная, либо там лежат две подряд, например, семерка с восьмеркой или дама с королем. Если долго думает, значит, либо карт много, либо между ними расстояние большое. Так и мы с тобой: в каждом преступлении мы должны все истины открывать заново, а не оценивать степень вероятности каждой из них. Другое дело, что планировать работу мы начинаем с проверки наиболее вероятных версий, но держать в голове мы должны все, даже самые невероятные.

К Настиному дому они подъехали около десяти вечера.

— Может, на завтра перенесем? — осторожно предложил Чернышев. — Поздно уже, неудобно.

— Почему неудобно? — удивилась она. — Нормально. Пошли, не выдумывай.

Войдя в квартиру, Настя первым делом кинулась на кухню ставить чайник на огонь. Ей никак не удавалось нормально работать без чашки крепкого кофе.

— Извини, у меня еды никакой нет, могу предложить только бутерброд с сыром. Будешь?

— Буду. Аська, скорей бы ты уже замуж вышла, что ли. У тебя холодильник — как у старого холостяка.

— Думаешь, я после свадьбы готовить начну? — засмеялась она. — Не обольщайся. Мне скоро тридцать пять, меня уже не переделать.

— Как же ты своего Чистякова кормить собираешься?

— А он сам себя прокормит. И меня заодно.

Она включила компьютер и разложила перед

собой записи, которые Чернышев сделал, работая
по четырем убийствам.

— Начнем с места преступления. Говори точные координаты.

На мониторе появилась карта Московской области, на которую Настя аккуратно нанесла четыре точки, обозначающие места, где были найдены
четыре трупа с огнестрельными ранениями в затылок. Все точки находились на разном расстоянии от центра Москвы, самая ближняя — в сорока километрах, самая дальняя — в ста десяти.

— Пока ничего не видно, — задумчиво про-
комментировала она. — Единственное, что можно сказать: все эти точки находятся примерно в
одинаковом удалении от Хорошевского района.
Об этом имеет смысл подумать, если исходить из
того, что все дело в преступнике. Может быть, он
живет где-то в этом районе. Знаешь, люди очень
подвержены привычкам. Если человек выбирает
из двух-трех маршрутов в первый раз какой-то
один и на этом маршруте с ним не происходит
ничего плохого, в девяти случаях из десяти он остальные маршруты и пробовать не станет. Убийца
в первый раз завез свою жертву на расстояние
примерно в семьдесят километров. Убедившись,
что все прошло благополучно и его в течение недели не поймали, он автоматически начинает
считать семьдесят километров оптимальным без-
опасным расстоянием. Ближе — рискованно, дальше — нет необходимости. Ведь такое может быть?

— Может, — согласился Андрей. — Только не
очень похоже, что убийца специально увозил бу-

дущую жертву за семьдесят километров от города. Родственники погибших в трех случаях из четырех знают, куда и зачем ехали эти люди. Студент — на дачу к родителям, коммерсант — на завод, выпускающий телевизоры, это в Талдомском районе, из двоих неработающих один ехал к друзьям.

— А четвертый?

— Вот четвертый совершенно непонятно зачем отправился за город. Те, кто его знают, говорят, что никогда не слышали от него ни о каких знакомых, живущих в районе Истры. Чего он туда потащился? На свою голову...

Настя стала быстро записывать в компьютер информацию о четырех убийствах. Некоторое время в комнате стояла тишина, нарушаемая только мягким пощелкиванием клавиш и звонкими сигналами, которые издавала машина, когда набиралось незнакомое ей слово.

— Попробуй поискать в Хорошевском районе какого-нибудь сумасшедшего, — посоветовала Настя. — Планомерный отстрел молодых мужчин сильно смахивает на нарушения психики. Ведь у нас все потерпевшие — молодые, верно?

— Верно, от девятнадцати до двадцати пяти.

— И все — по выходным дням?

— Все.

— Черт знает что... — устало вздохнула она. — Ну, будем пробовать.

— Аська, сегодня уже четверг. А вдруг в понедельник опять? Я с ума сойду, ей-богу. На тебя вся надежда.

— Не надо взваливать на меня ответственность, Андрюша. Ты сам прекрасно знаешь, что больная психика ведет к случайному отбору жертв, а при случайном отборе преступления никогда сразу не раскрываются. Приготовься к тому, что тебе придется пережить еще не одно убийство, пока ты этого психа поймаешь. Если вообще поймаешь.

— Да тьфу на тебя! — взвился Чернышев. — Что ты такое говоришь?! Я и так сон потерял.

— Что ж делать, миленький, — Настя сочувственно погладила его по плечу. — Работа такая. Розы бывают раз в десять лет, зато дерьма — навалом и каждый день.

5

Проводив Чернышева, Настя быстро скинула джинсы и свитер и залезла под горячий душ. У нее были не очень хорошие сосуды и от этого всегда мерзли руки и ноги. Она не могла заснуть, не согревшись предварительно в горячей воде.

Стоя в ванной и прислушиваясь к тому, как упругие струи воды шуршат, попадая на пластик купальной шапочки, она приводила в порядок полученную за день информацию. Слова Юры Короткова, произнесенные им в понедельник, оказались пророческими. Убийство в Совинцентре, похоже, доставит им немало головной боли. Мало того, вчера совершено убийство работника милиции, приехавшего из Уральска-18, Вячеслава Агаева. Все бы ничего, да беда в том, что Агаев обслуживал предприятия, входящие в систему Министерства среднего машиностроения. Того самого министерства, в котором так долго работал Юрий Ефимович Тарасов. И такое милое сочетание Анастасии Каменской почему-то совершенно не нравилось.

Глава 4

1

Когда полковника Мукиенко вызвал к себе генерал, Артур Эльдарович приготовился к худшему. В том, что Платонов провел его, как мальчишку, и смылся в неизвестном направлении, полковник винил только себя, поэтому, идя по покрытому мягкой ковровой дорожкой коридору к кабинету генерала Заточного, даже не пытался придумать оправдания своей оплошности, а просто мужественно нес повинную голову.

Генерала он знал давно, но близко знаком с ним не был, поэтому на дружеское снисхождение особо не рассчитывал. Однако была у Мукиенко одна слабость, маленькая совсем, незначительная слабость, но на слабости этой его легко можно было взять, что называется, голыми руками. Артур Эльдарович не переносил, когда на него повышают голос. Он сразу терялся, краснел, подмышки и ладони мгновенно делались влажными, и вообще он начинал чувствовать себя плохо, не мог легко и быстро найти ответ и от сознания своей беспомощности и уязвимости делался аг-

рессивным. Полковник мог достойно вынести любой, самый неприятный разговор и сгладить любой конфликт, но только лишь в том случае, когда собеседник его бывал вежлив и сдержан. К сожалению, случалось такое нечасто.

Но на этот раз Артуру Эльдаровичу повезло. Генерал Заточный пришел в министерский кабинет из сыскарей-экономистов, имел большой опыт общения с внешне приличными работниками хозяйственно-производственной сферы, директорами, ревизорами, главбухами, иными словами — людьми, которых глоткой и нахрапом не возьмешь, с ними можно было разговаривать только тихонько, интеллигентно, с мягким юморком, едва заметными легкими толчками подбивая их к случайным проговоркам и завуалированным признаниям. Когда он был еще капитаном и старшим опером в районном управлении, один остряк скаламбурил: «Чем тише Заточный разговаривает, тем ближе перспектива заточения в камеру».

Было у генерала еще одно «секретное» оружие. Знали о нем все, кто был с ним знаком, но уберечься почти никому не удавалось. Иван Алексеевич Заточный умел улыбаться. Да не абы как, дежурно раздвигая губы, когда глаза остаются пустыми и равнодушными, а искренне, радостно, сверкая безупречно ровными зубами. Его желтые тигриные глаза в такую минуту, казалось, излучали свет, как два маленьких солнышка, обогревая собеседника неожиданным ласковым теплом, а лицо выражало такую приязнь и добродушие, что

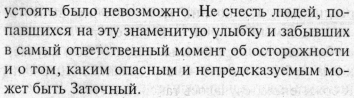

устоять было невозможно. Не счесть людей, попавшихся на эту знаменитую улыбку и забывших в самый ответственный момент об осторожности и о том, каким опасным и непредсказуемым может быть Заточный.

— Заходи, Артур, — приветливо произнес генерал, выходя из-за стола и шагая навстречу Мукиенко с протянутой рукой.

Полковник ответил на крепкое рукопожатие и настороженно взглянул на начальника. «Уж лучше сразу, чем тянуть», — решил полковник и спросил:

— Бить будете?

— Сначала разберусь, — улыбнулся Заточный. — Присаживайся. Я люблю новости из первых рук принимать, а не подержанные, как на барахолке. Когда вещь через десятки рук пройдет, разве поймешь, как она выглядела, когда ее на фабрике сделали?

— С самого начала рассказывать?

— С самого что ни на есть, — подтвердил Иван Алексеевич.

— На прошлой неделе поступил сигнал от сотрудника финансово-планового отдела одного из заводов, расположенных в Уральске-18, — начал Мукиенко, стараясь излагать последовательно, чтобы генералу было понятно, но не слишком подробно, чтобы не затягивать. — Фамилия этого человека Сыпко. Он восемь месяцев назад обращался в инстанции по поводу нарушений, связанных со списанием электронной и иной техники, содержащей драгметаллы. Проверка была поручена подполковнику Платонову. Сейчас Сыпко снова обратился к нам в связи с тем, что по его сигналу ничего не предпринимается, нарушения не вскрываются и виновные не наказаны. В Уральске по поручению Платонова этим заводом должен был заниматься капитан Агаев. Два дня назад Агаев прибыл в Москву по вызову Платонова, имея при себе документы по этим приборам. Позавчера, в среду, Агаев встречался с Платоновым. В тот же день вечером Агаев был убит. Документов на приборы при нем не обнаружено, зато нашлись две любопытные бумажки. Одна — телетайпограмма, которой Платонов вызвал его в Москву. Вторая — полоска бумаги с реквизитами банковского счета и датой. Проверка показала, что это счет фирмы «Натали», на который в указанный день была переведена сумма в двести пятьдесят тысяч долларов. Деньги пришли со счета фирмы «Артэкс», которая в прошлом месяце заявила о своей ликвидации. Фокус состоит в том, что «Артэкс» проходит по материалам Платонова как фирма, через которую в нарушение всех правил реализовывались подлежащие списанию приборы с уральского завода. А в фирме «Натали» работает жена Платонова. Когда я попросил Платонова представить мне все материалы по заводу в Уральске, он вышел якобы к себе за документами и исчез. Вот, собственно, и все.

Мукиенко перевел дыхание и приготовился к разносу.

— Да нет, Артур, не все, — вздохнул Заточный. — Далеко не все. Ты подозреваешь, что деньги, которые «Артэкс» отстегнул фирме «Натали», — это взятка самому Платонову. Так?

— Ну, в общем, — замялся полковник. — Примерно так.

— И за что же, по-твоему, ему дали эту взятку?

— За то, чтобы он замарафетил улики и смазал дело о злоупотреблениях. Недаром же за восемь месяцев дело с мертвой точки не сдвинулось.

— А ты уверен, что оно не сдвинулось?

— У меня нет доказательств обратного, — возразил Мукиенко. — Платонов мог бы представить мне все документы, я дал ему такую возможность. А он вместо этого сбежал. Как я должен это понимать?

— Ну, каждый понимает в меру своей испорченности, — усмехнулся генерал. — Этой истине нас еще в детстве учили. Ты его и в убийстве небось обвинил? Да ладно, не стесняйся, говори. Ведь обвинил?

— Впрямую — нет. Я только сказал, что через полчаса после того, как его видели вместе с Агаевым, капитана нашли мертвым.

— А он что?

— Ничего. За сердце схватился.

— Понятно. Значит, так, Артур, попали мы с тобой в нехорошую историю. Давай думать, как выбираться будем. Ты, вот лично ты, не как большой начальник, а как человек, ты веришь в то, что Платонов виновен во взяточничестве и убийстве?

— Нет, товарищ генерал. Не верю, — твердо ответил Мукиенко.

— И я не верю. Так на хрена ж ты его пугал своими обвинениями?

Мукиенко стало заметно легче. Он даже сумел улыбнуться, уж очень детским показался ему вопрос генерала.

— Хотел добиться, чтобы он мне материалы показал. Вы же сами знаете, Иван Алексеевич, ни один порядочный опер свои материалы никому зазря не покажет. Единственный способ в них заглянуть — припугнуть как следует.

— И зачем тебе занадобилось в них смотреть, в материалы эти? Чего ты там увидеть хотел?

— Я, товарищ генерал, хотел убедиться, что Платонов действительно работал по уральскому заводу, а не валял восемь месяцев дурака.

— Зачем, Артур? — с тоской спросил Заточный. — Зачем тебе в этом убеждаться? Откуда у тебя сомнения-то появились? Какой-то малахольный Сыпко написал кляузу, и ты уже готов поставить под сомнение честность своего подчиненного? Артур, дорогой, нельзя так, пойми. Мы все по лезвию ножа ходим. Ты посмотри вокруг, посмотри, как мало нас осталось. Ведь за что работаем, за что задницу-то рвем? Не за деньги, не за регалии, за идею да за честь мундира. И то не все. Деньгами нашими, которые мы за свою работу получаем, только подтереться и можно, больше они ни на что не годятся. Среди нас троечников уже не осталось, это тебе не прежние времена. Все троечники и «хорошисты» давно в коммерцию пристроились. Остались только сумасшедшие идеалисты и сволочи. Первых, заметь себе, намного меньше, чем вторых. Поэтому каждый раз, когда в тебе червячок зашевелится, думай в первую очередь о том, что если человек из первой категории — ты его смертельно обидишь и потеряешь как сотрудника и соратника, а если он из второй категории — ты его просто-напросто спугнешь своими прямыми вопросами и обвинениями. И так нехорошо, и эдак неладно. Ты Платонова своего совсем не знаешь, работаешь всего три месяца, где уж тебе определить с первого взгляда, к какой он категории относится. Не надо было сразу в бой кидаться, пришел бы ко мне, посоветовался, мы бы вместе чего-нибудь сообразили. А ты...

Он горестно махнул рукой. Говорил генерал Заточный совсем тихо, еле слышно, и от этого казалось, что он не сердится, а сокрушается и вот-вот заплачет. Мукиенко даже на какое-то мгновение стало неловко, мол, как же так, расстроил человека, чуть не до слез довел. Но в следующее мгновение он спохватился, сообразив, что генерал просто использует очередное «секретное» оружие, о котором тоже знали все и все равно попадались. И он, Мукиенко, чуть не попался.

— Кто ведет дело об убийстве Агаева? — спросил генерал.

— Петровка забрала. Но поскольку Агаев не москвич, наверное, создадут группу, кого-нибудь из главка привлекут. Тем более что там фигурирует наш Платонов.

— Я вот что думаю, Артур, — по-прежнему тихо продолжал Заточный. — Если Платонов действительно продался, это, конечно, плохо, это мы с тобой проморгали, но знать об этом всем окружающим совершенно необязательно. Тяжелые болячки надо пересиживать в карантине. Согласен?

Мукиенко молча кивнул, еще не понимая, куда ведет генерал.

— Если же твой Дмитрий чист, то надо костьми лечь, но помочь ему оправдаться. Не надеяться, что это сделают добрые дяди с Петровки, а приложить к этому максимум усилий. Поэтому нужно сделать так, чтобы в группе по расследованию убийства Агаева работал человек, которому мы с тобой можем абсолютно доверять. Этот человек должен, во-первых, быть настоящим профессионалом, чтобы суметь объективно разобраться в этой поганой истории, и, во-вторых, не желать Платонову зла, не иметь на него зуб. Есть у тебя такой человек на примете?

— Нет, Иван Алексеевич. Вы сами сказали, я здесь недавно, людей плохо знаю.

— Тогда я сам выберу. В соседнем главке есть подполковник Русанов. Я знаю, что они с Платоновым очень дружны, причем знают друг друга много лет. Если у тебя нет на примете никого лучше, я буду добиваться, чтобы с Петровкой сотрудничал именно он. Он крепкий сыщик, умница. Если Платонова можно спасти, он это сделает. Ну а уж если нельзя...

Заточный снова тихонько вздохнул, потер рукой лоб и посмотрел на Мукиенко так, словно тот был его задушевным другом и сейчас он, генерал Заточный, собирается поделиться с ним самым сокровенным.

— Если нет, то можно надеяться, что грязь, которую он накопает, не полетит во все стороны радужными брызгами. Русанов умеет держать язык за зубами, много раз проверено. Ему сказать — все равно что в могилу. На него можно положиться. Ну как, Артур? Принимается?

— Конечно, Иван Алексеевич. Спасибо вам, — благодарно произнес полковник. — Я знаю, я виноват, признаю.

— Перестань, — поморщился Заточный. — Ошибки исправлять надо, от битья себя в грудь еще никому легче не стало. Не казнись, Артур, Платонов твой сам сглупил, если не виноват, так нечего было сбегать. Он тебе как-нибудь объяснил происхождение денег на счету фирмы своей жены?

— Он сказал, что ничего об этом не знает.

— Совсем ничего?

— Совсем. В первый раз слышит.

— Вот это уже плохо. Ладно, Артур, будем прорываться. В розыск Платонова объявили?

— Так точно. Сегодня утром видел ориентировку.

— Шустрые! — недобро усмехнулся генерал. — Конечно, в кармане убитого телетайпограмма лежит от какого-то Платонова из МВД с вызовом в

Москву, а сам Платонов неизвестно где. Немудрено, что его первого подозревают. Дерьмо! Жена-то его что говорит?

— Говорит, что пришла вчера с работы, а на автоответчике запись, мол, срочно уезжаю в командировку, когда вернусь — не знаю, буду звонить.

— Явочные и конспиративные квартиры Платонова проверили?

— Пусто. Засады оставили.

— Любовница есть?

— Есть, тоже проверили. Она ничего не знает. Он и машину свою возле министерства оставил.

— Да? Значит, не дурак, — устало констатировал Заточный. — Ну что ж, будем надеяться на Русанова. Пусть уж лучше он его покрывает, все равно сыщики с Петровки улик нароют выше крыши, но, уж если Платонов не виноват, Русанов его вытащит. В этом я уверен.

Генералу Заточному понадобилось всего два с половиной часа, чтобы в состав следственно-оперативной группы, созданной для раскрытия и расследования убийства капитана Вячеслава Агаева, был включен старший оперуполномоченный Главного управления по борьбе с экономическими преступлениями подполковник Сергей Русанов.

2

Юрий Ефимович Тарасов разваливался на кусочки, и Насте никак не удавалось собрать из этих кусочков единый цельный образ. Портрет погибшего ускользал от нее, никак не желая принять хоть какую-то определенную форму. Насте все время мешали две вещи: откровенная невоспитанность и бесцеремонность Тарасова и наличие в его квартире трех восточноевропейских овчарок. И то и другое было доказано и не являлось плодом чьего-то воображения, поэтому фактами этими пренебрегать было нельзя. В то же время все остальные черты личности Юрия Ефимовича должны были улечься в пространство между этими двумя вешками. А они почему-то не укладывались.

Зачем человеку, живущему не в собственном загородном доме, а в городской квартире, три крупные служебные собаки? Для продажи щенков? У Тарасова все трое — мальчики, кобели. Для охраны? Достаточно одной, зачем же три собаки?

Возможно, он замешан в каких-то очень и очень серьезных делах, жизнь его подвергалась риску постоянно. Тогда понятно, почему у него больше чем одна собака. Пока гуляешь с собакой, твоя квартира остается незащищенной, и, вернувшись с прогулки, всегда есть риск нарваться либо на гостей, либо на взрыв. С собаками можно гулять по очереди, тогда квартира всегда будет под надежной охраной. Ну, хорошо, объяснение для двух овчарок она нашла. Но три?! Куда ему три-то?

Возможно, он сумасшедший собачник. Возможно, он помешан на овчарках. В конце концов,

у каждого человека в голове живет свой таракан. Но тогда непонятно, откуда такое патологическое стремление к чистоте и порядку. Иметь в городской квартире трех огромных линяющих собак, таскающих на лапах грязь с улицы, постоянно готовить им еду, лавировать между тремя подстилками и шестью большими мисками (три для еды, три — для питья) — это значит жить в постоянном беспорядке. Убежденный принципиальный чистюля никогда не заведет в квартире трех больших собак. Юрий Ефимович Тарасов — владелец трех овчарок никак не совмещался с Тарасовым, носящимся по протокольному отделу с тряпкой и чистящим порошком. Человек, кидающийся ко всем подряд с дурацкими непрошеными советами, болтающий целый день не закрывая рта, плохо соединяется с представлением о человеке, живущем в постоянной опасности и содержащем для своей охраны трех злобных сторожевых собак. Все время что-то не сходится. Как ни вертела Анастасия Каменская факты, как ни крутила, но все время что-то было не так.

Игорь Лесников занимался проработкой вопроса о том, могут ли посторонние проходить в здание Совинцентра. Результаты его трудов тоже были малоутешительными: по правилам человек, не работающий в Совинцентре и не живущий в одной из трех гостиниц, мог пройти в здание только при наличии пропуска, заказанного специально для него. Но правило это практически не соблюдалось. Любой сотрудник Совинцентра мог, предъявив собственный пропуск, кивнуть на своего спутника и с магическими словами «Это со мной» провести в здание кого угодно. Более того, существовало несколько неконтролируемых или плохо контролируемых входов, в частности, через гараж. Одним словом, ограничить поиски убийцы только зданием Совинцентра никак не удавалось. Через бюро пропусков убийца пройти не мог, так как бюро открывается только в половине десятого, а убийство Тарасова совершено в промежутке от восьми тридцати до восьми сорока пяти. Он мог пройти по собственному пропуску, если работал здесь же, или с кем-то из сотрудников, или через неконтролируемый вход. Ох, велика ты, Россия-матушка, и народу на земле твоей живет много. А тот, кто убил Юрия Ефимовича, может быть, и вовсе чужестранец, их в гостиницах-то почитай три тысячи человек проживает.

Настя положила перед собой длинный послужной список Тарасова. Она уже видела его и успела обратить внимание на то, что в свое время Юрий Ефимович работал главным инженером на приборостроительном заводе в Уральске-18, откуда и приехал в Москву погибший следом за ним капитан Агаев. Что из этого следует, было пока неясно. Тарасов работал в Уральске несколько лет назад, Агаев в то время еще учился в школе милиции в Караганде, так что они скорее всего и знакомы-то не были. Конечно, это надо обязательно проверять, но, даже если окажется, что они

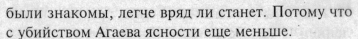

были знакомы, легче вряд ли станет. Потому что с убийством Агаева ясности еще меньше.

Судя по телетайпограмме, найденной в кармане у Агаева, он приехал в Москву по вызову некоего Дмитрия Платонова, сотрудника Главного управления по борьбе с организованной преступностью. Агаев встречался с Платоновым, это видели по меньшей мере человек десять, работающих в МВД. По введенным недавно правилам войти в здание министерства можно было только в том случае, если ты являешься счастливым обладателем «министерского» удостоверения либо у тебя есть специальный вкладыш, разрешающий проходить в святая святых борьбы с российской преступностью. У капитана Агаева такого вкладыша, естественно, не было. Он позвонил по внутреннему телефону, висящему рядом с постом, и терпеливо ждал, пока к нему спустится Платонов. Сержант-постовой Агаева запомнил, он видел и подошедшего к нему Платонова. Нашлись сотрудники, которые видели обоих садящимися в машину Платонова. Было это в среду, примерно в девятнадцать часов пятьдесят минут. А в половине девятого Вячеслава Агаева нашли жильцы дома на улице Володарского, в Таганском районе. Капитан лежал в подъезде одного из старых, запущенных, давно не ремонтировавшихся домов. Смерть наступила от проникающего ранения, нанесенного длинным узким предметом прямо в сердце. А Платонов куда-то исчез. Что ж, выходит, надо подозревать Платонова.

Настины размышления были прерваны появлением Игоря Лесникова. Игорь, всегда строгий, редко улыбающийся, очень серьезный и обязательный и при этом невероятно красивый, был предметом воздыханий многих женских сердец на Петровке, но вел себя безупречно, ни с кем не заигрывал и надежд не подавал. Сегодня он был хмурым и каким-то обиженным.

— Ася, ты знаешь Русанова из ГУЭПа?

— Фамилию слышала, но сталкиваться не приходилось. А что?

— И что ты слышала про него?

— Что хороший сыщик, толковый. Он в свое время здесь же, на Петровке, работал, его у нас, наверное, многие помнят. Зачем он тебе?

— А ты знаешь, что этот хороший толковый Русанов — ближайший друг-приятель сбежавшего Платонова?

— Да ну?! Лихо. Надо придумать что-нибудь интересное...

— Не усердствуй зря, — перебил ее Лесников. — Он включен в состав нашей группы как представитель министерства. Как ты думаешь, нам с тобой это чем-нибудь угрожает?

— Да практически ничем, кроме головной боли, — поморщилась Настя. — На каждое наше слово он будет нос воротить и цедить сквозь зубы: «Что вы мне тут рассказываете! Я Платонова лучше вас знаю, я вам точно говорю, что было так-то и так-то», короче говоря, будет друга своего покрывать. В министерстве тоже не дураки сидят, им скандал с сотрудником-убийцей ни к чему. Зачем копья ломать в попытках воздействовать на строптивую Петровку, когда можно просто подсунуть в нашу группу человека, который гарантированно уведет нас в сторону от убийцы, ежели таковой окажется Платоновым. Да он своим авторитетом давнего друга, знающего всю подноготную Платонова, развалит любую нашу версию, которая министерству не понравится. Вот и весь сказ. Мы с тобой должны быть к этому готовы и не попадаться на удочку, вот и все. Короткову, конечно, трудновато придется, он у нас юноша вспыльчивый, а мы с тобой люди тихие, сдержанные, так что выкрутасы этого Русанова нас не особо из колеи выбьют. Ты с ним уже виделся?

— Не довелось, — усмехнулся Лесников. — Он по телефону звонил, представился, договорились, что он приедет часам к четырем. Хочешь поприсутствовать?

— Не-а, — Настя тряхнула головой. — Зачем он мне? Ты уж сам, Игорек, ладно?

— Почему?

— Потому что это нецелесообразно, — пояснила Настя. — Если мы с тобой ждем от него подвоха и недобросовестности, то должны вооружаться заранее. Ты сейчас с ним познакомишься, посмотришь, что это за птица, как настроен. Какой тон, какой стиль общения с ним выбирать — пока неизвестно, не исключено, что тот вариант, который выберешь ты, окажется ошибочным.

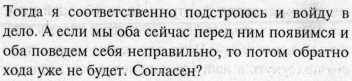

Тогда я соответственно подстроюсь и войду в дело. А если мы оба сейчас перед ним появимся и оба поведем себя неправильно, то потом обратно хода уже не будет. Согласен?

Игорь не успел ответить, потому что дверь резко распахнулась и на пороге кабинета возник полковник Гордеев. Следом за ним вошел стройный, среднего роста человек с тонким интеллигентным лицом и очками в дорогой металлической оправе. Стекла очков были светлыми, не тонированными, и это почему-то сразу понравилось Насте.

— Знакомьтесь, — сухо произнес Гордеев. — Капитан Лесников, Игорь Валентинович. Майор Каменская, Анастасия Павловна. А это подполковник Русанов, Сергей Георгиевич, из Главного управления по борьбе с экономическими преступлениями. Прошу любить и жаловать.

С этими словами Колобок-Гордеев круто развернулся и вышел в коридор. На мгновение в комнате повисло неловкое молчание.

— Прошу извинить, я приехал немного раньше, — виновато произнес Русанов. — Вы заняты? Мне подождать?

Настя смотрела куда-то в потолок, стараясь не встречаться глазами ни с гостем, ни с Игорем. Надо же, как неудачно вышло! Интересно, услышал Русанов конец их разговора или нет?

— Нет, мы как раз вас ждали, — без улыбки сказал Лесников. — Пойдемте в мой кабинет.

Игорь увел Русанова, а Настя осталась у себя,

продолжая копаться в бумажках и с интересом ожидая, как пройдет первая встреча Игоря с сотрудником министерства. По привычке она сразу начала анализ с деления на две части: то, что она видела, соответствовало действительности или было притворством, ширмой, ложью. Единственная реплика Русанова, произнесенная виноватым голосом, могла свидетельствовать о робости и застенчивости, может быть, об излишней деликатности. Сам факт того, что работник министерства приехал на Петровку к рядовым сыщикам не просто не опоздав, а даже раньше назначенного времени, свидетельствовал о многом. Но если это был хорошо продуманный спектакль, то, пожалуй, опасения ее были не напрасны. Министерство глазами и ушами Русанова будет наблюдать за ходом раскрытия убийства, и если ход этот министерству не понравится, то его будут стараться изменить руками того же Русанова. Или начнут мешать оперативникам с Петровки, или вообще заберут дело себе — и концы в воду. Кого теперь нераскрытым убийством удивишь? Одним меньше, одним больше...

3

— Давай на «ты», — сразу предложил Русанов, — так проще.

Они с Игорем сидели в кабинете, который тот занимал вместе с другим сотрудником, в данный момент, к счастью, отсутствовавшим.

— Я сейчас расскажу тебе о Димке Платонове

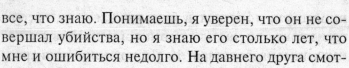

все, что знаю. Понимаешь, я уверен, что он не совершал убийства, но я знаю его столько лет, что мне и ошибиться недолго. На давнего друга смотришь совсем другими глазами, согласен?

Игорь молча кивнул. Русанов ему понравился сразу, но природная осторожность заставляла искать в его словах второе дно.

— Сколько я знаю Димку, он всегда был честным, — начал Сергей. — Он мог делать глупости, он бывал неосмотрительным, он часто ошибался, впрочем, не чаще, чем любой из нас. Но он всегда был честным. Чтобы ты не думал, что я выгораживаю друга, скажу тебе сразу: я отдаю себе отчет в том, что видел только ту сторону Дмитрия Платонова, которой он сам поворачивался ко мне. Была ли другая сторона и если была, то какая она, я не знаю. Это первое. Теперь второе. Ты знаешь, что у Дмитрия есть любовница?

— Знаю, — подтвердил Игорь. — Я с ней вчера разговаривал.

— А ты знаешь, что она — моя сестра?

— Я обратил внимание на то, что у вас с ней одинаковая фамилия, — уклончиво ответил Лесников.

— Так вот, Елена — моя родная и горячо любимая сестра. Их роман длится уже давно, и я хочу, чтобы ты понимал: я бы не допустил этого, если бы считал Димку человеком непорядочным и недостойным. Все хорошее, что я говорю о нем, я говорю совершенно искренне, а не для того, чтобы выгородить его и отвести от него подозрения. Я, Игорь, и не в таких передрягах бывал, я ведь еще при Щелокове служить начинал, так что тренировка по части плавания в подводных течениях у меня большая. И я прекрасно понимаю, какие мысли у тебя в голове бродят. На твоем месте я думал бы точно так же. Поэтому давай-ка сразу расставим все точки и прочие знаки препинания.

Они засиделись на Петровке допоздна. Запирая дверь кабинета, Игорь Лесников с удивлением подумал, что давно ему не было так легко общаться с человеком, с которым он только что познакомился. Определенно, подполковник Русанов ему очень нравился.

4

Близился вечер, а Платонов так и не нашел то, что искал. Он понимал, что, наверное, его уже объявили в розыск, поэтому пытаться выехать из города бесполезно. Да он и не хотел уезжать. Он собирался не просто скрыться, а попытаться разобраться в том, что произошло, а для этого ему нет смысла уезжать из Москвы.

Способ был проверенным и никогда его не подводил. Дмитрий Платонов искал женщину, которая согласилась бы ему помочь. Стереотип действий сложился давно, еще во время обучения в школе милиции, когда их, зеленых слушаков, натаскивали на умение познакомиться, войти в контакт и вытянуть информацию из любого встречного. Уже тогда у него лучше всего получался контакт с женщинами. Никто, в том числе и он сам, не знал, что было в нем такого особенного, что заставляло женщин верить ему, но особенное это было, и в избытке. И смотреть он умел ласково, и улыбаться обаятельно, и голос умел делать бархатным-велюровым, и слова этим голосом произносил правильные, нужные, перед которыми устоять невозможно. Другие пытались копировать — ничего не выходило. Вроде повторяют все за ним точь-в-точь, а результата никакого. Видно, что-то еще было такое в Димке Платонове, не осязаемое, не видное, не слышное, но действующее безотказно. Может, та самая пресловутая сексуальность?

Для осуществления задуманного Платонову сейчас нужна была женщина лет за сорок, одинокая и интеллигентная. Она не должна еще считать себя вышедшей в тираж, она должна хотеть нравиться, но не должна быть, во-первых, привлекательной и, во-вторых, имеющей постоянного мужчину. Дмитрий с самого утра ездил по городу, рассматривал женщин на улицах, в магазинах, в троллейбусах и автобусах, заговаривал, знакомился с ними, но сегодня ему не везло. В былые времена ему удавалось решить свою проблему часа за два-три. Сегодня он потратил уже восемь часов, но так и не нашел то, что ему нужно. Он ужасно устал и хотел есть. Ездить по городу было опасно, и напряжение к вечеру начало сказываться болью в сердце и внезапными легкими головокружениями.

Стоя в вагоне метро, он уцепился рукой за поручень и ненадолго прикрыл глаза, чтобы хоть немного расслабиться и отдохнуть. Сейчас люди едут с работы, это его последняя надежда найти приличную одинокую женщину. Позже такие женщины осядут по домам, и в транспорте и на улице можно будет встретить только тех, кто идет на свидание, ну и, разумеется, тех, кто с мужчиной. «Давай же, давай, — мысленно подгонял себя Платонов, — открывай глаза и продолжай работать, нельзя упускать ни минуты. Прошлую ночь ты провел в одном хитром месте, абсолютно безопасном, но пользоваться которым можно только один раз. Если ты не найдешь женщину, которая тебе нужна, тебе негде будет ночевать и тебя в два счета отловят. Давай же, Митя, включайся, не спи».

Он открыл глаза и принялся медленно разглядывать едущих в вагоне женщин. Не то, не то, опять не то... Он перевел взгляд на следующую пассажирку, и его окатило горячей волной. Огромные карие глаза смотрели на него в упор. Ему показалось, что взгляд прожигает насквозь.

Женщина была намного моложе, чем он наметил для себя, ей было, наверное, около тридцати. И потом, она была красива, вызывающе, ошеломляюще красива. Она смотрела на Платонова и улыбалась ему. Дмитрий зажмурился, надеясь, что виденье исчезнет. Когда он открыл глаза, женщина по-прежнему стояла к нему лицом и улыбалась. Она держалась за вертикальный поручень, и Платонову не было видно, есть ли на ее руке обручальное кольцо. Словно угадав его мысли, незнакомка переменила позу, и теперь

Платонов ясно видел ее узкую ладонь с длинными худыми пальцами. Кольца не было.

Слишком молода. Слишком красива. Слишком... Но боже мой, он так устал.

Поезд замедлил ход перед станцией. Дмитрий быстро протиснулся к женщине и легко коснулся ее плеча.

— Нам выходить, — вполголоса сказал он и едва заметно подтолкнул ее к выходу из вагона. Женщина улыбнулась и безмолвно подчинилась.

На платформе он, не говоря ни слова, взял ее под руку и подвел к скамейке, но садиться не стал, только поставил свой кейс и молча уставился ей в лицо. Потом позволил себе медленно, осторожно измениться, стать улыбающимся.

— Что вы со мной сделали? — тихо спросил он.

В эту секунду загрохотал подходящий к платформе поезд, и Платонов придвинулся к женщине совсем близко, так близко, что почувствовал запах ее кожи, пробивающийся сквозь аромат духов.

— Ничего. Я с вами ничего не делала, — ответила женщина, продолжая прожигать его своими темными глазами.

— Вы — колдунья?

— Нет, я библиотекарь.

— Тогда почему я схожу с ума, когда вы на меня смотрите?

— Я могу спросить вас о том же самом. Почему я послушалась, когда вы сказали, что нам выходить? Мне выходить через три остановки, а вовсе не здесь. Может быть, дело не во мне, а в вас?

— Вы торопитесь? — спросил Платонов, еще не смея поверить в удачу.

— Нет.

— Вас кто-нибудь ждет?

— Нет, меня никто не ждет.

— Значит, я могу пригласить вас поужинать?

— Конечно.

— Меня зовут Дмитрий.

— Меня — Кира.

5

Он повел ее в маленький ресторанчик на Ордынке. Когда-то здесь была грязная вонючая пивная, расположенная в подвальном помещении, куда вели узкие каменные ступеньки. Теперь эти ступеньки были единственным, что напоминало о пивнухе. Внутри все было отделано заново с большим вкусом и тщательностью, юные девочки-официантки приветливо улыбались, и не было такой просьбы, на которую они бы ответили «нет» (разумеется, если просьба касалась меню). У одной из официанток была толстая коса, конец которой при ходьбе касался подколенной ямки, и от этого все заведение почему-то казалось уютным и домашним.

Платонов помог Кире снять плащ и с удовольствием убедился в том, что фигура у нее и впрямь хорошая. Еще его порадовало то обстоятельство, что женщина оказалась в элегантном и отнюдь не дешевом костюме. Платонов подумал, что если библиотекарь носит на работу такой костюм, то библиотека — единственное место, где она бывает. Если бы, кроме скучной повседневности, в ее жизни были яркие вечера, она не покупала бы такие костюмы. Для работы — что-нибудь попроще, затрапезное, позапрошлогоднее. Для вечера — какие-нибудь шмотки супер-экстра-класса, с разрезами, оголенной спиной, шальварами, короче, какая-нибудь экзотика. Он знал, что так бывает достаточно часто. А если женщина покупает дорогой деловой костюм, который ей очень идет, и ходит в нем на работу, значит, она принадлежит как раз к тому типу женщин, который он и ищет.

— Выпьешь что-нибудь? — спросил он, открывая меню.

— Коньяку, пожалуй, но совсем немного, на донышке.

Девушка с фантастической косой приняла заказ, Платонов закурил и, подперев подбородок ладонью, уставился на новую знакомую.

— Ну и как ты думаешь, что же это такое с нами произошло? — спросил он. Ситуация разворачивалась легко, по накатанному сценарию, который Платонов разыгрывал много раз и знал наизусть. Самое главное — минимум вранья, говорил он себе. Женщины если и не умнее мужиков, то проницательнее, они могут не разгадать ложь, не просечь обман, но притворство они рано или поздно обязательно почувствуют.

Кира молча улыбалась и по-прежнему смотрела на него в упор. Платонов подумал, что волосы

у нее точно такого же цвета, как у Лены, только у Лены они гладкие и собранные сзади в пучок, а у Киры — пышные, вьющиеся, красивыми волнами сбегающие на плечи и спину. И глаза у них одинаковые, но у Лены они излучают тепло и ласку, а у Киры — огонь и страсть.

— Скажу тебе честно, то, что с нами случилось, случилось очень не вовремя, — начал Платонов разыгрывать самую ответственную сцену в своем сценарии. Максимум собранности, все слова, движения и взгляды должны быть точными, чтобы не спугнуть женщину. — Такое случается далеко не с каждым человеком, и мне повезло, что удалось это пережить. Я всегда думал, что это книжное вранье, никогда не верил, что так бывает: посмотрел на женщину — и пропал. Вот я и пропал. Я несу какую-то чушь, но это оттого, что под твоим взглядом я начинаю плохо соображать. А мне сейчас нужно соображать хорошо, я должен сохранить ясность ума, иначе я погиб.

— Почему? — наконец спросила она. За последние десять минут это было ее единственное слово.

— Потому что у меня неприятности, и я сам еще толком не знаю, как буду из них выбираться. Неприятности очень и очень серьезные, поэтому мне нужно сохранить способность четко мыслить и быстро принимать решения. А когда ты смотришь на меня, я начинаю таять и расползаться в разные стороны. Кстати, а почему ты так смот-

ришь на меня? Или у тебя от природы такой взгляд и ты так смотришь на всех?

— Нет, только на тебя, — спокойно ответила Кира. — Ты мне понравился. Честно говоря, ты понравился мне еще раньше, несколько дней назад. Ты ехал по Ленинскому проспекту в «Мерседесе» оливкового цвета. Ведь ехал?

— Ехал, — удивленно подтвердил Дмитрий. — Это было неделю назад, в пятницу.

— Верно, — кивнула она. — А я ехала в автобусе впереди тебя, стояла у заднего окна и смотрела на твою машину. Потом стала смотреть на твое лицо. А сегодня я просто тебя узнала.

«Она не врет, — подумал Платонов. — В прошлую пятницу я действительно ездил не на своих «Жигулях», а брал у Валентины ее «Мерседес». И я действительно поехал от Житной по Ленинскому проспекту, потому что мне нужно было попасть на Мосфильмовскую улицу. Вот так встреча!»

— Лучше бы ты меня не узнавала, — с хорошо разыгранным пафосом произнес он. — Мне не нужно было заговаривать с тобой, теперь я понимаю, что подвергаю тебя ненужному риску. Просто я совсем ошалел от твоих глаз...

Здесь всегда следовала выразительная пауза, во время которой партнерша по сцене имела возможность обозначить свои истинные побуждения и намерения. Если, например, разглядев Платонова повнимательней и немного поговорив с ним, женщина начинала раскаиваться в том, что столь неосмотрительно позволила себе завязать

случайное уличное знакомство, то в этом месте у нее была прекрасная возможность отыграть назад.

— Может быть, я могла бы тебе помочь? — спросила Кира, чем и предрешила свою судьбу по крайней мере на ближайший месяц. В девяти случаях из десяти выбранные Платоновым женщины заполняли паузу именно этой репликой, и Кира не стала исключением.

6

Виталий Васильевич Сайнес выключил телевизор и с усмешкой подумал о том, что у гласности есть свои положительные стороны. Разве раньше можно было даже подумать о том, что ежедневные сводки криминальной хроники будут доводиться до широкой общественности и не нужны будут никакие специальные ухищрения, чтобы получить необходимые сведения? Внимательно следя за телевизионными новостями и радиосообщениями, можно было узнавать массу полезной информации. Вот, например, в Московской области завелся стрелок, бьющий без промаха. Очень полезный человек. В свете обострения ситуации, которое началось, когда опер из МВД Платонов принялся копаться в делах с приборами и золотом, такой стрелок будет очень даже не лишним. Сегодня же вечером Сайнес даст команду его найти. Собственно говоря, его и так уже ищет милиция, она у нас хорошо обученная и старательная, вот и пусть ищет, лучше ее люди Сайнеса эту работу все равно не сделают. Смысл задания в том, чтобы поглядывать, как менты будут его искать, а как только свет забрезжит, побежать впереди них и стрелка перехватить, увести у них из-под носа. Слава богу, остались еще люди, которые могут это сделать.

Глава 5

1

Квартира у Киры была небольшая, но удобная. Придя вместе с Платоновым из ресторана, она первым делом включила чайник, усадила Дмитрия на кухне и пошла переодеваться. Вернулась она в длинном золотистом халате до пола, полностью закрывающем красивые ноги, но зато открывающем соблазнительную грудь.

— Послушай, Кира, — осторожно начал Платонов, — у тебя еще есть возможность отказаться мне помочь. Ты не обязана это делать, и это, в конце концов, может оказаться сложным и даже опасным. Я ведь уже говорил, что тебе придется взять на работе отпуск и сидеть со мной дома. Подумай еще раз. Если ты не хочешь рисковать, я просто переночую у тебя и утром уйду, и ты никогда меня больше не увидишь, ну разве что случайно, как сегодня. Если же ты твердо решила мне помочь, то я сейчас расскажу тебе все по порядку и подробно, чтобы ты отчетливо понимала смысл каждой моей просьбы, суть каждого моего задания. Мне очень важно, чтобы ты знала все и

все понимала, потому что человек, который не понимает, легко может что-нибудь напутать. Ну так как? Подумаешь?

— Не буду, — улыбнулась Кира. — Рассказывай. Я готова выслушать твою историю.

— Раскаешься, — предупредил ее Платонов. Все сработало, как в хорошо отлаженном механизме. Длинная тирада, которую он только что произнес, была сплошь составлена из крючков, на которые обычно попадались женщины. Главным из них было любопытство, ведь он говорил: не будешь помогать — уйду, ничего не рассказав, а согласишься — расскажу все без утайки. Была еще и видимость свободы маневра: мол, подумай еще раз, принимай решение. Ерунда все это, коль привела к себе, значит, решилась. Ну и, разумеется, осознание важности возложенной на нее миссии. Все понимать, чтобы, не дай бог, ничего не напутать, от этого так много зависит.

— Моя школьная учительница как-то сказала: всегда лучше жалеть о том, что сделано, чем о том, что не сделано. Рассказывай.

— Ну что ж... — Платонов вздохнул. — Тогда слушай. Восемь месяцев назад один человек по фамилии Сыпко написал в Прокуратуру России письмо о том, что на заводе, где он работает, творятся какие-то безобразия. Продукция ракетостроения, которая в связи с конверсией осталась невостребованной, вместо того чтобы быть переданной для переработки на родственные предприятия в России, почему-то оказалась проданной какому-то товариществу с ограниченной ответственностью. Этот Сыпко работает на заводе бухгалтером, ведущим группу драгоценных металлов, занимается их учетом, списанием, оприходованием. А поскольку в этих приборах драгметаллов много, то, естественно, их списанием и оформлением на них всей документации занимался тоже он. И вот ему сильно не понравилось, что приборы, которые до того всегда уходили на переработку в рамках своей же отрасли, вдруг уплыли куда-то на сторону. Пока все понятно?

— Пока — да, — кивнула Кира. — Тебе чаю налить?

— Да, будь добра. Так вот, гражданин Сыпко пишет в прокуратуру письмо, из прокуратуры его пересылают в наше министерство, и попадает оно на проверку ко мне, поскольку работаю я в главке по борьбе с организованной преступностью. Завод, на котором работает Сыпко, находится в Уральске-18, я туда поехал, связался с работником милиции, который обслуживает завод, звали его Славой Агаевым. Хороший парень, молодой, толковый. Мы с ним друг друга поняли и начали работать вместе. Теперь я хочу, чтобы ты обратила внимание на одну деталь, это важно, Кира. Когда совершается убийство и начинается работа по раскрытию и расследованию преступления, из этого никто никакого секрета не делает. Труп — он и есть труп, факт насильственной смерти человека очевиден, и никому не приходит в голову это скрывать. Когда речь идет о злоупотреблениях и махинациях, ситуация принципиально иная. Преступления никто не видит, о нем могут догадываться, о нем могут даже знать достоверно, но, чтобы увидеть его воочию, нужно иметь массу подтверждающих это документов. И если хоть одного документа не окажется, суд не признает это преступлением. Мало ли что мне написал этот Сыпко! А ну как он врет? Или добросовестно заблуждается? Или хочет свести с кем-то счеты и оговаривает невиновного? Поэтому по такого рода преступлениям работа идет не то что месяцами — бывает, и годами. Осторожненько, маленькими шажочками, чтобы не дай бог не спугнуть преступников, а то ведь они в три секунды все документы уничтожат, и чем ты потом будешь доказывать их преступную деятельность? И вот мы с Агаевым начали потихоньку-полегоньку подкапываться под эти махинации с приборами, содержащими драгметаллы. А гражданину Сыпко неймется, знаешь, у нас таких людей называют «народные мстители». Они хорошие, порядочные люди, не желающие мириться с недостатками и закрывать глаза на явные нарушения, но они поднимают слишком много шума, в результате чего преступники успевают уничтожить следы своей деятельности раньше, чем письмо дойдет до милиции. Такой вот «народный мститель» не желает понимать, что есть законность, что есть суды и прокуроры, что каждое обвинение нужно доказать, подтвердить документально. Он не хочет знать о том, как трудно и долго добываются эти доказа́тельства. Он написал письмо в прокуратуру и желает немедленно видеть результат. А результата чегой-то нетути.

Дмитрий картинно развел руками, потом сделал большой глоток крепкого чая с лимоном.

— И пишет гражданин Сыпко еще одно письмо с гневными требованиями призвать наконец администрацию завода к порядку. Было это месяца три спустя после первого письма. В то время у меня еще начальник был прежний, который проблемы наши хорошо понимал, поэтому письмо гражданина Сыпко прочитал и в стол сунул, даже мне о нем говорить не стал, чтобы зря не сердить. Я себе работаю, пытаюсь в Москве выяснить, что же это за товарищество такое под названием «Артэкс» и кто ему лицензию на перепродажу приборов за границу выдал. Двигаюсь аккуратно, медленно, яко тать в нощи. А Славка Агаев в Уральске копает, как происходит списание этих приборов, отправка, накладные добывает, счета и так далее. До этого места понятно?

— Угу, — промычала Кира, которая как раз в этот момент сунула в рот ложку с вареньем. — Давай дальше, очень интересно.

— Не страшно?

— Пока нет. А чего бояться-то?

— Ну гляди, — неопределенно хмыкнул Платонов. — Потом я, видно, все-таки сделал какое-то неосторожное движение, потому что фирма «Артэкс» вдруг ни с того ни с сего объявила о своей самоликвидации, о чем и поместила сообщение в газете с предложением всем, кто имеет к ней имущественные претензии, предъявить их в течение месяца со дня помещения объявления. Короче, все как у больших. И никаких документов по этой фирме раздобыть нельзя, в связи с самоликвидацией все бумаги уничтожены. Одним словом, ку-ку, малышка, свадьба отменяется в связи с отсутствием жениха и невесты. Мне, как ты понимаешь, обидно до соплей, но не смертельно. Во-первых, в моей богатой практике такое бывало много раз, а во-вторых, та же самая практика показывает, что те, кто учудил историю с «Артэксом», не остановятся и не сделаются вмиг хорошими, решив, что уже наворовали достаточно. Они просто найдут другую фирму и будут продолжать делать все то же самое. Так что шансы их выявить и доказать их вину остаются. Поэтому я долго не убивался по почившей в бозе фирме, а стал ждать, когда же она возродится. Теперь я скажу тебе еще одну важную вещь. Ты, наверное, книжки детективные читаешь, поэтому знаешь, что у каждого опера есть агентура. Знаешь?

— Конечно, — снова улыбнулась Кира. — Ты мне решил ликбез устроить?

— А что, не надо? Ладно, тогда сразу перейду к главному. У меня в системе Министерства среднего машиностроения был человек, звали его Юрием Ефимовичем. Он был выдающимся экспертом по драгоценным металлам, кандидатом наук, автором нескольких специальных книг. Но помимо того, что он был превосходным специалистом, он был очень хорошим человеком. Это важно, Кира, ты слушай внимательно, это важно, чтобы понять все остальное. Подавляющее большинство агентов вербуется на компромате. Это люди, которые тебя ненавидят, но выполняют твои задания, потому что боятся тебя, потому что у тебя на них что-то есть и ты их, грубо говоря, шантажируешь этим. Небольшая часть агентов работает не из страха перед тобой, а из удовольствия нагадить ближнему. И только мизерная доля сотрудничает с тобой потому, что разделяет твои взгляды и убеждения. Что называется, не за страх, а за совесть. Таких агентов берегут как зеницу ока, на них не заводят никаких личных дел и учетов, чтобы не дай бог их не расшифровать. С такими агентами часто возникает настоящая дружба, глубокая привязанность, чувство взаимного доверия и поддержки. Далеко не каждому оперативнику так везет в жизни и ему удается завербовать такого агента. Мне повезло. У меня был Юрий Ефимович Тарасов, человек безупречной честности, огромной доброты и высочайшей квалификации. Он очень помог мне в деле с уральскими приборами. После того, как скончался «Артэкс», у Юрия Ефимовича прошло сокращение в той организации, где он работал, и мы с ним решили попробовать осуществить одну комбинацию. Поскольку ему все равно нужно было менять место работы, мы задействовали все свои связи и устроили его заместителем начальника протокольного отдела Совинцентра. Не буду морочить тебе голову деталями, скажу только, что работа в протокольном отделе позволяла получать самые точные сведения о том, представители каких фирм, когда и на сколько дней приезжают в нашу страну, а также о том, куда, когда и на сколько выезжают работающие в этих фирмах российские граждане. «Артэкс», принародно объявив о своих похоронах, свою документацию уничтожил, но в Совинцентре-то остались бумаги, по которым можно точно определить, с какими иностранными государствами, фирмами и банками контактировал покойник. И если сейчас, отрыдав на похоронах, гости дружною толпою начнут посещать другой гостеприимный дом и в том же составе, то сведения эти можно будет получить в первую очередь — где? Правильно, в Совинцентре. И вот Юрий Ефимович Тарасов по моей просьбе начал работать в протокольном отделе. И проработал там ровно четыре дня.

Дмитрий умолк.

— Четыре дня? — переспросила Кира. — А потом что?

— А потом его убили, — тихо сказал Платонов. — Это случилось в минувший понедельник.

— Что, прямо вот в этот понедельник? — с ужасом спросила Кира, почему-то постучав пальцем по столу. — Прямо сейчас, на этой неделе?

— Да, прямо сейчас, на этой самой неделе. Но даже за те четыре дня, что он успел проработать в Совинцентре, он нашел-таки нашу птицу Феникс, он сумел вычислить ту фирму, которая пришла на смену «Артэксу». Теперь она называется «Вариант». Не слабо, да? От отсутствия наглости эти ребята не помрут. Но дальше, Кира, дело пошло еще хуже.

— Куда же хуже? Человека убили, что может быть хуже.

— А ты послушай, тогда узнаешь. Славка Агаев на прошлой неделе прислал мне сообщение по телетайпу, мол, кроме приборов, на этом заводе есть еще кое-что. Я к сведению принял, но лошадей, как водится, гнать не стал, я тебе уже объяснил, что профессия у меня медлительности и аккуратности требует. Но как только про смерть Тарасова узнал, сразу же Славке в Уральск телетайпограмму засылаю: дескать, хватай под мышку все документы и дуй сюда, в Москву. Славка тут же — в самолет и примчался. В среду вечером мы с ним встретились, он зашел в министерство, позвонил мне снизу, я спустился, посадил его в машину и повез в район Таганки. Ему туда по делу нужно было, там его родственник живет, он лекарство какое-то редкое для Славкиной дочки достал. И как назло этот родственник в тот день поздно вечером улетал в Штаты, поэтому Слава так торопился, боялся, что не застанет, что дядька этот уже в аэропорт уедет. Пока ехали, он мне поведал, что, оказывается, рабочим нашего любимого уральского завода зарплату нечем платить, у государства денег нет. Городок небольшой, все вокруг завода вертится, подработать рабочему человеку негде, поэтому без зарплаты там становится опасно: до социального взрыва совсем близко. А у завода имеются в большом количестве золотосодержащие отходы производства, которые всю жизнь отправлялись на переработку на другие заводы. Но теперь ситуация пиковая, денег на счету нет, зарплату платить нечем, и завод обращается в свое министерство с просьбой разрешить ему продавать эти отходы производства кому-нибудь за наличные. В министерстве репу почесали и решили разрешение такое дать. Правильное решение, в общем-то, приняли. И тут как тут возникает — кто? Правильно, дружочек, возникает фирма «Вариант», которая скупает эти золотосодержащие отходы по очень низкой цене, но зато за наличные, которыми можно выплатить рабочим честно заработанную ими зарплату. Теперь в третий раз прошу быть повнимательнее. Ответь мне, тебе лично золотосодержащие отходы производства нужны?

— Зачем они мне? — непритворно удивилась Кира. — Что я с ними делать буду?

— Ну как же, они же золото содержат. А?

— Так мало ли чего они содержат, — резонно возразила она. — Надо же уметь его оттуда извлечь, а я не умею.

— Умница. Отходы представляют ценность только для того, кто умеет извлекать из них золото. Теперь второй вопрос: у тебя есть технология, которая позволяет извлекать из отходов примерно половину того золота, которое там реально находится. А у меня технология более развитая, и я умею вытаскивать из этих отходов практически все золото, которое там осело. Но если я из одного и того же количества отходов могу вытянуть в два раза больше золота, чем ты, то будет только справедливо, если я заплачу заводу за эти отходы цену в два раза выше, чем платишь ты. Верно?

— Пожалуй, — кивнула Кира. — По крайней мере с точки зрения арифметики это выглядит правильным.

— Теперь смотри, что происходит на самом деле. Фирма «Вариант» объявляет, что располагает технологией, позволяющей извлекать из отходов не более 47 процентов реально содержащегося в них золота. В принципе это средний показатель в нашей стране, так что выглядит он вполне нормально. Исходя из этого устанавливается продажная цена отходов, которая потом сильно занижается, поскольку оплата идет наличными. По безналичному расчету цены всегда выше, чем за наличные, это тебе известно?

— Ну да, я слышала что-то такое, но никогда не вникала.

— Ну и сейчас не вникай, просто прими к сведению. «Вариант» выражает готовность купить отходы, заплатив за них наличные, экспертная комиссия оценивает эти отходы с точки зрения уровня реального содержания в них золота, и, исходя из технологических возможностей по извлечению драгоценного металла, устанавливается продажная цена. Понятно? И на каждом этапе есть возможность смошенничать. Вот смотри, я покажу тебе на условных цифрах, чтобы легче было считать. Предположим, на самом деле в отходах на каждый килограмм приходится один грамм золота, а комиссия пишет в заключении, что его там не один грамм, а всего ноль целых четыре десятых грамма. Дальше, «Вариант» говорит, что может извлечь 47 процентов золота, то есть из каждых реально содержащихся 100 граммов золота может вытащить на свет божий не более 47 граммов. А на самом деле он и не собирается ничего извлекать, он перегонит эти отходы за рубеж, а по их технологии уже давно извлекают до 86 процентов. Мы, честные и наивные, полагаем, что ценность отходов для фирмы «Вариант» измеряется ценой того золота, которое она может извлечь, то есть ценой сорока семи процентов из четырех десятых грамма на каждый килограмм отходов. Ну-ка посчитай, сколько это будет, если грамм золота стоит, к примеру, 10 долларов.

— Сейчас, — Кира наморщила лоб. — 47 процентов — это примерно половина, половина от четырех десятых грамма — две десятых. Если из каждого килограмма отходов «Вариант» может извлекать по две десятых грамма золота, то, чтобы получить один грамм, нужно купить 5 килограммов отходов. Стало быть, из пяти килограммов можно извлечь золота примерно на десять долларов, поэтому цена за килограмм не должна превышать двух долларов, иначе будет невыгодно. А если на самом деле в отходах на каж-

дый килограмм приходится целый грамм золота, да технология позволяет извлекать 86 процентов, то цена одного килограмма отходов должна быть восемь долларов шестьдесят центов, не больше. Я не обсчиталась?

— Кира, ты не только красивая, но и умная. Теперь вспомни, что добрые дяди из администрации завода делают существенную скидку фирме «Вариант» за то, что она платит наличными, и берут с нее не два доллара, а всего один за килограмм отходов. В результате «Вариант» покупает отходы по цене в восемь раз меньшей, чем тут же перепродает за рубеж. В восемь раз! Ты понимаешь, какие это огромные прибыли? И вот о таких веселых праздниках длинного доллара мне и поведал Славка Агаев, пока я вез его в машине на Таганку, где живет его дядька. Документы по золоту я у него забрал, а по приборам — ему оставил. Высадил его у дома, руку пожал... И все.

— Что — все? — не поняла Кира.

— Убили его. Похоже, прямо в подъезде, где его родственник живет. Теперь, Кира, мы подходим к самому главному. Это все только присказка была. Вчера днем вызывает меня мой новый начальник и говорит, что гражданин Сыпко, неуемный наш народный мститель, снова бумагу на меня накатал, что, мол, бездельник я и обманщик, он свое дело сделал, в известность компетентные органы поставил, а органы спят и просыпаться не собираются, не иначе как взятку взяли за то, чтобы спать крепче. Начальник вызывает меня к себе и начинает задавать вопросы, требует все документы по проверке уральского завода показать. А я-то понимаю прекрасно, что когда дело о ТАКИХ прибылях идет, то все на самом верху завязано и верить никому нельзя, даже собственному начальнику. Кто угодно может оказаться предателем и провокатором, а особенно если человек новый, то всегда есть опасность, что специально назначенный. Ведь Юрий Ефимович мой как раз таким и был. В общем, документы по золоту показывать нельзя даже под страхом смерти. Столько сил и времени потрачено на это дело, что с дурна ума загубить — прощения мне не будет. И потом, я же о Славке в тот момент подумал. Я был уверен, что он уже в свой Уральск прилетел. Представляешь, ему, молодому оперативнику с периферии, такое дело поднять! Я и так в главке, мне дальше двигаться некуда, но и то обидно дело сгубить, а Славке-то еще расти и расти, ему карьеру делать надо. Короче, уперся я в тот момент рогом и бормочу что-то невнятное, только чтобы документы начальнику не показывать. И вдруг он мне объявляет, что на счет фирмы, где работает моя жена, перечислено двести пятьдесят тысяч долларов. И знаешь, от кого? От фирмы «Артэкс». Предсмертный, можно сказать, подарочек. Якобы за то, чтобы я дело замарафетил и потихоньку развалил. Я еще в себя прийти не успел от такой новости, а начальник мне сообщает, что Слава Агаев убит. Видели, как мы вместе из министерства вышли, в машину мою сели, а через полчаса его нашли на улице Володарского мертвым. И документов по приборам при нем не обнаружили. И смотрит на меня мой начальник нехорошими глазами. И понимаю я, что обвиняет он меня во взяточничестве и убийстве, и как мне от этого отмыться — не представляю. Откуда деньги у жены на фирме — ума не приложу. Кто Юрия Ефимовича убил? Кто Славика зарезал? И времени на все про все у меня — десять минут. Вышел я из кабинета начальника, якобы к себе пошел за документами по Уральску, а сам бегом к выходу — и в метро. К вечеру меня, наверное, в розыск объявили, ну уж к сегодняшнему-то утру — наверняка. Выехать из Москвы я не могу, да и не хочу, потому что хочу в первую очередь не только отсидеться, но и разобраться, что же вокруг этого дела происходит. Алиби на момент убийства Славки у меня нет. Я в это время в машине ехал один. Доказать, что не знаю про деньги от «Артэкса», я не могу. Как только меня обнаружат, сразу же запрут в камеру, и тогда я уже ни в чем не разберусь и ничего не докажу, потому что тогда документы по золотым отходам попадут в чьи-нибудь руки, и все дело рухнет, как карточный домик. А мне жалко. Когда с делом столько возишься, начинаешь относиться к нему как к продукту своего творчества. И потом, я же нормальный человек, в тюрьму-то я идти в любом случае не хочу. Вот с такой бедой я и ехал в метро, когда ты меня увидела. Как тебе мой рассказ?

— Ничего.

Кира замолкла и принялась соскребать ложечкой остатки варенья из розетки, потом сунула ложку в рот, слизнула варенье, постучала мельхиором по мелким ровным зубкам.

— И в чем ты видишь мою роль?

— Ты должна стать моим голосом, моими ушами и моими глазами. Я не могу выходить из дома, потому что меня ищут. Я не могу никуда звонить из твоей квартиры, потому что велика опасность, что у моего абонента стоит определитель номера, после чего вычислить адрес, где я нахожусь, — дело трех минут. Поэтому звонить будешь только ты и только из автоматов, причем из разных частей города. Будешь говорить то, что я попрошу, и передавать мне то, что тебе ответят. Будешь ездить туда, куда я скажу, и рассказывать мне, что ты там видела. Для этого тебе и придется взять отпуск.

— Угу, — кивнула Кира. — А что все это время будешь делать ты? Я буду ходить, звонить, смотреть, разговаривать, а ты что будешь делать?

— А я... — Платонов пожал плечами, потом оглядел кухню и улыбнулся. — Хочешь, я тебе квартиру отремонтирую? Я все умею: и потолки белить, и обои клеить, и плитку класть могу, полы отциклевать, стены штукатурить. Если ты достанешь все материалы, я сделаю ремонт. Хочешь?

Дмитрий не лгал. Он действительно все это умел, и умел хорошо. За его плечами была не одна отремонтированная квартира, хозяйками которых были одинокие женщины «чуть за сорок». Платонов умел быть благодарным и не терпел нахлебничества.

2

Дмитрий повернулся на другой бок, и раскладушка под его массивным телом страдальчески заскрипела. Кира постелила ему на кухне после того, как он заявил ей:

— Я совсем потерял голову от тебя, но это не означает, что я буду вести себя как грубая скотина. Ты просто запомни: я очень хочу в одну постель с тобой, но сделаю это только тогда, когда ты сама захочешь, ни минутой раньше. Я не хочу ставить тебя в сложное положение, поэтому больше возвращаться к этому вопросу не буду. Если когда-нибудь ты захочешь, ты скажешь мне об этом. Договорились?

Женщине ничего не оставалось, кроме как согласиться. Платонов повторял эту фразу множество раз в своей жизни, и она, как правило, срабатывала именно так, как ему было нужно. Женщина чувствовала себя привлекательной и желанной, что было немаловажно для поддержания ее хорошего отношения к Диме, но в то же время делать первый шаг обычно было трудно. Приглашение в постель оттягивалось, и это было ему на руку. Случись такая необходимость, Платонов мог бы продемонстрировать свои сексуальные достоинства любой женщине независимо от ее возраста и внешности, с этим у него проблем не было, но по возможности он все-таки старался этого избегать. Главным было создать атмосферу, убедить свою временную помощницу в том, что он ее хочет, но терпеливо ждет, создавая при этом совершенно незаметные, но абсолютно непреодолимые препятствия к тому, чтобы она сама заявила о своем желании. Для этого надо было играть роль целомудренного романтика, для которого душа важнее телесных радостей, и Платонову такая роль всегда вполне удавалась. Конечно, исполнять «мужские» обязанности по отношению к гостеприимной хозяйке ему рано или поздно приходилось, и он делал это хорошо и не без удовольствия, искусство состояло лишь в том, чтобы оттянуть сей момент поближе к концу знакомства.

Однако сегодня вечером ему показалось, что хорошо отлаженный механизм дал какой-то сбой. Да, глаза Киры горели жарким огнем, когда она смотрела на него, окидывала взглядом его мускулистое тело, но в этом огне он не учуял знакомой искорки. Она явно была взбудоражена неожиданным поворотом в однообразной «библиотечной» жизни, но зова тела Дмитрий так и не услышал, как ни напрягал свой внутренний слух. Ему даже показалось, что Кира вздохнула с облегчением, когда он выразил готовность спать в кухне на раскладушке.

Он улегся поудобнее и начал прислушиваться к доносящимся из комнаты шорохам, пытаясь по привычке угадать, чем занимается Кира. Вот скрипнул раскладывающийся диван, щелкнула дверца тумбы для белья — Кира стелила постель. Потом легкие шаги послышались из прихожей, закрылась дверь ванной, послышался шум льющейся из душа воды. Платонов пытался представить себе обнаженную женщину в ванной, это ему удалось, но мужского интереса к ней он не ощутил. Воду выключили, едва слышно звякнула о кафель пластмассовая петля — Кира сняла с держателя полотенце. Стук баночки с кремом о стеклянную полочку. Дмитрию казалось, что он видит каждое ее движение, каждый жест. Клацнула задвижка на двери, Кира вышла из ванной. Шаги замерли почти сразу — видно, она остановилась в прихожей. Платонов понял, что она хочет зайти на кухню и не может решиться. Наконец она подошла к нему, не зажигая свет.

— Дима, — шепотом позвала она. — Ты еще не спишь?

— Нет, — ответил он в полный голос.

Он по опыту знал, что если женщина хочет сейчас заявить ему о своем согласии на близость, то разговаривать с ней нужно громко, ни в коем случае не понижая голос, чтобы сразу же разрушить атмосферу интимности. Темнота и шепот — лучшие друзья соблазна и злейшие враги целомудрия.

Неожиданно Кира зажгла свет и присела на табуретку.

— Ты хочешь о чем-то спросить? — догадался Дмитрий.

— Да. — Она помялась. — Знаешь, то, что ты

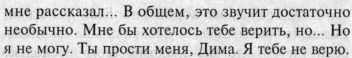

мне рассказал... В общем, это звучит достаточно необычно. Мне бы хотелось тебе верить, но... Но я не могу. Ты прости меня, Дима. Я тебе не верю.

Он резко поднялся и сел, спустив ноги на покрытый линолеумом пол.

— Мне уйти? — холодно спросил он.

— Ни в коем случае, я совсем не имела это в виду. Ты в беде, это очевидно, и тебе негде ночевать. Я предложила тебе свою помощь и не собираюсь отказываться от своих слов. Просто мне кажется, что ты меня обманул и твоя беда — вовсе не та, о которой ты мне рассказал.

— Я сказал тебе правду. Как я могу тебя убедить?

— Ты действительно работаешь в Министерстве внутренних дел?

— Действительно.

— Ты можешь показать мне свои документы?

— Господи, ну конечно, — облегченно рассмеялся Платонов. — Мне нужно было сразу это сделать. Извини.

Он протянул руку к висящему на спинке стула пиджаку и вытащил из кармана служебное удостоверение.

— Вот, пожалуйста.

Кира внимательно прочитала все, что было написано в удостоверении, и улыбнулась.

— Так ты подполковник?

— А что, не похож?

— Никогда не видела настоящих подполковников из МВД. Только в кино. Ты не сердишься на меня?

— Ну что ты, все нормально. Было бы странно, если бы ты взяла и поверила мне на слово, если учесть, что мы знакомы всего несколько часов.

В ее карих глазах Дмитрий снова уловил отблески пламени, делавшие их похожими на обжигающе горячий жидкий шоколад.

— Тебя завтра разбудить или ты сам просыпаешься? — спросила она как ни в чем не бывало.

— Я сам проснусь, как только ты встанешь. У меня сон чуткий.

— Тогда спокойной ночи. Тебе не холодно? Может быть, принести тебе еще плед укрыться?

— Спасибо, не нужно. Мне здесь очень хорошо, правда. Спасибо тебе.

Кира выключила свет и ушла к себе. Дмитрий услышал, как она зажгла бра над диваном и легла. Вот и все, подумал он, временное убежище он нашел, теперь надо подумать о том, как ему разобраться с обвинением в убийстве и получении взятки.

3

Вдова Юрия Ефимовича Тарасова изо всех сил старалась держать себя в руках. Она снова и снова отвечала на вопросы Юры Короткова о покойном муже, подробно описывала все ступени его служебной карьеры, рассказывала о его друзьях и приятелях, о характере и увлечениях.

— Скажите, Клавдия Никифоровна, вам никогда не казалось, что у Юрия Ефимовича есть

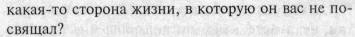

какая-то сторона жизни, в которую он вас не посвящал?

— Я уже говорила — нет. Мы прожили вместе больше тридцати лет, вы же понимаете...

На ее глаза навернулись слезы, но она сумела удержаться и не расплакаться.

— Вам никогда не казалось, что Юрий Ефимович чего-то боится? Какого-нибудь события или, может быть, человека?

— Он боялся инсульта. Боялся, что его разобьет паралич. Знаете, у него было повышенное давление, и он очень боялся... Следил за диетой... Я понимаю, вы спрашиваете не об этом.

— А почему у вас три собаки? — внезапно спросил Коротков. — Ведь у вас квартира небольшая, вам, наверное, тесно.

— Ох, это... — Клавдия Никифоровна разрыдалась.

Короткову стало неловко, но он должен был об этом спросить. Анастасия велела непременно узнать, зачем Тарасову нужны были три собаки, да еще служебные, а не карманно-диванные. Чего Каменская вцепилась в этих собак, он не совсем понимал, но раз она просила — надо сделать обязательно. Юра часто повторял, что «голова у Аськи не понятно как устроена», поэтому к ее просьбам и заданиям относился серьезно, даже если не понимал их смысла и цели.

— Сначала у нас был только один Наркис, он самый старший, ему уже восемь лет. Медалист, элита. Его с трех лет берут на плановые вязки.

Когда ему было пять лет, мы выехали на дачу, а там, ну, знаете, как бывает, любовь и все такое... Короче, у соседей по даче была овчарка, девочка, хороших кровей, ничего сказать не могу, и, когда Наркис стал папой, хозяин Эльзы принес нам двух щенков. Вязка неплановая, в клуб щенков не берут, куда их девать? Сосед половину себе оставил, половину нам отдал, мол, продавайте. Юрий Ефимович взял малышей и поехал с ними на Птичий рынок. А там к нему подошла компания каких-то кавказцев с девицей, все пьяные. Девица щенка увидела и начала требовать, дескать, купите ей немедленно. Один из мужчин деньги протянул, много, даже цену не спросил, просто вытащил пачку тысячных и сует Юрию Ефимовичу. И вы представляете, Юра не смог отдать щенка. Как подумал, что у девицы этой пьяной — минутная блажь, а через десять минут маленький напишет ей на пальто, и она его швырнет прямо на улице где-нибудь, оставит беспомощного замерзать и умирать, так у него сердце перевернулось. Деньги отдал обратно и с рынка ушел сразу же. Я помню, он домой вернулся сам не свой, Клава, говорит, прости меня, дурака, не могу я собак продавать, у меня душа на части рвется, это же живые существа, а я их неизвестно в какие руки отдавать должен. В общем, в следующее воскресенье он опять поехал и опять вернулся со щенками. Не смог. А через две недели я и сама сказала ему, чтобы не продавал, привыкли мы к ним, как к детям привыкаешь. И знаете, что удивительно? Наркис как чувствовал, что мы хотим его детей продать. Оба раза, когда Юрий Ефимович на Птичий рынок уезжал, Наркис выл как по покойнику, у двери стоял, под ногами путался, уйти ему мешал. Ведь не мать, а все равно, видно, чувствовал.

— Вам, наверное, трудно было с тремя-то? — сочувственно спросил Коротков. Аська велела непременно узнать, был ли покойный страстным приверженцем чистоты и порядка, и тема трех собак позволяла плавно перейти к интересующему его вопросу. — Шерсть, грязь, готовка...

— Трудно. — Вдова слабо улыбнулась. — Квартира небольшая, вы сами видите, собаки крупные. Конечно, трудно было. Но мы как-то научились не обращать внимания на неудобства. Ну грязь, ну шерсть, подстилки, миски — мы, конечно, первое время пытались поддерживать чистоту и порядок на прежнем уровне, а потом махнули рукой. Как есть, так и ладно. Зато радости сколько от них — вы не представляете. Они же как люди, у каждого свой характер, свои особенности. У одного аллергия на свинину, другой терпеть не может аппарат для измерения давления. Он его боялся, представляете? Как Юрий Ефимович тонометр достает, так Фред опрометью кидался ко мне и начинал скулить, когда был маленьким. И чего он в нем нашел такого страшного? Теперь, когда подрос, уже не убегает, достоинство блюдет, но по глазам все равно видно, что не любит он этот аппарат. Сидит, смотрит на Юрия Ефимовича, а на морде мука мученическая написана.

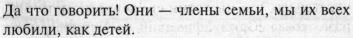

Да что говорить! Они — члены семьи, мы их всех любили, как детей.

— Юрий Ефимович был, наверное, добрым, мягким?

— Добрым — да. Добрее его я человека в жизни не встречала. А вот мягким, — Клавдия Никифоровна как-то странно посмотрела на Короткова, — мягким я бы его не назвала.

— Почему? Он был неуступчивым? Упрямым?

— Это трудно объяснить, — покачала головой вдова. — Просто я так чувствовала. Если вы попросите меня привести пример, из которого было бы видно, что он не был мягким, я, наверное, не смогу этого сделать. Но внутреннее ощущение было именно такое всегда: добрый, но жесткий.

— И все-таки, Клавдия Никифоровна, почему? Мне это важно, поймите. Только зная в деталях характер вашего мужа, я смогу представить себе, что он мог сделать такого, из-за чего погиб. Чем и кому он мог помешать, кто мог захотеть ему отомстить, свести с ним счеты. Пожалуйста, Клавдия Никифоровна, я прошу вас. Я понимаю ваше горе, понимаю, как вам тяжело говорить о муже, но это нужно сделать. Вы мне поможете?

4

Лена Русанова растерянно смотрела на капитана Лесникова и молчала. Почему этот красивый строгий милиционер спрашивает ее о Диме? В чем он провинился? Что с ним случилось?

— Лена, вы напрасно молчите. Жена Платоно-

ва сказала нам, что в ночь со среды на четверг Дмитрий не ночевал дома. Ваш брат уверен, что он был у вас. Это правда?

— Какое вам дело? — резко ответила она. — Даже если он и был у меня, то что это изменит? Чего вы лезете ко мне?

— Вы не правы, — мягко ответил Лесников. — Дмитрий в четверг с утра пришел на работу, а среди дня ушел, никому ничего не сказав, и мы до сих пор не знаем, где он. Видимо, произошло что-то важное, что заставило его оставить работу и где-то скрываться. И это важное могло произойти либо в четверг в первой половине дня, либо в среду. И если в среду он был у вас, то, возможно, рассказал что-то или хотя бы обмолвился о каком-то важном событии.

— Ничего он не рассказывал. Он вообще никогда ничего не рассказывал про свою работу. Будто вы не знаете! — презрительно фыркнула она. — У меня и брат такой же, слова лишнего от него не услышишь.

— А о чем вы обычно разговаривали с Дмитрием?

— Это не ваше дело, — огрызнулась Лена. — Во всяком случае, не о работе.

— Скажите, — внезапно сменил направление Лесников, — Дмитрий много читал?

— Читал? — переспросила она, чуть запнувшись. — Какой странный вопрос.

— И все-таки.

— Ну... Мне кажется, нет. У него времени нет на книги.

— Откуда вы знаете? Вы спрашивали его об этом?

— Да нет, зачем же, это и так видно.

— Откуда видно?

— Я, например, начинаю ему рассказывать о какой-то известной вещи и по его реакции вижу, что он о ней впервые слышит.

— А вас не коробило от этого? Вы простите меня, Лена, но вы учитесь в консерватории, вы близки искусству, вероятно, у вас повышенные требования к общей образованности человека, а Дмитрий, похоже, этим требованиям не очень соответствовал. Вы мирились с этим?

— Вы говорите глупости, — сказала она сердито и немного высокомерно. — Ценность человека не в том, сколько книжек он прочел, а в том, как он относится к другим людям. Да, Дима не знает, что такое «гарики» и кто такой Губерман, он не видел ни одной пьесы Уильямса и никогда не слышал музыку Губайдулиной, но он уважительно относился к людям и никогда их не унижал. Он вообще почти никогда ни о ком не говорил плохо.

— У вас были общие друзья? — невинно поинтересовался Лесников. Девочка дерзит, но не потому, что она злая от природы, а от растерянности и испуга, и ему не составит большого труда заставить ее сказать то, что он хочет услышать. Надо только сделать так, чтобы она не почувствовала, что идет у него на поводу.

— Нет.

Лена помолчала немного, уставившись куда-то в пол.

— Мы никуда не ходили вместе, нам было достаточно друг друга, нам никто не был нужен, — добавила она вдруг.

— А о каких же людях Дмитрий вам рассказывал? Кого обсуждал? Вы только что сказали, что он никогда не унижал людей и не говорил о них плохо. Кого вы имели в виду?

— Никого конкретно, — она пожала плечами. — Иногда он рассказывал мне о людях, которых я совсем не знаю.

— Например?

— Ну, например, в среду он пришел грустный и сказал, что умер очень хороший и достойный человек. Попросил меня налить ему водки и помянул. Знаете, мне показалось, он чуть не плакал. Конечно, я понимаю, что о покойниках плохо не говорят, но, если он решил выпить за упокой его души не на поминках, не на людях, а один, как бы для себя, это значит, что...

Она снова запнулась и замолчала. Игорь не прерывал молчания, боясь спугнуть девушку, он понимал, что сейчас слышит самую важную информацию за весь вечер.

— Господи, как я плохо формулирую, — с досадой вздохнула она. — Вы понимаете, что я хочу сказать?

— Кажется, да, — осторожно ответил Лесников. — Вы хотите сказать, что есть такая вещь, как моральный долг, и что многие из нас горазды отдавать его прилюдно и во всеуслышанье, но лишь немногие способны помнить и отдавать его в одиночку, наедине с самим собой. Кроме того, Дмитрий, вероятно, был способен на сильную привязанность и преданную дружбу, что также дано не многим. Верно?

— Да-да, верно, — торопливо и нервно заговорила девушка. — Но если, как вы говорите, Дима пропал, то я не понимаю, как его способность на сильную привязанность поможет вам его найти. Я сказала вам лишнее, вы меня подловили, это нечестно. Уходите, пожалуйста. Я больше не буду отвечать на ваши вопросы. Уходите.

— Хорошо, Лена, я сейчас уйду, но, может быть, вы скажете мне, кто был тот человек, который умер и которого хотел помянуть Дмитрий?

Лена встала с дивана и выпрямилась во весь свой небольшой рост. Глаза ее гневно сверкали, губы побелели.

— Вы поступаете подло, слышите, подло! Вы заставляете меня пересказывать вам слова, которые предназначались только для меня. Вы заставляете меня предавать Диму. Да, вы меня перехитрили, и в какой-то момент я разоткровенничалась с вами, но я раскаиваюсь в этом, а вы вцепились мне в горло и требуете...

Она задохнулась от ярости и готова была расплакаться.

— Уходите!

Уже стоя в дверях, Игорь Лесников вдруг обернулся к ней.

— Лена, я не хочу, чтобы вы считали меня не-

годяем, поэтому предупреждаю вас сразу: раз вы не хотите говорить со мной, я попрошу вашего брата задать вам те же самые вопросы. Ему вы не сможете не ответить. Так вот, чтобы вы не думали, что я пытаюсь вас перехитрить и подсылаю к вам Сергея, чтобы выпытать какие-то секреты, я говорю вам о своем намерении заранее.

— Зачем? — холодно спросила она, уже вполне овладев собой. — Играете в благородство?

— Играете вы, а не я, и не в благородство, а на скрипке. А я пытаюсь спасти вашего друга Платонова. И если вам нравится мне мешать, то я лично от этого удовольствия не получаю. Всего хорошего.

Глава 6

1

Телефонный звонок в кабинете следователя окружной прокуратуры Казанцева раздался в тот самый момент, когда Валерий Петрович не без удовольствия занимался любовью с молоденькой практиканткой университетского юрфака. У Казанцева не было особо срочных дел, требовавших его самоотверженного выхода на работу в субботний день, но и отдельного кабинета, не говоря уже об отдельной квартире, у него тоже не было, поэтому для закрепления дружеских отношений с практиканткой пришлось пожертвовать одним из двух выходных.

Был Валерий Петрович высок ростом и обладал столь мощным басом, что, когда он добросовестно пытался говорить тихо, присутствующим начинало казаться, что в комнате стоит ровный низкий гул.

Звенящий телефонный аппарат оказался у самого уха лежащей на столе девушки. Она недовольно приподняла голову и вопросительно посмотрела на Казанцева. Валерий Петрович снял трубку, не отнимая при этом руки от гладкого бедра будущего светила следственной работы.

— Валерий Петрович? — послышался в трубке незнакомый женский голос.

— Да, я вас слушаю.

— Дима Платонов просил напомнить вам о Кате из Омска.

Казанцев от неожиданности убрал руку с того уютного места, где она так удобно и уверенно лежала.

— Я помню Катю из Омска, — ровным голосом ответил он. — Что с Димой?

— Он в порядке, не беспокойтесь. У него к вам просьба. Выясните, пожалуйста, кто на Петровке занимается расследованием убийства Юрия Тарасова из Совинцентра и Вячеслава Агаева из Уральска-18. Их имена, фамилии, домашние и служебные телефоны, краткие характеристики. Когда и куда мне перезвонить?

— С семи до восьми вечера позвоните мне домой. Номер телефона есть?

— Триста девяносто четыре — десять — пятьдесят девять?

— Верно. Скажите Диме, я все сделаю.

Он не успел закончить последнюю фразу, когда в ухо ударили громкие и частые гудки отбоя.

Казанцев мельком взглянул на часы. Выгонять девочку прямо сейчас — грубо и не по-джентльменски, надо быстренько закончить так приятно начатое дело и проводить ее до выхода. На выполнение Димкиной просьбы может уйти много времени, но не выполнить ее нельзя. Еще в те времена, когда они вместе учились в школе милиции, Валера Казанцев попал в тяжелую и некрасивую историю со студенткой педагогического института. История была настолько некрасивая, что Валере понадобилось немало мужества, чтобы рассказать о ней только одному человеку — Диме Платонову. Девушку звали Катей, и с тех пор слова «Катя из Омска» стали обозначать ситуацию, в которой от них требуется полное доверие друг к другу, немедленная помощь и строгая конфиденциальность. За два десятка лет эти магические слова произносились чаще следователем Казанцевым, чем оперативником Платоновым.

— Спасибо тебе, малыш, — вежливо сказал Валерий Петрович. — Хочешь, вечером куда-нибудь сходим?

— Мне уходить? — обиженно спросила практикантка. Судя по последним пятнадцати минутам, расследование уголовных дел осталось в ее жизни единственным, в чем еще следовало бы попрактиковаться. Все остальное она умела делать превосходно и ни в какой дополнительной практике не нуждалась.

— Малыш, ты же слышала, мне позвонили, у меня появились срочные дела.

Казанцев быстро провел руками по костюму, проверяя, все ли на месте и все ли пуговицы застегнуты, потом поправил на девушке юбку и ласково погладил по плечу.

— Порядок. Пойдем, я провожу тебя.

— Тебе звонила женщина, — упрямо возразила практикантка, не трогаясь с места и убирая руки за спину, чтобы не брать протянутую Казанцевым сумочку.

— Она звонила по делу. Этим делом я и должен заняться, причем немедленно. Все, малыш, хватит препираться, давай прощаться до понедельника.

Девушка ушла, обиженно поведя плечиками, а Валерий Петрович Казанцев сел за письменный стол и принялся накручивать телефонный диск.

2

Второй звонок Кира сделала Сергею Русанову, сказав ему точь-в-точь те слова, которые велел передать Дмитрий.

— Дима хочет передать вам документы...

— Где он? — нетерпеливо перебил ее Русанов. — Я должен сам с ним поговорить.

— Его нет в Москве, — отвечала Кира, неукоснительно следуя полученным от Платонова инструкциям. — Он уехал и оставил документы, которые я должна передать вам.

— Куда он уехал?

— Я не знаю.

— Что это за документы?

— Я их не читала. Они в запечатанном конверте, Дима запретил мне его вскрывать. Я оставлю их завтра в первой половине дня в камере хранения на Киевском вокзале. Ячейка номер двадцать семь, код шесть-два-девять-пять.

— Откуда вы знаете, что двадцать седьмая ячейка будет свободна, когда вы завтра придете на вокзал?

— Я заняла ее сегодня утром. А завтра я положу туда документы. Если захотите что-то передать Диме, оставьте в ячейке записку. Он, может быть, свяжется со мной.

— Дайте мне ваш номер телефона на всякий случай, — потребовал Русанов.

— У меня нет телефона, — невозмутимо ответила Кира. — Я недавно переехала в район новостроек. До свидания, Сергей Георгиевич.

— Подождите! Подождите, девушка, минутку.

— Да?

— Скажите Димке, что все очень плохо. Его усиленно ищут, ориентировки разосланы во все ОВД, у всех есть его фотография. Я не знаю, где он прячется, да и не надо мне этого знать. Пусть сидит в своем убежище и носа не высовывает. Когда напряжение спадет, я предупрежу, а пока пусть даже и не думает появляться на улицах.

И еще скажите ему, что я не верю в разговоры о его виновности. Меня включили в группу по расследованию убийства парня из Уральска, так что я буду держать руку на пульсе. Я его спасу. Вы ему передайте, ладно?

— Хорошо, я передам.

Повесив трубку, Кира вышла из телефонной будки, села в троллейбус, идущий по Садовому кольцу, и поехала к станции метро. До дома было не так уж близко, но Дима специально просил ее звонить из центра, лучше всего — откуда-нибудь с Садового кольца. Случись невероятное и попади Кира с первого же раза на прослушивающийся телефон, милиция за три минуты не доберется до нее: Садовое всегда забито машинами, там на каждом перекрестке пробки.

Войдя в квартиру, она не услышала ничего, кроме абсолютной тишины. Ни звука, ни шороха. Ее гость ушел?

— Дима? — неуверенно позвала она.

В ответ — ничего. Молчание. Кира быстро скинула сапожки и, не снимая плаща, прошла на кухню. Платонов спокойно стоял в углу и наблюдал за дверью.

— Почему ты не отзываешься? Я уж испугалась, что ты ушел.

— Я должен был быть уверен, что ты пришла одна, — тихо ответил он.

— Ты что, не доверяешь мне? — возмутилась Кира.

— Прости, но ведь и ты вчера потребовала,

чтобы я предъявил тебе свои документы. А вдруг ты встретила на улице подругу или соседку, и они пришли вместе с тобой одолжить спички или соль? А завтра весь дом будет знать, что у Киры живет незнакомый мужчина.

— Ты считаешь меня полной дурой? — обиженно спросила она. — Думаешь, у меня в голове полторы извилины, и я потащу домой первую попавшуюся приятельницу, чтобы похвастаться новым мужиком?

— Что ты, нет, конечно, — миролюбиво сказал Платонов, усаживаясь за стол и доставая сигареты. — Просто я слишком хорошо знаю, из-за каких пустяковых случайностей может сорваться тщательно обдуманный замысел. Соседка, например, может оказаться жутко навязчивой и притащиться к тебе в квартиру, несмотря на твое сопротивление. Да мало ли... Ну, рассказывай.

Кира коротко доложила ему о двух телефонных звонках.

— Вечером тебе придется поехать в центр еще раз. Отвезешь на вокзал документы, положишь в сто двадцать седьмую ячейку...

— В двадцать седьмую, — поправила его Кира.

— Я сказал, в сто двадцать седьмую. Завтра утром позвонишь Русанову, извинишься и скажешь, что ошиблась.

— Но почему, Дима? Ты же говорил, что Русанов — твой друг. Ты ему не доверяешь?

— Дорогая моя, когда на тебе повиснет обвинение во взятке и двух убийствах, ты сама себе доверять перестанешь. Будешь сидеть и думать: я же точно помню, что денег не брала и людей не убивала, но ведь в милиции тоже не дураки сидят, и, если они меня так серьезно подозревают, значит, у них есть веские доказательства. Так, может, я и правда все это сделала, только не помню? Короче, вечером надо положить документы в камеру хранения, потом позвонить Казанцеву. Он будет называть тебе имена и телефоны, записывать ничего нельзя, надо все запомнить. Сумеешь?

— Постараюсь, — усмехнулась Кира.

— Да уж постарайся, пожалуйста. После разговора с Казанцевым сразу же перезвони сюда, два сигнала, потом три, потом четыре, потом я сниму трубку, буду точно знать, что это ты. Перескажешь мне, что сумел узнать Казанцев, и тогда я, может быть, попрошу тебя позвонить еще раз.

— А завтра я тебе буду нужна?

— Возможно. У тебя какие-то планы?

— Я же говорила тебе, мои родители живут постоянно на даче, и я каждые выходные должна привозить им продукты. Но это, во-первых, не на целый день, я могу не оставаться там, а просто отвезти сумки и сразу же вернуться, а во-вторых, если я тебе действительно нужна целый день, то я могу уехать сегодня поздно вечером, с последней электричкой, а завтра рано утром вернуться. Ведь ночью я тебе не нужна, верно?

— Кира, ты делай, как тебе удобно, — смутился Платонов.

Конечно, он предпочел бы, чтобы она уехала

вечером и вернулась утром. По крайней мере, он смог бы спокойно выспаться, не прислушиваясь к шорохам, доносящимся из комнаты, и не вздрагивая каждый раз, когда ему покажется, что Кира собирается встать с постели и пойти к нему на кухню. Платонов мысленно еще раз удивился тому, что эта красивая и явно неглупая женщина не пробуждает у него влечения. Неужели он настолько выбит из колеи, что может думать о молодой привлекательной женщине только как о помощнице, опоре в беде, хозяйке временного пристанища?

— Ладно, посмотрим, как вечером ситуация будет складываться, — решила она. — Может, вообще все закончится благополучно, и ты сможешь уйти домой.

— Об этом и не мечтай, — усмехнулся Платонов. — В таких делах быстрого результата не бывает, эта морока надолго.

— Как — надолго?

Платонову вдруг показалось, что Кира напряглась. В ее темных глазах он снова увидел разгорающееся пламя и снова не смог понять, что же это за пожар полыхает в ней. Вчера она, как деликатная и гостеприимная хозяйка, не спросила его, сколько времени он предполагает жить в ее квартире. Человек попал в беду и нуждается в помощи, и, уж коль ты добровольно предлагаешь ему эту помощь, как-то неприлично спрашивать, надолго ли. Сегодня, остыв и поразмыслив, ей, конечно, хочется более определенно понимать перспективу. Возможно, ее свобода — временная, а через какое-то время должен приехать ее постоянный мужчина, и присутствие в квартире Дмитрия Платонова окажется совсем некстати.

— Не меньше недели, — твердо ответил он. — И давай договоримся с тобой сразу, Кира. Я счастлив, что встретил вчера тебя и что ты выразила готовность мне помочь, но я отношусь к этому как к неожиданному и незаслуженному подарку судьбы, который судьба же имеет право отнять у меня в любой момент. Я хочу сказать, что, как только мое присутствие в твоем доме станет тебя хоть чуть-чуть обременять, причинит тебе хотя бы малейшее неудобство, я немедленно уйду и оставлю тебя в покое. При этом я не буду думать, что ты, злая и жестокая, выгнала меня, несчастного и попавшего в беду, на улицу. Я буду благодарить тебя за все, что ты для меня сделала, и считать себя твоим должником до конца моей жизни.

Огонь в ее шоколадных глазах потух, они снова стали спокойными и матовыми. Она молча стала разогревать обед, то и дело улыбаясь Дмитрию. Он почувствовал себя удивительно спокойно и уверенно рядом с этой улыбающейся уравновешенной женщиной.

Внезапно она прервала молчание:

— А почему ты уверен, что сто двадцать седьмая ячейка будет свободна?

— Потому что вчера утром я занял две камеры: двадцать седьмую и сто двадцать седьмую. Код у них одинаковый.

— А ты предусмотрительный, — одобрительно кивнула Кира. — Я бы не догадалась.

Похвала его почему-то обрадовала. «Неужели я хочу ей понравиться? Чудеса какие-то со мной творятся», — удивленно подумал Платонов. Он продолжал внимательно наблюдать за ней, отмечая грацию и одновременно экономность движений. Она не была суетливой, не делала лишних жестов, не размахивала руками и не металась бестолково по кухне. Даже когда она стояла неподвижно у плиты, помешивая что-то вкусно пахнущее в кастрюльке, спина и плечи ее были ровными, немного сутуловатыми, правда, но зато не перекошенными, как обычно бывает с людьми, которые «оседают» на правую или левую ногу, перенося на них центр тяжести.

— Кира, ты была замужем? — вдруг ни с того ни с сего спросил он.

Она обернулась и тепло улыбнулась Диме.

— Была, правда совсем недолго. И давно. Я уже успела забыть...

3

Свекрови хватило трех месяцев, чтобы развести Киру со своим сыном. Женитьба была скоропалительной, и предотвратить свадьбу она не сумела, зато после бракосочетания развернула активную деятельность.

— На тебя ни одна шляпа не налезет, — высокомерно обещала она сыну.

— При чем тут шляпа?

— При том, что рога у тебя вырастут — опомниться не успеешь. Твоя жена слишком красива, чтобы ты мог надеяться на ее верность.

— Мама, как ты можешь, — возмущался Саша. — У Киры до меня никого не было, она не шлюха.

— Правильно, сынок, она не шлюха, — согласно кивала мать. — Но она ничего не умеет и ничего в жизни не сможет достичь сама. Образования у нее нет, природного ума тоже небогато, стало быть, она собирается прокладывать свой жизненный путь при помощи своего тела. Конечно, у нее до тебя никого не было, а как же иначе? Ведь она запланировала поймать золотую рыбку, а для этого крючок должен быть в девственном состоянии.

— Мама!

— Ну что «мама», что «мама», — сварливо передразнивала мать. — Она втерлась в приличную семью, а дальше знаешь, что будет? Она начнет спать с твоими друзьями, чтобы они помогли тебе устроить ее на хорошую работу в какую-нибудь фирму, потом будет спать со своим начальником, чтобы продвинуться по службе, а там, глядишь, дело дойдет и до твоих начальников, чтобы тебя побыстрее продвинуть. Своих-то мозгов у нее нет, чтобы чего-нибудь добиться, вот и будет тело эксплуатировать. Ей уже двадцать два года, почему же она до сих пор нигде не учится, образование не получает? Потому что ума не хватает и

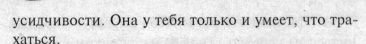

усидчивости. Она у тебя только и умеет, что трахаться.

Свекровь из своей точки зрения секрета не делала и мнение свое высказывала, не понижая голоса. Через три месяца терпение у Киры лопнуло, и после длинного и очень серьезного разговора с мужем, в ходе которого выяснилось, что Саша с матерью спорить не приучен и идти поперек ее воли не сумеет, молодая жена собрала вещи и вернулась к родителям.

Через полгода Кира поступила в институт на вечернее отделение, и в двадцать восемь лет получила диплом о высшем образовании по специальности «библиотечное дело». Для работы ей диплом был не особо нужен, она как начала в восемнадцать лет работать в библиотеке «Раритет», так и продолжала бы до самой пенсии, но уязвленное самолюбие требовало сатисфакции. Учиться ей было скучно, однако она упорно ходила на занятия, зубрила конспекты и писала контрольные, чтобы доказать Саше и его матери, что они ошибались на ее счет. Какое-то время после развода она бывшего мужа еще любила, поэтому ей было небезразлично его мнение. Потом любовь прошла, но бросать институт она не стала. Не в ее характере бросать на полпути начатое дело.

4

Кира ушла, и Платонов приготовился к мучительному ожиданию. Сейчас только шесть часов, пока она доедет до вокзала и оставит документы в камере хранения, будет уже семь, потом она начнет дозваниваться до Казанцева, он велел звонить с семи до восьми, но Валерка никогда не был обязательным и строгим, он может явиться домой и в десять, и в одиннадцать. И все это время Кира будет, как бездомная кошка, бродить по улицам, от автомата к автомату, а он, Платонов, будет метаться по чужой пустой квартире, гипнотизируя взглядом телефон.

Кира не зря его похвалила, он действительно оказался предусмотрительным, заняв в камере хранения одновременно две ячейки с похожими номерами. В министерстве его дружба с Русановым ни для кого не секрет, поэтому не исключено, что, узнав об исчезновении Платонова, телефон его ближайшего и давнего друга тут же взяли «на кнопку» в надежде, что беглец ему позвонит. Серега даже и не знает, что его телефон прослушивается. Двадцать седьмая ячейка находится не в том зале, где сто двадцать седьмая, и, если разговор Киры и Русанова достиг чужих ушей, Киру будут караулить возле двадцать седьмой, а она в это время спокойно оставит документы в соседнем зале, где ее никто не ждет. А уж сообщить Русанову завтра, что у ячейки другой номер, — дело техники и сообразительности. Можно позвонить, например, и сказать, что нужно не забыть пять раз по двадцать или три раза по тридцать плюс десять. Да много способов, не в этом суть.

6   Зак. 642

5

В камеру хранения Киевского вокзала они пришли вдвоем. Осмотрелись, нашли двадцать седьмую ячейку, прикинули, где лучше всего встать, чтобы держать ее постоянно в поле зрения и при этом самим не бросаться в глаза. Наметили несколько точек, чтобы не светиться все время в одном и том же месте: кто его знает, сколько ждать придется, не исключено, что и до завтра.

Они были братьями, правда, двоюродными, но внешнее сходство было поразительным. Старшему было под пятьдесят, младшему — немного за тридцать, и при желании они вполне сходили за отца и сына, для этого надо было только правильно одеться, чуть увеличив возраст старшему и, соответственно, чуть уменьшив — младшему.

Младший из братьев примостился между рядами металлических шкафов-ячеек, старший вышел на платформу покурить и разведать, где можно перекусить, купить воды, посидеть на лавочке, сходить в туалет. Через двадцать-тридцать минут он вернется и сменит младшего на посту возле двадцать седьмой ячейки, отпустив братишку пройтись и размять ноги. Пока можно особо не напрягаться, если женщина сказала, что положит документы в камеру хранения завтра, то скорее всего она сделает это сегодня во второй половине дня. Многолетние наблюдения убедили братьев в том, что чаще всего так и происходит. Ни один дурак не пойдет к тайнику точно в то время, о котором предупреждает, это азы сыскного дела.

Стало быть, пару часов можно сидеть расслабленно, а уж после четырех начнется самая работа. Тогда один из них постоянно должен быть в зале, другой — на платформе, сохраняя визуальный контакт.

Они промаялись почти до семи часов, когда старший брат почуял недоброе. Через зал неторопливо прошла очень красивая женщина с вьющимися каштановыми волосами. И хотя она не задержалась возле двадцать седьмого номера, а перешла в следующий зал, наблюдатель каким-то двенадцатым чувством понял: это она. То ли он уловил исходящую от нее нервозность, то ли, как хороший пес, учуял запах страха, то ли многолетний опыт сказался. Он лениво зевнул, не прикрывая рта рукой, и краем глаза увидел, что стоящий на платформе и наблюдающий за ним младший брат принял сигнал и медленно направился в следующий зал. Старший вышел на платформу, теперь они поменялись ролями. Через окно ему виден был напарник, облокотившийся о стену в углу, и женщина, открывающая дверцу сто двадцать седьмой ячейки. Старый трюк, подумал старший, хорошо известный, но все равно эффективный, если кому-то не до конца доверяешь и хочешь проверить партнера на добросовестность. Если же он оказывается честным и догадывается, что его проверяли, всегда можно дуриком прикинуться, мол, номер перепутал, или вы сами не расслышали, или еще что-нибудь такое. Для этого и номера выбираются похожие, которые попутать легко. 96 и 98 — перед мысленным взором встают округлые цифры, потом трудно вспомнить, какие именно. 47 и 74 тоже легко друг друга подменяют, из прямых палочек состоят. 27 и 127, конечно, между собой, не спутаешь, но поскольку в деле участвовало передаточное звено — женщина, то можно на нее свалить, мол, я ей сказал 127, а она первое слово не расслышала.

Женщина положила в ячейку большой коричневый конверт, набрала на внутренней стороне дверцы шифр и захлопнула ее. Старший, стоя на платформе, сделал едва заметный жест, означающий: веди ее дальше до конца. Младший чуть-чуть изогнулся, стряхивая с плаща невидимые частицы грязи. Распоряжение понял, буду выполнять.

6

Он с таким напряжением и тревогой ждал, когда позвонит Кира, что прикоснулся к трубке едва ли не раньше, чем раздался звонок. Прикоснулся — и тут же отдернул руку. Два сигнала. Пауза. Три сигнала. Конечно, это Кира, чего зря тянуть, надо снять трубку и узнать наконец, какие новости, но привычная осторожность и дисциплинированность взяли верх. Четыре сигнала. Пауза. Все, теперь, когда телефон зазвонит, можно разговаривать.

— Я сразу все скажу, пока не забыла, — услышал он торопливый голос Киры. — Лесников Игорь Валентинович, служебный телефон... домашний... Каменская Анастасия Павловна, служебный... домашний... Коротков Юрий Викторо-

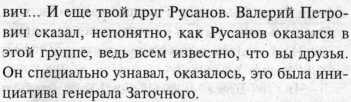

вич... И еще твой друг Русанов. Валерий Петрович сказал, непонятно, как Русанов оказался в этой группе, ведь всем известно, что вы друзья. Он специально узнавал, оказалось, это была инициатива генерала Заточного.

Дмитрий быстро записывал имена и телефоны, поражаясь, как она смогла все это запомнить с одного раза. Неужели она все-таки нарушила инструкцию и записывала все, что говорил ей Казанцев?

— Умница, — с неожиданной нежностью сказал Платонов. Теперь можно расслабиться. — Что Валерий Петрович про них рассказал?

— У Лесникова вторая жена и маленький ребенок. Денег в семье много, но это по линии жены. Его считают самым красивым сыщиком в МУРе. Характер тяжелый, неуступчивый, очень серьезный, редко улыбается. Каменская — незамужем, через полтора месяца свадьба. Говорят, что с ней лучше не связываться, совершенно непредсказуема и превосходная актриса, кого угодно вокруг пальца обведет. Большая притворщица и обманщица. Коротков — обаятельный, веселый, очень тяжело в семье, поэтому торчит на работе даже тогда, когда в этом нет особой необходимости. Влюбчивый, у него постоянно какой-нибудь внебрачный роман. Близок с Каменской, они дружат и доверяют друг другу. Уф! Кажется, все.

— А Лесников с кем из них близок?

— Ни с кем. Валерий Петрович сказал, что

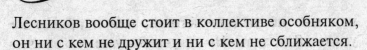

Лесников вообще стоит в коллективе особняком, он ни с кем не дружит и ни с кем не сближается.

— И что подсказывает твоя интуиция? Кому из них можно доверять?

— Что ты, Дима, — удивилась Кира, — я ведь никого из них не знаю, как я могу решать.

— Так и я никого не знаю. А решать надо. Причем прямо сейчас, пока мы с тобой разговариваем.

— Ну... — Она задумалась, потом решительно сказала: — Если звонить придется опять мне, то я предпочла бы разговаривать с женщиной.

— Почему? У тебя проблемы в общении с мужчинами?

— Не то чтобы проблемы, но... Видишь ли, Казанцеву и Русанову звонила вроде как бы не я, а ты, только моим голосом. И они общались со мной, как будто с тобой, им было все равно, какая я есть, им было важно только то, что я говорю от твоего имени. Понимаешь?

— Конечно. Так в чем проблема?

— Из этих трех сотрудников МУРа ты не знаком ни с одним, и я уже не смогу сказать: «Здравствуйте, вам привет от Димы». Мне придется быть самой собой, выступать от своего имени и заставить их поверить мне. Ведь так?

— Так, — подтвердил Платонов, наконец начиная понимать, что имеет в виду Кира.

— У меня еще ни разу в жизни не получилось построить отношения с мужчиной так, как мне хочется. Вероятно, у меня есть какой-то дефект, или мне не хватает чего-то, или я просто не умею... Я не знаю. Не получается у меня с мужчинами. Может, они мне не верят. Может, я им не верю и поэтому не могу быть искренней. Но, Дима, если ты меня не обманываешь, речь идет о твоей жизни. Я не могу взять на себя ответственность, не предупредив тебя. Я вряд ли смогу убедить незнакомого мужчину в том, что мне можно верить.

— А с женщинами тебе легче договориться?

— Представь себе, да. Я не знаю, отчего это, но с женщинами я как-то нахожу общий язык. Пожалуйста, если мы должны звонить сыщикам с Петровки, пусть это будет Каменская.

Мы. Мы должны звонить. Бедная девочка, нелегко далось тебе признание, подумал Платонов. И это «мы». Ты уже решилась встать по одну сторону со мной, ты включилась в игру, ты готова разделить со мной и опасность, и победу, и поражение.

— Хорошо, пусть будет Каменская. Телефон помнишь?

— Да.

— Скажи ей вот что...

7

Настя Каменская уныло бродила по своей квартире, предпринимая бесплодные попытки побороть лень. Надо бы помыть окна, но это можно отложить еще на какое-то время, пока не станет теплее. Неплохо было бы запустить стиральную машину и наконец перестирать горы постельного белья. Процесс стирки потребовал бы не так много усилий, но ведь потом это белье надо будет гладить... И еще хорошо бы сходить в магазин, холодильник совсем пустой, а вечером приедет будущий муж Леша Чистяков. Конечно, Лешка привезет с собой гору продуктов, он слишком давно и хорошо знает свою подругу, чтобы надеяться на ее хозяйственное рвение, но все-таки неудобно как-то.

Она взяла себя в руки и стала решительно натягивать джинсы и свитер. Пожалуй, в магазин она все-таки сходит.

Неторопливо шагая по улице с огромной спортивной сумкой через плечо и заходя по пути во все магазины подряд, она продолжала думать о двух убитых людях, так или иначе связанных с Министерством среднего машиностроения. В убийстве оперативника из Уральска Вячеслава Агаева подозревается Дмитрий Платонов. В день, когда произошло убийство, в среду, Платонов не пришел домой ночевать, а отправился к своей любовнице Елене Русановой, был подавленным и говорил ей о том, что умер хороший и достойный человек. Кого он имел в виду? Агаева? Значит, Дмитрий знал о его смерти. Откуда, если он его не убивал? И если он знал о смерти Агаева, тогда на следующий день в кабинете своего начальника Мукиенко он разыграл спектакль. А если, говоря об умершем человеке, он имел в виду не Агаева, то кого же? Уж не Тарасова ли?

Как выяснить, были ли Тарасов и Платонов знакомы? И если да, то что их связывало?

Вчерашний день немного прояснил картину. Юрий Ефимович Тарасов держал трех собак не из страха перед неведомым врагом, а из жалости и природной доброты. И он не был фанатичным поборником чистоты и порядка. Тогда чем же объяснить его энтузиазм по части уборки на новом месте работы?

Можно подойти к этому с точки зрения психологических теорий и сказать, что Юрий Ефимович все-таки очень любил чистоту и порядок, но своих собак он любил еще больше. Не имея возможности поступиться своей привязанностью к животным, он принес в жертву природную чистоплотность и любовь к порядку, но, как только представилась возможность реализовать вытесненные потребности, произошло то, что повергало в ужас трех сотрудников протокольного отдела Совинцентра. Ведь может такое быть? Вполне, почему бы и нет. Очень правдоподобно.

Но можно подойти к этому и с точки зрения криминалитета и предположить, что Юрий Ефимович дома был настоящим, каким был на самом деле, а на работе притворялся, играл роль глуповатого бесцеремонного добряка, переполненного благими намерениями. Зачем? А затем, что эта роль позволяла ему рыться во всех бумагах и папках, на полках и в столах, причем делать это не тайком, вороవато оглядываясь, когда никого нет в

комнате, а совершенно открыто, у всех на глазах, не прячась и не скрываясь. Интересно, что же в таком случае искал Тарасов, какие документы или предметы?

В булочной Настя, кроме хлеба, купила шоколадно-вафельный торт, три пачки французского печенья, которое так нравится Леше, и две банки сырных шариков, которые обожала она сама. Немного подумав, она добавила сюда еще полкило косхалвы и пакетик изюма в шоколаде. «Чистяков меня убьет за такие покупки, — подумала она с усмешкой. — Но разве я виновата, что могу, сидя за компьютером, сгрызть всю банку сырных шариков и потом целый день ничего не есть? Ну не люблю я готовить, что ж теперь делать, перевоспитываться уже поздно, через три месяца мне тридцать пять стукнет».

Дойдя до гастронома, она опомнилась и стала добросовестно закупать ветчину, шейку, карбонад, копченые сосиски, сыр и майонез. Наконец, загрузив огромную сумку доверху, она медленно поплелась домой, чувствуя, как начинает ныть спина, и вернулась к мыслям о двух непонятно как связанных между собой убийствах.

Если Тарасов пытался что-то найти, то нужно ответить на два вопроса: нашел ли он то, что искал, и не из-за этой ли находки его убили. Но для этого прежде всего нужно попытаться понять, что же он искал. Так что же?

Настя решила начать с другого. Будем играть в

красных и белых, в хороших и плохих. Итак, если Юрий Ефимович Тарасов действительно что-то искал, то во имя чего или для кого он это делал? Для каких-то криминальных структур, мафии или еще каких-нибудь «плохих»? Допустим. Встроим в схему предположение, что Дмитрий Платонов скорбел именно о нем, придя в гости к Лене Русановой. Тогда как увязать воедино тот факт, что Тарасов принадлежал к «плохим», и те хорошие искренние слова, которые говорил о нем Платонов? Не получается. Или Платонов лгал Лене (хотя совершенно непонятно зачем), или он не знал о тайной жизни Тарасова, или речь шла вообще не о Тарасове.

Другой вариант: Юрий Ефимович был «за красных», а не «за белых», иными словами — человек порядочный и честный. И действовал он вовсе не в интересах какой-то мафии. Тогда придется признать, что Тарасов был... Да, при таком раскладе все сходится. Юрий Ефимович что-то ищет. А Дмитрий Платонов искренне горюет и говорит о нем добрые и хорошие слова. Отсюда неумолимо следует, что Тарасов был агентом Платонова. И агентом именно по делам, так или иначе связанным со Средмашем, с оборонкой. Но тогда придется признавать, что убийства Тарасова и Агаева действительно связаны между собой, и коль уж в убийстве Агаева подозревается Платонов, то следует подозревать его и в убийстве Тарасова. Убил собственного агента? Редкий случай, хотя и ничего невероятного в этом нет, такое случается. И сюда совершенно замечательно вписывается взятка, которую Дмитрий получил от фирмы «Артэкс». Он накопал что-то очень серьезное, и мафия перекупила его, заставив развалить дело. Для этого нужно было, в частности, убрать людей, на руках у которых находятся важные документы. Убрать Тарасова и Агаева.

При таком раскладе получалось, что Платонов виновен с ног до головы, поэтому и сбежал. И наличие в их группе Сергея Русанова будет сильно мешать, потому что Русанов друга в обиду не даст и в его нечестность не поверит.

И, наконец, последний вариант. Платонов не виноват ни в чем, ни во взятке, ни в убийствах. Деньги от фирмы «Артэкс» и двое погибших никак друг с другом не связаны, просто несчастное стечение обстоятельств, позволяющее достаточно обоснованно подозревать Дмитрия.

Придя домой, Настя выложила на кухне покупки и сварила себе кофе. Спина разболелась, и вставать с удобного стула с жесткой спинкой не хотелось. Она просидела почти два часа, трижды за это время протягивая руку к плите и подогревая воду, чтобы налить себе еще кофе, съела пару бутербродов с ветчиной и сыром и исписала одной ей понятными словами, стрелками и закорючками несколько листов бумаги. В голове у нее немного прояснилось, по крайней мере, она до-

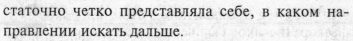

статочно четко представляла себе, в каком направлении искать дальше.

В восемь часов приехал Леша Чистяков, высоченный, рыжий, лохматый и добродушный. Глядя на него, невозможно было представить себе, что это доктор наук, профессор, имеющий своих учеников, автор нескольких изданных за рубежом учебников и лауреат множества международных премий за исследования в области математики. Для Насти он по-прежнему оставался Лешкой, каким он был в девятом классе, когда они познакомились, хотя с тех пор прошло двадцать лет.

— Что, опять спина? — сразу же спросил Леша, увидев, что она с трудом поднялась со стула. — Тяжести таскала?

— Не так чтобы очень, — улыбнулась Настя. — В магазин сходила, сумка была тяжелая.

— Аська, ну ты поумнеешь когда-нибудь или нет?

— Лешик, не сердись, холодильник совсем пустой был, столько всего пришлось покупать.

Чистяков, слушая ее, повязал фартук и начал вынимать из сумки свежее мясо и рыбу. Эти покупки он Насте не доверял, ибо его милицейская подруга не могла с первого взгляда отличить парное мясо от мороженого, а хека от трески. Леша принимал такое положение вещей как само собой разумеющееся, полагая, что если из них двоих хотя бы один умеет заниматься приготовлением блюд и закупкой продуктов, то этого вполне достаточно для нормальной семейной жизни. Профессор Чистяков был весьма и весьма рациональным человеком. И кроме того, он преданно и нежно любил Настю Каменскую вот уже два десятка лет и готов был жениться на ней, даже если бы количество имеющихся у нее недостатков возросло в несколько раз. Собственно, недостатки никакого значения не имели, значение имели только достоинства, а с недостатками нужно было всего лишь мириться, вот и все. Настя была единственной женщиной, с которой ему было не скучно. А ее невзрачная внешность вообще никакой роли не играла. Это не означало, что профессор Чистяков был слеп, отнюдь. Он остро реагировал на ярких брюнеток с темными блестящими глазами и пышной грудью, они ему ужасно нравились, и иногда (но очень редко) он позволял себе... Ровно на два с половиной часа. Именно столько времени требовалось профессору математики, чтобы исполнить прелюдию вместе с фугой и, сняв руки с клавиатуры после завершающего аккорда, в очередной раз убедиться, что он уже успел соскучиться по Насте, что ему хочется с ней поговорить, приготовить ей ужин, вкусно накормить, посидеть, обнявшись, на диване перед телевизором, обсудить какие-то важные для него и для нее проблемы. А разговаривать с лежащей рядом брюнеткой ему почему-то не хочется.

— Ася, твоя мама приедет на свадьбу? — поинтересовался Леша, нарезая тоненькими кусочками телятину для отбивных.

— Собирается.

Настина мать уже несколько лет работала по контракту в одном из университетов Швеции, домой наезжала один раз в год и возвращаться в ближайшее время, судя по всему, не планировала.

— Ты уже перестала комплексовать по поводу ее романа с немецким профессором?

— Давно, — Настя беззаботно махнула рукой. — Ты был прав, когда говорил, что замужество сильно меняет взгляды, в том числе и отношение к нарушению супружеской верности твоими родителями. Помнишь, как я с ума сходила от переживаний, что у мамы завелся друг, а у папы — подруга? Места себе не находила, ночами не спала. А теперь, когда сама замуж собралась, кажется, что все нормально, что вроде так и должно быть. Забавно, да?

Леша достал сковородку, поставил на огонь и начал отбивать ломтики мяса. И в эту минуту зазвонил телефон.

— Можно попросить Анастасию Павловну? — раздался в трубке незнакомый женский голос.

— Я вас слушаю.

— Анастасия Павловна, мы с вами незнакомы, я звоню вам по просьбе Дмитрия Платонова. Вы можете меня выслушать?

— Да, конечно.

— Он просил вам передать, что он не убивал

Агаева. У Агаева были при себе документы по списанию приборов, содержащих драгметаллы. Дмитрий своими глазами видел эти документы, когда они встретились. Они остались у Агаева, Дмитрий не стал их забирать. Вы меня слушаете, Анастасия Павловна?

— Слушаю. Говорите.

— Он не убивал Агаева, но он понимает, что доказательства против него очень сильны. Все, что он может, это рассказать, как все было. Агаев приехал в министерство на Житную, Дмитрий спустился к нему, они вместе сели в машину, и Платонов повез его на улицу Володарского, где живет какой-то родственник Агаева. Этот родственник должен был в тот вечер улетать в США, и Агаев торопился, боялся его не застать. Ему обязательно нужно было встретиться с этим родственником, чтобы взять лекарство для своего ребенка. Платонов высадил его на улице Володарского и уехал. Все.

— Платонов может чем-нибудь подтвердить свой рассказ?

— Боюсь, что нет.

— Вы еще собираетесь мне звонить?

— Не знаю.

— От чего это зависит?

— От вас.

— К сожалению, я плохо понимаю, что вы имеете в виду. Однако я убедительно вас прошу, если Платонов придумает, как подтвердить свою невиновность, немедленно позвоните мне. И передайте ему, что я завтра же проверю сведения о родственнике Агаева. Если они подтвердятся, Дмитрию еще можно будет помочь. Если же нет, я больше не смогу верить ни вам, ни ему.

— Спасибо вам, Анастасия Павловна. Вы не спрашиваете меня, где Дмитрий?

— А зачем? Вы ведь все равно не скажете. Только воздух зря сотрясать... Кстати, у вас есть мой служебный телефон?

— Да.

— Звоните мне, если Платонов что-нибудь придумает. Звоните в любое время, домой или на работу, не стесняйтесь. Договорились?

— Договорились. Еще раз спасибо вам, Анастасия Павловна. Всего вам доброго.

— До свидания.

Настя, ступая на цыпочках, вернулась на кухню. Сейчас она прокрутит в голове весь разговор с самого начала, разберет его на атомы, проанализирует, чтобы выяснить, где и какие ошибки она совершила, разговаривая с незнакомой женщиной, которую послал Платонов. Одно она сделала правильно — не задала ни одного вопроса, который непосредственно касался бы сбежавшего подозреваемого. Она спросила, знает ли незнакомка ее служебный телефон. Она не стала выпытывать, откуда эта женщина знает ее имя и телефоны, кто она такая, где скрывается Платонов, когда ждать следующего звонка. Она, Настя, не стала навязывать женщине свою волю. Та позвонила, чтобы сказать совершенно определенные вещи, и Настя предоставила ей такую возможность. Все, что Платонов велел ей сказать, она сказала. Иными словами, она сказала все, что Платонов хотел довести до сведения МУРа. Обо всем остальном говорить было не велено, посему и вопросы задавать было бессмысленно, она все равно ничего не сказала бы. Нет, кажется, разговор она провела правильно, не настроив женщину против себя. С другой стороны, и показного дружелюбия не было, во всяком случае, Настя честно предупредила ее, что вопрос о доверии Платонову с повестки дня не снят и, вполне возможно, после завтрашней проверки снят не будет.

Ясно одно: Платонов в Москве, осел на квартире у этой женщины и выжидает, как дело повернется. Не кривя душой, Настя вынуждена была признать, что это не так уж глупо. Для того, чтобы иметь возможность себя реабилитировать, вовсе не нужно целый день сидеть в камере, если уж есть что сказать, то можно послать подружку позвонить и сказать все, что нужно. А пока его подозревают в убийстве и взятке и ищут по всей стране, он прячется в надежде на то, что найдется умный и порядочный человек, который ему поможет. Ну а уж если он виновен, то скрываться сам бог велел, нельзя винить преступника в том, что он, спасая собственную шкуру, создает уголовному розыску некоторые неудобства.

8

Генерал Иван Алексеевич Заточный уже стоял в дверях, когда его остановил телефонный звонок. Было почти десять вечера, его шестнадцатилетний сын Максим только что позвонил с дискотеки и сообщил, что его немножко побили и что он двигается домой. Генерал хорошо знал мужественный характер своего мальчика и вполне допускал, что парня могли избить довольно сильно, а если, не дай бог, ударили по голове, то и сознание по дороге потерять недолго. Поэтому, несмотря на спокойный голос сына, Иван Алексеевич решил все-таки дойти до ближайшей станции метро, подстраховать Максима.

Он повернул ключ в замке и уже собрался выйти, но вынужден был вернуться, чтобы подойти к телефону.

— Иван Алексеевич?

— Я.

— Вам что-нибудь говорит фамилия Платонов?

— Разумеется.

— Он очень вам доверяет. Более того, он вообще доверяет только вам. Поэтому он просил вам сказать, что вы будете центральным звеном. К вам справа и слева должны будут подцепиться звенья, и тогда восстановится вся цепочка. Если хоть одно звено окажется гнилым или подпиленным, цепочки не получится. До свидания, Иван Алексеевич.

Трубку на другом конце повесили. Генерал несколько секунд постоял задумчиво, потом вышел из квартиры и отправился встречать сына.

Глава 7

1

В воскресенье Платонов проснулся ни свет ни заря с чувством, что он выспался и отдохнул. Кира поздно вечером уехала к родителям на дачу, пообещав вернуться одной из первых электричек, и ночь Дмитрий провел один, наконец позволив себе хоть немного расслабиться и не играть.

Он принял прохладный душ, тщательно побрился, приготовил себе незамысловатый завтрак и принялся обследовать квартиру, в которой ему предстояло провести бог весть сколько времени. Первым делом он прошел через комнату к балкону, чтобы оценить возможность использования его в случае непредвиденных осложнений. Балкон оказался крохотным, но не захламленным, в случае необходимости вполне можно будет попытаться перелезть в соседнюю квартиру, только бы погода не испортилась. Пока солнышко и тепло, есть надежда, что балконная дверь у соседей не будет заперта наглухо.

Комната Киры ему понравилась — просторная, светлая, мебели мало, зато много свободного места. Платонова приятно удивила рациональность, царящая в жилище скромного библиотекаря. Понятно, что на ее зарплату роскошный гарнитур не купишь, но та мебель, которая здесь стояла, была дешевой и одновременно выглядела так, как будто ее специально конструировали и подбирали для этой квартиры. Мебельная обивка и палас в серо-синих тонах хорошо гармонировали друг с другом, но вот обои к ним совершенно не подходили. Дмитрий понял, что обои клеили давно, а мебель покупали уже после этого. Что ж, если Кира согласится на ремонт, он поможет ей довести комнату до ума.

Книг было немного, но это и понятно: работая в библиотеке, имеешь доступ к любым книгам, нет необходимости их покупать. Поэтому те книги, которые были у Киры «своими собственными», показались Платонову необычайно важными. Если уж она их купила, чтобы иметь под рукой постоянно, значит, они открывают путь к пониманию ее характера. Против ожидания, Платонов не увидел среди них знаменитых белых и желто-синих покет-буков — любовных романов, которые запоем читают одинокие москвички. На полках стояли тома «Мирового бестселлера» с романами Сидни Шелдона, Веры Кауи, Джекки Коллинз, Мэйв Хэран. Было несколько вещей Дина Кунца, что вообще-то удивило Платонова. Сам он Кунца не читал, знал только, что это мистика, фантастика и прочая «жуть», но книгами этими зачитывался его тринадцатилетний сын. Неужели у Киры такой детский вкус? Были среди книг и детективы, но имена авторов ничего Дмитрию не говорили. Принцип, по которому

Кира подбирала свою домашнюю библиотеку, остался для него неясен. Но главное он выяснил — она не покупает любовные романы, она не зациклена на мечтах о неземной любви с прекрасным принцем-миллионером, у которого обязательно темные волосы и синие глаза, твердый рот и мужественный подбородок. Если приходилось ездить в общественном транспорте, Дмитрий любил заглядывать через плечо пассажиров в книги, которые они читали. Женщины с любовными покет-буками попадались ему часто, и он не переставал удивляться тому, как в этих романах все похоже: мужчина с синими глазами и мужественным подбородком ведет себя жестоко по отношению к ничего не подозревающей девушке, либо игнорирует ее, либо издевается, либо еще что-нибудь, из чего можно сделать вывод, что он плохо к ней относится. Потом вдруг оказывается, что он ее безумно любит, она, естественно, его тоже любит, они начинают заниматься любовью, и при этом мужчина с синими глазами долго и нудно занимается грудью и сосками своей партнерши, давая возможность писательнице насладиться детальным описанием этого изысканного занятия страницы на полторы-две. Все это ужасно забавляло Диму Платонова, он даже пытался узнать у Лены, чем так притягивают женщин эти незамысловатые слащавые придумки, но Лена в ответ обдала его таким холодом и презрением, что он даже оторопел.

— Уж если ты хорошую литературу не чита-

ешь, так хоть не позорься со своими вопросами, — сказала она, снисходительно взъерошив
ему волосы. — Неужели ты полагаешь, что я чи-
таю эти любовные глупости?

Дмитрий с нежностью подумал о Лене и вдруг
поймал себя на мысли, что не испытывает по отношению к ней ни малейшего чувства вины.
Пришел в среду вечером, переночевал, в четверг
утром ушел — и пропал. Не позвонил, ни о чем
не предупредил, просто пропал, и все, а сегодня
уже утро воскресенья. Алена, наверное, с ума сходит. Интересно, Серега сказал ей, что он скрывается, или тоже делает вид, что ничего не понимает? Нет, за Алену у Платонова душа не болит,
рядом с ней Серега Русанов, который не даст ей
впасть в отчаяние, в крайнем случае, наврет чего-
нибудь. А вот Валентина... Конечно, это не в первый раз, но она всегда очень волнуется, пережи-
вает за него. Ее сейчас трясут насчет этих стран-
ных денег от «Артэкса», а он ничем не может ей
помочь, ни советом, ни каким-нибудь реальным
делом, ни просто моральной поддержкой.

Платонов услышал, как в замке повернулся
ключ, хлопнула дверь. Вернулась Кира.

— Доброе утро! — весело крикнула она из прихожей, стягивая куртку и кроссовки. — Дима,
пора вставать!

Платонов вышел ей навстречу из комнаты вы-
бритый и благоухающий дорогой туалетной водой.

— Я давно встал. А ты, наверное, не спала

полночи? — заботливо спросил он, вглядываясь в ее усталое и немного побледневшее лицо.

— Точно, — улыбнулась она. — Пока добралась до дачи, было уже начало второго. Старики перепугались, думали, воры лезут в дом. А в пять часов я уже вскочила, чтобы успеть на шестичасовую электричку. Да все нормально, Дима, сотри скорбь с чела! Сейчас горячего кофе в себя волью, потом яичницу сделаю потолще, с молоком и сметаной, потом еще кофе — и я в порядке на целый день. Честное слово, не сомневайся. Ты мне задания на сегодня придумал?

— С утра надо позвонить Сергею Русанову, сказать, что номер ячейки другой. А вечером придется сделать как минимум два звонка: Каменской и снова Русанову, узнать, получил ли он документы. Кстати, ты надумала что-нибудь насчет ремонта?

— Сейчас, Дима, десять минут подожди, а? Я после электрички и дачных колдобин жутко грязная. Приму душ быстренько.

Она скользнула в ванную, а Платонов, испытывая неловкость за доставленные неудобства, принялся варить кофе и делать толстую яичницу с молоком и сметаной. Взбивая в миске яйца и постепенно добавляя туда муку, молоко и сметану, он то и дело поглядывал на плиту, следя за кофе, и по привычке прислушивался к звукам, доносящимся из ванной, пытаясь представить себе, что делает Кира. Вот мягкий «пластмассовый» звук — она снимает свитер, и нашитые на него декоративные бусинки стукнулись о пластмассовую заколку, которой Кира забрала густые длинные волосы в высокий пучок. Вот что-то зашуршало, тихонько щелкнула присоска на дверце зеркального шкафчика, висящего на стене над ванной. Резкий короткий звук — расстегнула «молнию» на джинсах. Зашумела вода, первые две-три секунды звук был ровный, вода беспрепятственно падала на дно ванной, потом характер шума изменился: Кира встала под душ. Платонов напряг слух, но не уловил легкого специфического «сухого» шороха, который бывает, когда вода из душа попадает на колпак, которым закрывают волосы. Он мог бы поклясться, что Кира моет голову. И снова он легко представил себе ее длинноногое стройное тело с немного смугловатой кожей, и снова ничего не почувствовал.

Через несколько минут она вышла из ванной в длинном шелковом халате, с порозовевшим лицом и блестящими глазами. На голове у нее красовалось свернутое тюрбаном полотенце, скрывающее мокрые волосы, и Платонов в очередной раз похвалил себя за хороший слух и наблюдательность.

2

Воскресенье Насти Каменской началось куда позже. Она была настоящей совой, засыпала очень поздно, зато ранний подъем давался ей с трудом, и, если представлялась возможность, спала часов до десяти.

К одиннадцати утра она поговорила по телефону с Лесниковым и Коротковым, рассказала им о вчерашнем звонке и попросила раздобыть два списка: людей, проживающих на улице Володарского, и людей, вылетевших в среду, 29 марта, вечером в США. К часу дня оба списка лежали перед ней, и Лешка выразил готовность помочь «на подсобных работах». К пяти часам вечера был установлен гражданин Ловинюков, проживающий на улице Володарского и вылетевший 29 марта вечерним рейсом в Вашингтон. К семи часам стало известно, что гражданин Ловинюков должен вернуться в Москву 2 апреля, то есть прямо сегодня, рейсом, прибывающим в половине десятого вечера. Игорь Лесников отправился в Шереметьево, получив от Насти просьбу позвонить сразу же, как только разговор с Ловинюковым даст какую-нибудь ясность.

3

Григорий Иванович Ловинюков оказался подвижным седым человеком небольшого роста в массивных очках с толстыми стеклами. Он очень устал от многочасового перелета, хотел скорее оказаться дома, и перспектива беседы с работником милиции его совсем не радовала. Правда, высокий красивый сыщик предложил отвезти Григория Ивановича домой, и Ловинюков смягчился.

— Так что у вас за дело ко мне? — добродушно спросил он, усаживаясь в роскошный «BMW» Лесникова.

— Григорий Иванович, у вас есть родственник по фамилии Агаев?

— Есть. Мой троюродный брат Павел Агаев и все его семейство. Они живут на Урале. А в чем дело?

— Значит, Вячеслав Агаев приходится вам...

— Ну да, племянником, — подхватил Ловинюков. — Троюродным племянником. Между прочим, он тоже в милиции работает, как и вы. Погодите, — вдруг спохватился он, — со Славой что-то случилось? Ну отвечайте же, что с ним?

— Когда вы его видели в последний раз? — уклонился от ответа Лесников.

— В среду, прямо перед отлетом. Мы с ним чуть не разминулись, я уже в прихожей стоял, одевался. Он был в Москве в командировке и должен был зайти ко мне за лекарством для своей дочки, я ему из Швейцарии привез.

— И что было дальше, после того как он пришел?

— Да практически ничего и не было. У меня времени в обрез, у подъезда машина ждет. Обнялись, расцеловались, я ему быстренько лекарство отдал, и мы вместе вышли на улицу. Я предложил подвезти его, но он отказался, сказал, что ему в другую сторону и вообще он хочет погулять, пройтись пешком. Я сел в машину, Славка мне рукой помахал, вот и все. Да говорите толком, что случилось-то?

Ловинюков начал нервничать, но Игорь упрямо молчал.

— Что-нибудь плохое? — робко спросил Григорий Иванович. — Скажите же мне наконец, не мучайте.

— Плохое, Григорий Иванович. Со Славой беда случилась...

Григорий Иванович подавленно молчал, осмысливая услышанное и пытаясь с ним примириться. Игорь молча вел машину в сторону Таганки, прикидывая, в состоянии ли его пассажир продолжать разговор или бесполезно пытаться получить от него толковые показания.

— Вы хотите еще о чем-то спросить? — вдруг прервал молчание Ловинюков, словно прочитав мысли Игоря.

— Григорий Иванович, Славу убили в течение пяти-десяти минут после того, как вы расстались. Он даже не успел дойти до конца улицы, на которой вы живете. Постарайтесь вспомнить все, до единого слова, что он вам сказал за те несколько минут, что вы пробыли вместе.

— Но мы в основном о семье разговаривали, о его дочке, о моем сыне, который сейчас живет в Штатах. Всего несколько минут... Ничего такого он не говорил.

— Какими словами он сказал вам, что ему ехать в другую сторону и вообще он хочет погулять?

— Какими словами? Я не помню... Кажется, я сказал: «Если тебе в сторону Ленинградского проспекта, садись, я тебя подброшу». А он ответил, мол, спасибо, ему в другую сторону, и потом он

хочет пройтись пешком, ему надо кое-что обдумать.

— Именно так? Кое-что обдумать?

— Да, именно так.

— А Слава не говорил, что у него, например, назначена встреча где-то здесь неподалеку?

— Нет, ничего такого он не говорил.

— Григорий Иванович, припомните, пожалуйста, кого вы видели на улице, когда вышли из подъезда вместе с Агаевым и садились в машину?

— Но я не смотрел по сторонам... Нет, я не помню.

— Вас ждала машина?

— Да, служебная.

— Вы знаете водителя?

— Конечно. Это наш водитель Стас Шурыгин.

— У вас есть его телефон или адрес?

— Да, я вам сейчас напишу. А зачем он вам?

— Он мог видеть кого-нибудь, пока стоял на улице возле вашего дома.

— Боже мой, боже мой, Славик... Горе-то какое... — вздохнул Ловинюков.

4

У Стаса Шурыгина в квартире оказалось множество гостей, он устраивал небольшой сабантуйчик. Едва переступив порог, Игорь Лесников наткнулся на полуголую и совершенно пьяную девицу, похоже, даже не достигшую совершеннолетия.

— Эй, киска, позови-ка мне Стаса, — обратился к ней Игорь.

— А ты кто? — тупо удивилась девица. — Я тебя знаю?

— Конечно, — уверенно ответил Лесников. — Мы с тобой сто раз виделись, а ты меня каждый раз не узнаешь. Так где Стас-то?

— Он пошел встречать кого-то. Сейчас вернется. Выпить хочешь?

— Нет, детка, я уже выпил сегодня, мне пока хватит. Пойду подожду Стаса.

Игорь тихонько вышел из квартиры, дверь которой, как ему показалось, вообще никогда не запиралась, и примостился на широком подоконнике на лестнице между этажами. Минут через пятнадцать хлопнула дверь подъезда, послышались громкие голоса и шаги. Увидев двух мужчин и девушку, поднимающихся по лестнице, Игорь встал. Девушка и один из мужчин не обратили на него ни малейшего внимания, другой пристально посмотрел и чуть замедлил шаг. Нормальная реакция человека, знающего всех жильцов своего подъезда и сразу определяющего незнакомое лицо.

— Стас? — полувопросительно произнес Лесников, когда мужчина поравнялся с ним.

Тот молча кивнул, выжидающе глядя на чужака, поджидавшего его на лестнице.

— Разговор на пять минут. Можешь?

— Обязательно здесь? — недовольно спросил Шурыгин.

— Можно и в квартире, но там шумно. Здесь быстрее получится.

— Пойдем в квартиру, — упрямо сказал Стас, и Игорь понял, что тот боится. Ничего удивительного, когда работаешь в фирме и рядом крутятся большие деньги. Никогда не знаешь, где тебя подстерегает неприятность.

Они вошли в квартиру, и прихожая сразу же заполнилась веселыми хмельными молодыми парнями и девицами, выскочившими, чтобы поприветствовать вновь пришедших гостей. Стас молча тронул Игоря за локоть и кивнул в сторону ванной. Они бочком проскользнули за угол и закрылись в просторной ванной комнате, совмещенной с туалетом. Хозяин опустил на унитаз крышку в темно-голубом мохнатом чехле и сделал приглашающий жест рукой, мол, садитесь. Сам отошел подальше, насколько позволял размер ванной, оставшись стоять.

— Я из уголовного розыска, — представился Игорь, доставая удостоверение. — Чтобы ты зря не нервничал, я сразу скажу, чего мне надо. В минувшую среду, 29 марта, ты отвозил Григория Ивановича Ловинюкова в аэропорт, верно?

— Было такое, — согласно кивнул Шурыгин, заметно успокоившись.

— К которому часу ты должен был подъехать на Володарского?

— К без четверти восемь. В девять вечера мы должны были быть уже в Шереметьеве.

— И во сколько ты подъехал?

— Где-то без двадцати, может, без двадцати трех минут восемь. Я помню, когда подъехал, на часы посмотрел и подумал, что опять приехал на пять минут раньше, значит, маршрут еще плохо знаю, время точно рассчитать не могу.

— Ловинюков вовремя вышел?

— Задержался немного.

— На сколько, припомни поточнее.

— Минут на десять.

— Значит, ты простоял возле его дома пятнадцать минут?

— Ну... плюс-минус пол-потолок...

— И чем ты занимался эти пятнадцать минут? Спал? Читал?

— Ничем, — Стас пожал плечами. — Думал.

— По сторонам глядел?

— Это обязательно. У нас в фирме так принято, что каждый водитель отвечает за личную безопасность своего пассажира. Если бы, не дай бог, с Гришей во время посадки в машину что-нибудь случилось, спрос был бы с меня.

Стас вытащил сигареты, щелкнул зажигалкой, глубоко затянулся.

— Курите, если хотите, — предложил он, разгоняя дым рукой.

— Спасибо, я не курю.

В дверь дернулись, потом начали стучать.

— Занято! — громко крикнул Шурыгин.

— Стас, Алка сейчас описается, давай быстрее, — послышался за дверью женский хохот.

— Припомни, Стас, все, что видел за эти пятнадцать минут. Даже если тебе кажется, что это ерунда и мелочь, все равно рассказывай.

— Да я не помню ничего... — растерялся Стас. — Я смотрел только насчет подозрительных личностей, от кого можно нападения ожидать, а так...

— Ну, давай начнем с подозрительных, — согласился Игорь. — Кого видел?

— Машина подъехала, белые «Жигули», шестая модель. Я напрягся немного, потому что в машине два человека было. Но один вышел и зашел в подъезд, где Гриша живет, а водитель развернулся и уехал.

— Номер машины не помнишь?

— Нет, не посмотрел. Если бы водитель ждать остался, тогда было бы подозрительно, тогда я бы и номер запомнил. А раз машина ушла, значит, это не по моей части.

— Хорошо. Еще что видел?

— Еще девушки красивые шли, числом до трех штук, — усмехнулся Шурыгин. — Это я всегда вижу, даже если сплю.

— Стас, я ценю твой юмор, — холодно сказал Игорь, — но сегодня воскресенье, я с утра на ногах, я устал и хочу есть, а дома у меня любимая жена и двухлетний ребенок. Давай не будем отвлекаться, а?

Шурыгин слегка обиделся, но виду не подал.

— Еще мужик был с темно-бордовым «дипломатом». Он мне совсем в глаза не бросился, ниче-

го подозрительного в нем не было, но он остановился прямо перед капотом, поэтому я и увидел.

— Что ты увидел?

— Ну, что «дипломат» темно-бордовый. Как у бабы.

— Ты сказал, что он остановился. Зачем?

— Искал что-то в «дипломате». Знаете, мужики обычно колено приподнимают, на бедро «дипломат» кладут и роются, а этот стоял ровно, замки открыл, одной рукой за ручку держит, другой дно придерживает, как будто не взять что-то хочет, а просто убедиться, что оно там, на месте лежит.

— Лицо не запомнил? — с надеждой спросил Лесников.

— Нет, лица видно не было. Время восемь вечера почти, смеркалось уже, а у меня фары включены. Мужик-то этот прямо в луч попал руками и портфелем, а голова выше была. Не разглядел.

— Ну хоть какой он был? Высокий? Маленький? Толстый? Худой?

— Нормальный он был, — Стас неопределенно пожал плечами. — Средний. Как все.

— Еще что-нибудь видел?

— Потом Гриша из дома вышел вместе с тем парнем, который на «Жигулях» приехал. Они обнялись, попрощались, Гриша в машину сел, парень ему рукой помахал, и мы поехали. Вот и все, больше ничего не было.

— Ловинюков не говорил тебе, кто был этот парень?

— Сказал, что родственник его, с Урала откуда-то. У него дочка чем-то серьезно болеет, Гриша ему лекарства достает. Может, скажете, что, в конце концов, случилось? А то я как мака-ка на ваши вопросы отвечаю и не знаю, может, я этим себе смертный приговор подписываю.

— Того парня, который приезжал к Григорию Ивановичу, нашли через пятнадцать минут убитым. Прямо там же, на улице Володарского.

— Да вы что?! — ахнул Стас, опускаясь на край ванны. — Как же так? Кто его?

— Вот я и пытаюсь выяснить кто. Потому и спрашиваю, может, ты видел что-то важное. Еще раз подумай как следует. Меня интересуют два человека: водитель «Жигулей», на которых приехал родственник Ловинюкова, и мужчина с бордовым «дипломатом». Это не мог быть один и тот же человек?

— Да как же? — неподдельно удивился Стас. — Водитель же уехал.

— Откуда ты знаешь? — быстро спросил Игорь.

— Но я же видел, как он уехал.

— Ничего подобного. Ты видел, как он тронулся, проехал по улице до поворота и свернул за угол. Все. Больше ты ничего не видел. Ведь так?

— Верно, — покачал головой Стас. — Вас на козе не объедешь.

— Поэтому я вполне допускаю, что он мог свернуть за угол, остановить машину, выйти и вернуться на Володарского, к подъезду, где живет

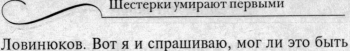

Ловинюков. Вот я и спрашиваю, мог ли это быть один и тот же человек?

— Не знаю, врать не буду, — неуверенно ответил Шурыгин. — Я ни того, ни другого не разглядел. Наверное, мог.

— Ладно, Стас, — вздохнул Лесников, поднимаясь, — поздно уже, закончим на сегодня. Вот тебе мой телефон, если еще что-то вспомнишь, позвони обязательно. Хорошо? На тебя вся надежда.

Они вышли из ванной. Тут же им навстречу пулей вылетела хорошенькая молодая женщина и, отпихнув Стаса, громыхнула задвижкой на двери санузла.

— Ура! Алка дотерпела! — раздался откуда-то из комнаты пьяный смех.

— А кто в ванной-то запирался?

— Стас с каким-то мужиком.

— Не свисти, — авторитетно заявил чей-то голос. — Стас нормальный, сто раз проверено.

— Да ладно, проверяльщица нашлась, — насмешливо произнес какой-то мужчина. — Тебя за ушком поцелуешь — и ты уже готова...

Шурыгин недовольно дернул плечом и покосился в сторону комнаты, откуда доносились голоса, обсуждающие его мужские достоинства.

— Что, испортил я тебе репутацию? — насмешливо спросил Лесников. — Ну извини.

— Ничего, не смертельно. Послушайте... — Он запнулся.

— Да?

— Вы сказали, с утра на ногах и есть хотите...

— Спасибо, Стас, я ценю твое гостеприимство, но мне домой надо бежать. Уже двенадцать, а мне вставать в семь, завтра на работу.

— Ну хоть бутерброд, а? Я вам с собой заверну, в машине съедите. Минутное дело. — Он скрылся на кухне.

Лесникову стало неловко, и он решил быстренько исчезнуть, но не успел он спуститься и на два пролета, как в квартире Шурыгина открылась дверь и послышались торопливые шаги.

— Куда же вы? — укоризненно произнес Стас, протягивая Игорю завернутый в фольгу пакет. — Я же сказал, минутное дело, а вы убежали. Или милиция с шоферского стола еду не берет?

Лесников твердо помнил все сыщицкие заповеди, одна из которых гласила: со свидетелями ссориться нельзя, свидетель должен тебя любить и хотеть тебе помочь, только тогда из работы с ним выйдет толк. Человек, который не хочет помогать, не захочет и вспоминать, а тот, кто не хочет вспоминать, тот и имя свое забыть может.

— Спасибо, Стас, — сказал Игорь как можно теплее, беря протянутый пакет, разворачивая его и тут же с аппетитом вонзая зубы в сочное мясо. — Жрать хочется — сил нет. Прости, что ушел, затруднять тебя не хотел. Вкусно-то как!

Шурыгин смягчился.

— Я позвоню если что.

— Звони обязательно. Счастливо.

Игорь Лесников вышел из гостеприимного

дома Стаса Шурыгина, сел в свою сверкающую машину и поехал искать телефон-автомат, чтобы позвонить Насте. Она небось тоже не спит, волнуется, ждет от него сообщений.

5

Вот и еще один день прошел, не принеся облегчения. Платонов делал все по плану и понимал, что результат даст о себе знать еще не скоро, но ждать становилось все труднее и труднее.

Утром Кира снова ездила в центр и звонила Сереже Русанову, чтобы сказать, что нужно не забыть три раза по тридцать плюс десять. Судя по реакции, Серега сразу понял, в чем дело, лишних вопросов не задавал и ничего не переспрашивал. Потом Кира вернулась домой, они вместе пообедали и составили список материалов, которые Кире нужно будет купить, если она все-таки решится на ремонт. Вечером она снова поехала звонить. Сначала Русанову, чтобы узнать, получил ли он документы, потом Каменской. Ничего неожиданного не произошло, Серега просил передать, что документы все получил, спасибо, а Каменская сказала, что первоначальный этап проверки пока подтверждает слова Платонова, но проверка еще не окончена и, если Кире интересно, каков будет результат, пусть звонит завтра в любое время.

Кира казалась озабоченной, словно какая-то мысль не давала ей покоя.

— Тебя что-то тревожит? — осторожно поинтересовался Платонов.

— Да, — призналась она. — Что-то сегодня произошло, я сама не могу понять, что именно, но меня это беспокоит. Какое-то чувство неловкости, но не могу сообразить, откуда оно.

— Может, тебе показалось, что за тобой кто-то следит? — предположил Дмитрий, моля бога, чтобы это не оказалось правдой.

— Может, — согласилась она. — Я же говорю, я не могу понять, что меня беспокоит, но что-то определенно не так.

— Это с непривычки, — успокоил ее Платонов. — Когда я только начинал работать в милиции, мне первое время тоже казалось, что что-то не так, что я где-то ошибся, чего-то недопонял или не так сделал. Нормальная реакция на новый вид деятельности.

— Не обманываешь?

— Честное слово. Так что не переживай и не нервничай.

Кира заметно успокоилась. Сейчас она сидела на кухне и, высыпав на стол килограммовый пакет гречневой крупы, методично извлекала из нее разные соринки и черные зернышки. Дмитрий в комнате смотрел телевизор, развалясь в удобном низком мягком кресле. Когда на экране замелькали титры знаменитой кинокомедии, завоевавшей несколько «Оскаров», Платонов крикнул:

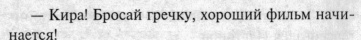

— Кира! Бросай гречку, хороший фильм начинается!

Прошло минут десять, но она так и не пришла.

— Кира! Ты меня слышишь? — снова крикнул Платонов.

— Слышу, — откликнулась она.

— Ты чего не идешь фильм смотреть? Не хочешь?

— Приду, не беспокойся.

Платонову это не понравилось. Он рывком вытащил себя из кресла и быстро прошел на кухню.

— Ты что? — тихо спросил он, глядя на опущенную голову Киры и на ее быстро мелькающие длинные худые пальцы. — Я тебя чем-то обидел?

— Нет, что ты, — ответила она ровным голосом, не поднимая головы.

— Тогда в чем дело? Ты же сама сказала, что хочешь посмотреть этот фильм. Ты не хочешь находиться со мной в одной комнате? Я тебя раздражаю?

Кира наконец подняла голову и с улыбкой посмотрела прямо ему в глаза.

— Дима, ты не обращай внимания, у меня дурацкая привычка никогда не бросать начатое дело, не закончив его. Это сказывается даже в мелочах, в ерунде. Я знаю, многим это кажется смешным и глупым, но я — такая. Ну не могу я бросить эту чертову гречку, если уж начала. Ведь буду ее тихо ненавидеть, проклинать, но если я

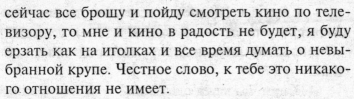

сейчас все брошу и пойду смотреть кино по телевизору, то мне и кино в радость не будет, я буду ерзать как на иголках и все время думать о невыбранной крупе. Честное слово, к тебе это никакого отношения не имеет.

— Не врешь? — подозрительно спросил Дмитрий.

— Не вру, — она обезоруживающе улыбнулась. — Иди смотри фильм, потом расскажешь.

— Хочешь, я с тобой посижу на кухне? — предложил он.

— Зачем? — неподдельно изумилась Кира.

— В знак солидарности, — пошутил Дима, — чтобы тебе не было скучно.

— Мне никогда не бывает скучно, — очень серьезно ответила она, снова опуская голову и возвращаясь к прерванному занятию. — Лучше ты иди в комнату, смотри комедию, хоть удовольствие получишь. А от разговора со мной радости мало. Я, когда делаю что-нибудь монотонное, погружаюсь в себя настолько, что отвечаю невпопад и вообще плохо слушаю, что мне говорят и о чем спрашивают.

Когда пришло время ложиться спать, Платонов снова начал нервничать, но все прошло так же, как и в первую ночь. Кира постелила ему в кухне на раскладушке, пожелала спокойной ночи и ушла к себе. Глаза ее при этом оставались спокойными и матовыми, пугающий Дмитрия непонятный огонь в них не горел. Видно, она и впрямь не выспалась на даче, потому что перед

сном не читала. Щелчок выключаемого бра раздался сразу после того, как Платонов услышал мягкий вздох диванных пружин под тяжестью тела.

6

Виталий Васильевич Сайнес разложил перед собой копии документов, оставленных вчера в камере хранения Киевского вокзала. Ну и резв этот Платонов! Надо же, раздобыл-таки все акты, накладные, счета, экспертизы. Вот змей! Ну ничего, недолго ему гулять на свободе. Взятка в двести пятьдесят тысяч долларов да плюс убийство работника милиции не хрен собачий. Сдохнешь, пока оправдываться будешь.

Итак, что же мы имеем в итоге? Платонов живет у какой-то красотки, адрес ее есть, завтра утром будет и имя. Это пускай, пока он сидит там взаперти, он не опасен. У Платонова есть документы по золотосодержащим отходам, которые совершенно недвусмысленно ведут к фирме «Вариант». Вот это уже плохо. «Варианту» придется исчезнуть, как до этого исчез «Артэкс», все документы уничтожить и начать новую жизнь. Механизм отлаженный, все должно быть нормально.

Но с Платоновым надо что-то решать. Уж больно настырный, путается под ногами, мешает работать. А теперь еще девка эта ему помогает, судя по всему, он ей все рассказал, во все детали посвятил. Платонов — зубр, он может сделать гадость, но не глупость. А девка-то? По всему видно, не из милицейских, в камере хранения так прокололась — ни один профессионал так не попался бы. И потом до самого дома хвост дотащила, не заметила. Нет, не милицейская она, а значит, еще более опасна, потому как правил игры не понимает и может глупость сделать. Платонов и его помощник Агаев твердо знали: пока всех уличающих документов, всех до единого, на руках нет, сиди и молчи в тряпочку, все равно доказать ничего не сможешь, а кому пустой шум нужен, если вина не доказана? Это тебе не застойные времена, когда то ли он украл, то ли у него украли, но что-то такое было, и прощай репутация. Сегодня, пока суд свой приговор не вынес, ты считаешься честным человеком и спокойно продолжаешь свою деятельность, вплоть до политической. А некоторых так и вообще в Думу избирают, пока они в Лефортове под следствием находятся, вон как. Так что, пока у сыскарей всего комплекта доказательств на руках нет, можно спокойно работать, деньги из страны выкачивать и на Запад перегонять. И сыскари это понимают, и противники их по игре понимают. А как только какой-нибудь дилетант начинает права качать и во весь голос орать про махинации, хрупкое равновесие нарушается, и иногда доходит и до того, что дилетанта приходится убирать. Вот тут уже начинаются сложности: кто убил, да почему убил...

Виталий Васильевич еще раз просмотрел документы и принял решение подождать несколько

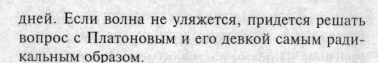

дней. Если волна не уляжется, придется решать вопрос с Платоновым и его девкой самым радикальным образом.

Глава 8

1

Детство Сергея Русанова прошло в страхе перед разводом родителей. Перспектива распада семьи замаячила перед мальчиком, когда ему было шесть лет. Тогда его отец впервые ушел к другой женщине и вернулся только через два года. Второй уход пришелся на период, когда Сереже исполнилось одиннадцать. Отец то уходил, то возвращался, прося у матери прощения и обещая, что больше этого не повторится, потом снова срывался и уходил, и снова возвращался.

Сережа любил родителей с неистовой силой и бывал счастлив только тогда, когда видел их вместе. Терпимость матери он расценивал как нечто само собой разумеющееся, но с годами стал бояться, что в один прекрасный день она отца обратно не пустит. Сам Сережа готов был простить ему все, только бы видеть его каждый день дома, рядом с мамой, рядом с собой.

Беременность матери пятнадцатилетний Сергей расценил как знак окончательного примирения с отцом. Он был уже достаточно взрослым, чтобы по намекам и недомолвкам догадаться: мать не может решить, делать ли аборт или оставлять ребенка. Встревать в разговоры родителей на столь щекотливую тему Сережа не мог, он только напряженно прислушивался к их словам, произносимым вскользь или шепотом, и молил бога о том, чтобы мать рожала. Если она не оставит ребенка, значит, не уверена в отце, значит, все еще может опять перемениться. Если же будет рожать, значит, гулянкам и романам отца пришел конец, и они снова будут все вместе, на этот раз окончательно. Интуитивно мальчик понимал, что последнее слово в этой ситуации остается за отцом: сумеет ли он убедить маму в своей любви, сумеет ли доказать ей, что на него можно теперь положиться.

Сестру Леночку Сережа обожал. Она была для него символом и залогом стабильности семьи, вокруг нее сосредоточились все его чувства, все радости, все надежды. Он ужасно боялся, что отца будут раздражать неизбежные сложности и хлопоты, которые появляются вместе с малышами, и он опять взбрыкнет и выкинет какой-нибудь фортель. Поэтому Сережа взял на себя все, что смог: вставал по ночам, если Леночка плакала, стирал пеленки, бегал в детскую кухню, чуть не силком выпроваживал родителей по вечерам в гости или в кино, клянясь, что не хуже их присмотрит за девочкой.

В двадцать лет он понял, что браку родителей больше ничего не угрожает, хотя проблема для него уже утратила актуальность, а в двадцать два — что дороже Лены у него никого нет на свете. Он фактически вынянчил ее, вырастил на

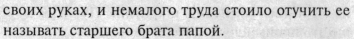

своих руках, и немалого труда стоило отучить ее называть старшего брата папой.

Когда у Русанова родилась дочь, жена хотела назвать ее Еленой, но Сергей воспротивился. В его жизни была только одна Лена, и это имя не должно было принадлежать больше никому.

— Ты совсем свихнулся на своей сестре, — недовольно говорила жена Русанова Вера. — Она для тебя — единственный свет в окошке. Тебе надо было жениться на ней, а не на мне.

— Я за Алену любому глотку перегрызу, — повторял Сергей.

Эти же слова он сказал и Игорю Лесникову.

— Алена — самое дорогое, что у меня есть. Считай, что это мой первый ребенок. Я никому не позволю ее обижать. Если бы я только подозревал, что с Димкой Платоновым что-то не так, я бы не допустил, чтобы Лена гробила на него свою молодость. Но я в Димке уверен. Произошло чудовищное недоразумение, и я хочу, чтобы было сделано все возможное для его реабилитации.

Лесников морщился и потихоньку ворчал в кабинете у Насти, что необъективность Русанова вяжет им руки и мешает. Настя отшучивалась и предлагала рассматривать коллегу из министерства в качестве фильтра, через который не пройдет плохо обоснованное обвинение.

— Если окажется, что Платонов виноват и дело дойдет до адвоката, все наши доводы будут

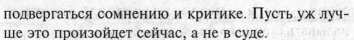

подвергаться сомнению и критике. Пусть уж лучше это произойдет сейчас, а не в суде.

Информацию, которую удалось раздобыть в воскресенье, Настя и Лесников в понедельник с утра обсудили с Русановым и Юрой Коротковым. Когда речь зашла о мужчине с «дипломатом» из темно-бордовой кожи, Русанов заметно скис.

— Ребята, не хочу вам карты путать, поэтому скрывать не буду. У Димки есть такой «дипломат».

— Это точно? — спросил Коротков.

— Абсолютно точно, — вздохнул Сергей. — Моя Алена купила и подарила нам с ним одинаковые кейсы. У меня дома такой же лежит.

— Принеси, пожалуйста, — попросила Настя. — Покажем его водителю. Хотя нет, лучше возьми у жены Платонова его собственный.

Она никак не могла решить, говорить ли Русанову о своих подозрениях в части убийства Юрия Ефимовича Тарасова. В конце концов, начать можно и не в лоб.

— Ты можешь вспомнить все, что касается Платонова, начиная с прошлого понедельника? — спросила она невинным голосом.

— С понедельника? Попробую, — неуверенно начал Русанов. — В понедельник с самого утра я с ним разговаривал по телефону...

— Когда? Точное время, пожалуйста.

— Вера уже ушла на работу, она уходит в восемь десять — восемь пятнадцать. После этого я погладил брюки, это заняло минут пятнадцать.

Потом я сделал два звонка, оделся и уже собирался уходить, и как раз в это время мне позвонил Дима. Значит, было около девяти. Может быть, без пяти девять, вот так примерно.

— О чем был разговор?

— О Лене. У нее скоро день рождения, и Димка советовался со мной насчет подарка.

— А что, в таких советах есть необходимость? — удивился Лесников. — Ведь он знаком с твоей сестрой достаточно давно, чтобы самому ориентироваться.

— Дело в том, что в прошлом году у нас вышла осечка. Мы оба знали, что Алена любит гранаты, и оба как дураки притащили ей гранатовые гарнитуры, причем почти одинаковые. Вот чтобы такое не повторилось, Димка и позвонил мне.

— Понятно. Откуда он вам звонил? Из дома?

— Наверное. Я не спрашивал, но думаю, что из дома.

— А какая необходимость была звонить вам с утра пораньше, если все вопросы можно было решить на работе? Вы же в одном здании работаете. Он не объяснял?

— Он сказал, что хочет с утра заехать в пару магазинов, а потом уже приедет на работу.

— Хорошо, давай дальше.

— Потом днем я его несколько раз видел в министерстве. Мы сидим на разных этажах, но в коридорах то и дело сталкиваемся, ну и заходим друг к другу, конечно...

Русанов продолжал вспоминать, где, когда и

сколько раз он видел своего друга в понедельник, вторник и среду, о чем разговаривал с ним, как тот выглядел, не был ли возбужден или, наоборот, расстроен и подавлен. Настя делала пометки в блокноте и думала о том, что алиби у Платонова на утро понедельника, пожалуй, нет. Наоборот, все выглядело как нельзя более подозрительно. Мог Платонов позвонить Русанову сразу после убийства Тарасова? Мог. В здании Совинцентра полно телефонов, в том числе и автоматов. А еще в здании Совинцентра великое множество дорогих магазинов, где можно быстренько купить любой подарок любимой женщине. Совместил полезное с приятным, убрал слишком информированного агента, купил подарок ко дню рождения любовницы и спокойненько поехал на работу. Конечно, для этого нужно обладать немалой выдержкой и железными нервами, но кто сказал, что Дмитрий Платонов ими не обладает?

Водитель Стас Шурыгин видел, как уехала машина, которая привезла на улицу Володарского Славу Агаева. Но Игорь Лесников совершенно правильно предполагает, что машина могла свернуть за угол и остановиться, а Платонов мог вернуться к дому, куда вошел Агаев и откуда он через несколько минут вышел. Во всяком случае, кейс из бордовой кожи у него есть. А лица водитель не рассмотрел... И про Совинцентр Платонов с Русановым разговаривал. И в среду с утра был каким-то озабоченным, задумчивым, отвечал невпопад. Все одно к одному. Одно к одному...

2

Стас Шурыгин не очень-то обрадовался, увидев Лесникова, но сдержался, виду не подал.

— Еще вопросы? — хмуро спросил он, вяло пожимая руку Игорю.

— Почти, — улыбнулся Лесников. — Сейчас проедем с тобой в прокуратуру, к следователю. Там дел минут на пятнадцать, и ты свободен.

— Зачем? — подозрительно спросил Стас. — Зачем в прокуратуру? А здесь нельзя?

— Нельзя. Да чего ты боишься-то? Ты же свидетель, а не обвиняемый. Ладно, ладно, поехали, это не больно.

В кабинете следователя Стасу объявили, что сейчас в присутствии понятых ему предъявят несколько «дипломатов» и он должен будет сказать, какой из них похож на тот, что он видел в руках у остановившегося перед машиной человека. На столе в ряд были выставлены шесть разных кейсов, обтянутых кожей разных оттенков — от ярко-красного до темно-бордового. Следователь попросил задернуть шторы, чтобы создать в кабинете полумрак, и зажечь мощную лампу, направив ее свет на стол.

- А это зачем? — удивился Шурыгин.

— Для восприятия цвета, — пояснил Лесников. — На улице уже смеркалось, а «дипломат» ты видел в свете фар. Ведь так?

— Ну, — подтвердил Стас.

— При таком освещении цвет воспринимается

по-другому, не так, как при дневном свете. Понял?

— А, ну да.

Стас внимательно оглядел все шесть «дипломатов» и уверенно прикоснулся к одному из них.

— Вот такой, в точности такой, — уверенно сказал он. — И цвет, и металлическая окантовка.

Отпустив Шурыгина и понятых, Лесников удрученно покачал головой. «Дипломат», на который так уверенно показал свидетель, был взят сегодня утром у жены Платонова Валентины. Это именно его в прошлом году подарила Платонову Лена Русанова.

3

Ближе к вечеру Насте позвонил Андрей Чернышев. По его голосу она поняла, что не зря он боялся очередного понедельника.

— Опять? — только и спросила она.

— Опять, — подтвердил он с отчаянием. — Девятимиллиметровый револьвер Стечкина, выстрел в затылок примерно с двадцати пяти метров.

— Где?

— Ох, Аська, совсем не там, где ты думаешь. Я уже посмотрел по той карте, которую ты мне с компьютера распечатала. По первым четырем точкам у нас с тобой получился Хорошевский район, а когда добавилась пятая, предполагаемый центр сместился на восток. Примерно в район Беговых улиц, Белорусского вокзала, Тверской.

Бывший Фрунзенский район или Свердловский. Ни черта не понимаю.

— И кто потерпевший?

— Местный житель, шел на электричку. Работает в Москве на обувной фабрике мастером цеха. Господи, ну кому он-то мог помешать?

— Андрюшенька, если мы имеем дело с сумасшедшим маньяком, то ему может помешать кто угодно, даже родная мать. На то он и маньяк. Только уж больно хорошо он стреляет для сумасшедшего, ты не находишь?

— Уже нашел. Так кого отрабатывать будем в первую очередь? Психически больных или спортсменов-стрелков?

— И тех, и других.

— Ну, ты идеалистка! — грустно усмехнулся Андрей. — Где столько людей взять? У меня инкубатора нет, а то бы я их собственной задницей высидел.

— Послушай, а почему твое руководство не ставит вопрос о создании группы совместно с нами? Убийства происходят в области, но ведь потерпевшие-то — москвичи, кроме последнего.

— Да у них там свои причуды, мудрят чего-то, политес соблюдают. Я знаю, что вопрос прорабатывался, а результата пока нет. А что, без официального приказа ты мне помогать отказываешься?

— Нет, конечно, что ты, я все сделаю, что нужно. У нас же с тобой отношения не служебные. Давай я тебя сведу с Борей Шалягиным, он сейчас командир отряда в нашем спецназе, в прошлом чемпион Европы по стрельбе. Он тебя сориентирует на первых порах. Хочешь?

— Хочу. Спасибо, Асенька.

4

Кира пришла поздно, и Платонов весь извелся, ожидая ее. С утра она отправилась на работу, чтобы оформить отпуск, потом позвонила, как и велел Дмитрий, Каменской.

— Не могу пока сказать ничего определенного, — сказала ей Каменская. — То, что вы мне вчера сказали, частично подтвердилось, но нужно еще кое-что проверить. Может быть, у Дмитрия есть версии, объясняющие, кто и почему мог убить Агаева?

— Я не знаю, — растерялась Кира. — Он мне не говорил.

— Так вы спросите его. Скажите, что я прошу его ответить.

— Хорошо, я спрошу, — машинально ответила Кира и тут же спохватилась: — Правда, я не знаю, когда он мне будет звонить, у меня нет с ним связи.

— Конечно, конечно, — миролюбиво согласилась Каменская, словно бы не заметив ее ошибку. — Я понимаю. Но если вдруг он объявится, вы все-таки спросите.

— Я спрошу, — послушно повторила Кира.

Дома она честно пересказала Платонову весь разговор с Каменской, не утаив и своей ошибки, от которой, судя по всему, ужасно расстроилась.

— Ничего, ничего, — утешал ее Дима. — Если Каменская так умна, как о ней говорят, она все равно понимает, что я никуда не уехал. А если она до этого не додумалась, то и ошибку твою не заметила.

— А вдруг я тебя подвела?

Сегодня на Кире было платье из светлого трикотажа с вышивкой на воротничке, в котором она была похожа на школьницу. Огорченное выражение лица и пухлые губы еще больше усиливали впечатление, придавая ей вид провинившегося подростка.

Платонов отправил ее по магазинам искать обои, побелку, клей и прочие материалы для ремонта. На обратном пути она должна была позвонить Русанову, и Дмитрий с нетерпением ждал результатов этого разговора.

Кира вернулась, нагруженная рулонами обоев.

— Пришлось взять такси, — говорила она, втаскивая покупки в квартиру. — Хорошо еще шофер попался нормальный, мотался со мной на Москворецкий рынок, помогал плитку выбирать, я же ничего в ней не понимаю — какая годится для пола, какая для стен. Ты извини, я задержалась.

— Ты звонила Русанову?

— Да. Дима, пока все очень плохо. Он сказал, чтобы ты сидел тихонько и не высовывался, тебя очень серьезно подозревают. Какой-то водитель тебя видел рядом с тем местом, где убили Агаева.

— Но я действительно был рядом с тем мес-

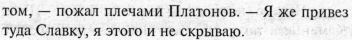

том, — пожал плечами Платонов. — Я же привез туда Славку, я этого и не скрываю.

— Ну вот видишь, а они тебя из-за этого подозревают. Короче, он просил передать, что делает все, что в его силах, чтобы тебе помочь.

— Он знает, что ты звонила Каменской?

— Я ему этого не говорила.

— А по его словам можно догадаться, что он об этом знает?

— Ой, Дима, я не знаю. Я же не сыщик, я не очень-то во всем этом разбираюсь. У меня, наверное, чутья нет. А это важно?

— Понимаешь, мне важно знать, рассказывает ли Каменская о твоих звонках. Если да, значит, она безусловно доверяет своим коллегам и не очень верит мне. Если нет, стало быть, она допускает мысль о том, что ты говоришь ей правду, а кому-то эта правда мешает.

Слушая его, Кира ловко резала овощи для салата, одновременно следя за жарящимися на сковородке котлетами.

— Я, наверное, глупая, но я что-то не очень хорошо понимаю, — виновато сказала она, потянувшись за солью и перцем.

— Что ж тут понимать, — обреченно вздохнул Платонов. — На фирму, где работает моя жена, перевели деньги, причем огромные. Потом убили моего агента. Потом, через два дня, убили помощника. Как можно это объяснить?

— А как? — спросила Кира, не отрывая взгляда от быстро мелькающего ножа.

— Первое объяснение: все это чистая случайность. Деньги от «Артэкса» пришли в фирму «Натали» совершенно законно или, наоборот, по ошибке, но в любом случае они не предназначались для того, чтобы меня подкупить. Тарасова убили по одной причине, Славку Агаева — по совершенной другой, просто по времени совпало. Сомнительно, конечно, но чего в этой жизни не бывает. Второе объяснение: кто-то хочет развалить дело о приборах и золотых отходах, но, поскольку я зашел слишком далеко и знаю слишком много, надо выбить у меня из рук всю доказательственную базу и всех квалифицированных помощников, причем сделать это так, чтобы обвинили в этом меня же. Понятно?

— Понятно, Дима. Только при чем тут Каменская? Достань, пожалуйста, глубокие тарелки, я борщ налью.

— Тебе помочь чем-нибудь? — спохватился Платонов, который только сейчас сообразил, что Кира, целый день проведшая на ногах, в бегах и разъездах, придя домой, встала к плите, как примерная жена при плохом муже, а он сидит на табуретке и с умным видом философствует. «Черт, избаловала меня Валентина, — с досадой подумал он. — Всегда, когда идет на кухню, зовет меня с собой, мол, посиди со мной, поговори, пока я готовлю».

— Нет, не нужно, я уже все сделала. Ты мне не ответил про Каменскую. Осторожно, борщ горячий. Бери сметану.

— Видишь ли, если мне кто-то хочет подставить подножку, то это должен быть кто-то из нашей системы, из милиции. Вернее, нет, я не с того начал. Развалить дело хочет тот, кто в нем заинтересован, то есть тот, кто имеет доход от махинаций с приборами и отходами. Наблюдая за действиями Славки Агаева на заводе в Уральске, можно примерно предположить, в каком направлении и под кого он копает. Славка на виду, и эти люди вполне могут его убить, ничего невероятного в этом нет. Но про Юрия Ефимовича они знать не могут. Чтобы вычислить, что Тарасов — мой агент, нужно быть сыщиком, причем сыщиком опытным, а не зеленым первогодком и не аппаратчиком, и уж тем более не человеком со стороны. Значит, в операцию по развалу дела включился работник милиции. Откуда мне знать, какого уровня этот работник? Из нашего министерства? Из ГУВД Москвы? Из окружного управления? Из Уральска? Черт его знает, кто он такой. Им может оказаться кто угодно. Между прочим, и Каменская в том числе. Поэтому мне важно знать, как она поступает с той информацией, которую ты ей даешь. Если она ею делится с остальными, значит, ей в голову не приходит, что меня могли подставить, она на таком уровне даже и не мыслит. Если же она ею не делится, то мне важно знать почему. Потому, что предполагает возможность подставки? Или потому, что заинтересована в том, чтобы меня утопить?

— Но, Дима, если ты никому не веришь, то

зачем я звонила этому генералу, Заточному? Он же тоже может быть заинтересован в развале дела. Или в нем ты совершенно уверен?

— Да ни в ком я не уверен.

Платонов с досадой бросил ложку на стол и оперся подбородком на сложенные в замок ладони.

— Тот факт, что Серегу Русанова включили в группу по инициативе Ивана Алексеевича, означает, что Иван своих сыщиков бережет, охраняет, ценит, а не сдает первому встречному по первому требованию. Если бы Заточный хотел меня свалить, он бы ни за что не допустил Русанова к этому делу, потому что он понимает: Сережа из-под себя выпрыгнет, но сделает все, чтобы мне помочь.

Какое-то время Кира молча жевала салат, не поднимая глаз от тарелки. Молчание вдруг стало неловким и тягостным. Не говоря друг другу ни слова, они закончили обедать, Платонов помог Кире вымыть посуду и убрать со стола.

— Давай будем пить чай в комнате, — неожиданно предложила она. — Сейчас по телевизору начнутся «Джентльмены удачи», я очень люблю этот фильм.

— Конечно, — обрадовался Платонов. Слава богу, обстановка разрядилась, хотя он не мог взять в толк, из-за чего возникло это внезапное напряжение.

Помогая Кире расставлять на низком журнальном столике чашки, сахарницу, плетеную корзиночку с печеньем, розетки, нарезанный лимон, он поймал на себе косой взгляд и вздрогнул, словно обжегся. Снова это загадочное пламя полыхало в темно-коричневых глазах женщины. Он собрался с силами, обернулся и посмотрел прямо ей в лицо. Ничего. Спокойное лицо, спокойные матовые глаза. «Показалось, наверное, — подумал он. — В общем-то, это можно понять. Ситуация действительно щекотливая, вроде я заявил, что хочу ее, а сам не делаю никаких движений в этом направлении и, более того, стараюсь не создавать условий, благоприятствующих тому, чтобы и она такие движения делала. У женщин интуиция великолепная, и Кира не может этого не чувствовать. Она, наверное, не понимает, в какую игру я играю, и это ее настораживает, а может быть, и пугает. Из-за этого она и нервничает. Может, нужно наконец сделать это и снять напряжение? Нужно, нужно, конечно, но видит бог, как же мне этого не хочется. Интересно, почему? Ведь она такая славная, добрая, и потом, она очень красива. Почему же она меня не будоражит?»

Они смотрели популярную комедию, изредка обмениваясь репликами, и Дмитрия удивляло, что Кира ни разу не только не засмеялась, но и не улыбнулась, хотя сама сказала, что любит этот фильм. В самом конце она отвернулась и отерла слезы со щек.

— Кира, что случилось? — обеспокоенно спросил он. — Ты чем-то расстроена?

— Нет-нет, все в порядке, — быстро ответила она, но головы не повернула.

Платонову была видна часть ее лица, и по напряженным мышцам он понял, что она изо всех сил сдерживается, чтобы не расплакаться. «Э, матушка, а нервы-то у тебя совсем никуда не годятся. Где же ты их так расшатала при твоей-то спокойной жизни? Тихий библиотекарь, никто из твоих близких не умер и не болен, а ты плачешь, когда на экране Вицин и Крамаров». Дмитрий решил никаких вопросов не задавать, чтобы не расстраивать Киру еще больше. Может, этот фильм связан с какими-то воспоминаниями, например, она смотрела его вместе с мужчиной, которого любила и которого больше нет в ее жизни. Как знать...

5

Виталий Николаевич Кабанов развернул вечерний выпуск газеты и снова перечитал краткое сообщение из рубрики «Криминальная хроника». Еще одно убийство на территории Московской области, человек убит выстрелом в затылок. Ай да снайпер! Упрямый, от своего не отступается. Видно, хочет большие деньги зарабатывать, а для этого надо получать высокооплачиваемые заказы. Но такие заказы дают только тем, кто подтвердил свою репутацию хладнокровного убийцы, у которого не бывает промахов. Пятый труп — достаточное тому доказательство.

Помощник, телохранитель и шофер Гена, по

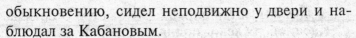

обыкновению, сидел неподвижно у двери и наблюдал за Кабановым.

— Ты это читал? — спросил Виталий Николаевич, ткнув пальцем в газету.

Гена молча кивнул и переменил позу, закинув ногу на ногу и скрестив на груди жилистые руки, густо поросшие волосами.

— И что скажешь?

Гена неопределенно пожал плечами, всем своим видом выказывая явное нежелание обсуждать тему.

— Молчишь? По-моему, ты просто завидуешь, Геннадий, — пошутил Кабанов. — Какова настойчивость, а? Целеустремленность, хладнокровие и абсолютная безнравственность. Бесценный кадр. Не согласен?

— Подождать надо, — упрямо буркнул Гена сквозь зубы.

— Посмотрим, посмотрим. Что у нас на сегодня осталось?

— Человек от Трофима. С утра звонил, просил принять. Я вам докладывал.

— А, ну да, вспомнил. На который час я ему назначил?

— В восемь у Ларисы. Я уже позвонил, предупредил.

— Умница. Нам, наверное, уже ехать пора? Восьмой час.

— Минут через пятнадцать, — лаконично ответил Гена. — Отсюда до Ларисы ровно двадцать пять минут.

— Поедем сейчас.

Кабанов тяжело поднялся, убрал бумаги в сейф, немного подумав, вытащил из ящика стола упаковку с лекарством.

— Беспокоит, Виталий Николаевич? — заботливо спросил помощник. — Давайте, я позвоню Александру Егоровичу, чтобы он завтра с утра вас посмотрел.

— Не надо, — поморщился Паровоз. — Беру на всякий случай, вдруг у Ларисы съем что-нибудь не то. Но Егорычу ты все-таки позвони, пусть на этой недельке выберет время, Светка моя что-то стала жаловаться на боли в боку, боюсь, не печень ли. По десять чашек кофе в день выпивает да шоколад без конца жует, а потом боли. Никакой управы на нее нет.

Дочь Кабанова Светлана засиделась в девицах, но нисколько, по-видимому, от этого не страдала, валяясь целыми днями на диване с книжками в руках и шоколадными конфетами под боком.

Всю дорогу Виталий Николаевич молчал, погрузившись в свои мысли. Когда подъехали к ресторану, он с трудом вынес свое грузное тело из машины и медленно направился к входу. Лариса тут же вылетела ему навстречу, чмокнула в щеку, подхватила под ручку. Она знала, что к ней Паровоз приглашает гостей только в особо конфиденциальных случаях, доверие полностью оправдывала, но за это позволяла себе легкость в обращении с могущественным мафиози и даже некоторую фамильярность.

Александра МАРИНИНА

— Цветете, Виталий Николаевич, — щебетала она, ведя Кабанова на второй этаж в отдельный кабинет. — Мне бы в ваши годы так выглядеть.

Паровоз легко шлепнул Ларису пониже спины и приобнял за талию.

— Тебе до моих лет еще далеко, а в свои тридцать ты и так цветочком смотришься. Чем угощать будешь?

— Все, что вы любите, — улыбнулась женщина. — Геночка с утра предупредил, что вы приедете, так что мы все успели приготовить с учетом вашего вкуса.

— Молодец, — он одобрительно потрепал Ларису по плечу. — Будешь и дальше так себя вести — найду тебе мужа настоящего, чтобы за ним как за каменной стеной.

— А нынешнего-то куда девать? — засмеялась она. — Утопить, как кутенка?

— А мы и ему подберем что-нибудь подходящее, чтобы не обижался. Ты где хочешь жизнь прожить, в Европе или в Америке?

— В Сингапуре. Там, говорят, чистота необыкновенная и порядок. И преступности нет. Можете устроить?

— Паровоз все может, было бы желание. Уф, надо же, двадцать ступенек прошел — и одышка. Здоровья-то нет совсем, так что не завидуй мне, старику.

В кабинете Виталий Николаевич уселся на свой любимый диван, откинул голову на подголовник и прикрыл глаза. Он хотел сосредоточить-

223

ся перед предстоящим разговором, понимая заранее, что ничего особенно приятного встреча с человеком, которого прислал Трофим, ему не сулит. Кабанов был должником Трофима по гроб жизни и долг отдавал услугами, каждая из которых стоила ему седых волос и бессонных ночей. Но отказывать Трофиму нельзя, в их кругу существуют свои нормы, нарушать которые — смерти подобно.

Гость пришел ровно в восемь, это тоже было одним из непреложных правил. Был он высок и строен, по-спортивному подтянут, хотя на вид был, пожалуй, ровесником Кабанова.

— Меня зовут Виталием Васильевичем, — представился он. — Мы с вами тезки.

— Очень рад, — сдержанно откликнулся Кабанов. — Прошу, присаживайтесь.

Обслуживала их лично Лариса, официанты в этот кабинет не допускались. Пока она расставляла закуски и открывала напитки, Виталий Николаевич и его гость обменивались ничего не значащими фразами. Когда Лариса вышла, Кабанов не спеша приступил к еде, пропустив ритуальный этап «поднятия рюмки». И дело было не в том, что Паровоз не пил совсем, нет, напротив, он ценил хорошее спиртное и употреблял его не без удовольствия, но он никогда и ни при каких условиях не позволял кому бы то ни было диктовать, когда, что и сколько ему, Кабанову, пить. И уж если он хотел порадовать свой организм несколькими глотками или рюмками доброго коньяка или ледяной водочки, то ему и компания для этого не была нужна, и чоканьем он пренебрегал, и было ему глубоко безразлично, пьют ли при этом его сотрапезники или мух на потолке считают.

— Так я вас слушаю, Виталий Васильевич. Чем я могу быть вам полезен?

Сайнес вздрогнул, словно и не ожидал начала разговора, хотя именно для этого разговора и пришел сюда.

— Меня интересует человек, о котором регулярно, раз в неделю, сообщают газеты и телевидение.

— Какой человек? — недоуменно вскинул брови Кабанов.

— Тот, который оставляет после себя мертвые тела на территории области. Вы понимаете, о ком я говорю?

— Нет.

Кабанов осторожно положил вилку и откинулся на диване. Хуже этого не могло быть ничего. Он ждал от человека, присланного Трофимом, какой угодно просьбы, только не этой. Принять ее и согласиться помочь — подписать себе смертный приговор. Не принять — итог тот же. Единственное, что можно сделать в этой ситуации, — не дать гостю высказать свою просьбу в смертельно опасной форме. Ни в коем случае нельзя допускать, чтобы когда-нибудь этот стройный высокий человек, связанный с Трофимом, смог сказать, что обращался к Паровозу-Кабанову с просьбой найти ему наемного убийцу и Кабанов ему помог. Но Виталий Васильевич явно побаивается, видимо, рассчитывает, что Кабанов сам подхватит недоговоренное. Нельзя ему помогать, нельзя, может, бог даст, испугается говорить напрямую, одумается, не выскажет свою страшную просьбу, которую и выполнять — смерти подобно, и не выполнить нельзя.

Бросив в пространство свое равнодушное «нет», Кабанов уставился взглядом в тарелку гостю, где сиротливо скучали два кусочка цыплячьей грудки с орехами, чесноком и зеленью.

— Я имею в виду человека, который умеет хорошо стрелять в затылок с двадцати метров. Любого человека, не обязательно того самого, о котором пишут газеты.

— И в чем состоит ваш интерес? — лениво спросил Кабанов. — Вы хотите написать его биографию? Снять о нем художественный сериал для телевидения?

— Я хочу предложить ему работу по специальности, — спокойно ответил Сайнес. — Хорошо оплачиваемую работу.

— Я не возглавляю бюро по найму рабочей силы. Я торгую типографским оборудованием. Для того, чтобы нанять на работу того, кто вам нужен, вы не нуждаетесь в моем посредничестве.

— Напротив, Виталий Николаевич, напротив, — возразил Сайнес, — ваше посредничество очень нужно. Я не могу найти такого человека. А вы можете.

— С чего вы это взяли?

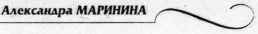
— Так сказал человек, который дал мне ваш телефон. Он гарантировал мне, что вы обязательно поможете.

— Но этого человека уже больше месяца ищет милиция. Вы же понимаете, что мои возможности несоизмеримы с тем, что могут они. И если уж они его не нашли до сих пор, то...

— Я же не настаиваю на том, чтобы это был непременно он. Меня вполне устроит любой другой, но такого же класса. Найдите его, Виталий Николаевич, и вы получите свои комиссионные.

— Я совсем не уверен, что смогу это сделать, — пожал плечами Кабанов. — А я никогда не даю твердых обещаний, если не уверен, что могу их выполнить. Может быть, вам есть смысл обратиться к кому-нибудь другому, кто наверняка сможет вам помочь.

— Я обращаюсь к вам, потому что Трофим уверен в ваших возможностях. Он знает, что это в ваших силах. И он знает, что лучше вас с этим не справится никто.

— Трофим не может этого знать, — возразил Кабанов. — Просто потому, что такого рода просьбы ко мне никогда не поступали. Я ничего не могу вам обещать. Подумайте об этом.

— Виталий Николаевич, за вами закрепилось прозвище Паровоз именно потому, что вы можете вытащить любое, даже самое безнадежное дело. Я очень на вас рассчитываю.

— И в какое время вы рассчитываете получить результат?

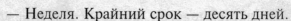

— Неделя. Крайний срок — десять дней.

— То есть вы хотите, чтобы за десять дней я сделал то, что не смогла вся милиция за месяц? Вашему оптимизму можно позавидовать, Виталий Васильевич.

— Вы не поняли меня. Я хочу, чтобы за десять дней, а лучше за неделю этот человек выполнил задание. Сколько времени вы будете его искать — пять минут или девять с половиной суток, меня не интересует. Сегодня среда, пятое апреля. К следующей пятнице, то есть к четырнадцатому числу, задание должно быть выполнено. Но будет лучше, если все будет сделано уже ко вторнику. И передадите задание этому человеку вы. Я не собираюсь вступать с ним в контакт.

— Я не могу взять на себя такие обязательства, — покачал головой Кабанов. — Это слишком большой риск. Случись что — я окажусь виноватым. Вы ведь не побежите меня защищать, правда?

— Разумеется, — вальяжно хмыкнул гость. — У каждого из нас свой риск и свои доходы. Итак, Виталий Николаевич, мое задание таково: мужчина и женщина, однокомнатная квартира на третьем этаже в четвертом подъезде дома, где находится магазин «Дары океана». Такой магазин в Москве только один, ошибиться невозможно. Хозяйка квартиры — женщина, мужчина ее гость и, по-видимому, любовник.

«Он не называет ни имен, ни адреса, — подумал Кабанов. — Боится? Или не знает? Судя по тому, как настойчиво он излагал свою просьбу, он вообще мало чего в этой жизни боится, кроме, наверное, парочки в однокомнатной квартире. Видно, за ним стоят высокие посты и мощные силы. Опасно с ним связываться, ох опасно. Но отказать Трофиму — опасней втройне. Черт возьми, ну и влип же я».

Он молча переждал, пока Лариса сервировала на столе горячее, пользуясь вынужденной паузой, чтобы обдумать ситуацию. Гость, напротив, не выказывал ни малейших признаков напряжения. Впечатление, которое он произвел на Кабанова с самого начала, оказалось обманчивым. Почему-то Виталий Николаевич вдруг подумал о том, а откуда, собственно, Трофиму может быть достоверно известно, что такую просьбу Паровоз может выполнить? Трофим безоговорочно верит в его могущество и деловые способности? Или он откуда-то пронюхал про снайпера, который пришел к Кабанову предлагать свои услуги и которого Паровоз поднял на смех, сказав, что право на дорогие заказы нужно заслужить крепкой репутацией человека, не делающего ошибок и бьющего без промаха? Если так, то кто проговорился? Вопрос показался Кабанову бессмысленным, ибо о снайпере знают только двое: он сам и Геннадий. Неужели Генка двурушничает? Вот подлец! Хотя уличать его в этом и тем более упрекать — нельзя. Ведь не милиции нашептывает, а самому Трофиму, крупнейшему матерому мафиози, который

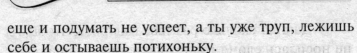

еще и подумать не успеет, а ты уже труп, лежишь себе и остываешь потихоньку.

— Я полагаю, мы обо всем договорились, — произнес как ни в чем не бывало гость, поднимая рюмку с коньяком и изображая намек на приветственный жест. — Не смею более отнимать у вас время.

Он залпом выпил коньяк, встал и, вежливо поклонившись Кабанову, вышел из кабинета.

Виталий Николаевич с ненавистью посмотрел ему вслед. Классическая ситуация, которая в мировой литературе получила название «лифт на эшафот». Как ни поверни — дорога одна: или на скамью подсудимых, или на кладбище.

Глава 9

1

Звонок в дверь прозвенел в тот самый момент, когда Настя Каменская собралась залезть под горячий душ, чтобы хоть немного расслабиться и заставить разжаться сведенные от нервного напряжения мышцы спины и шеи. Она с досадой сорвала с головы пластиковую шапочку для душа, накинула халат и пошла к двери.

Даша влетела в квартиру, принеся с собой запахи весны, свежести и отчаянной молодости. Чмокнув Настю в щеку, она мгновенно сорвала с себя свободный, полностью скрывающий шестимесячную беременность плащ и вихрем понеслась в кухню.

— Дашка, сколько раз тебе говорить, чтобы ты не носилась сломя голову как сумасшедшая, — с упреком сказала Настя, помогая молодой женщине вынимать покупки из огромной матерчатой сумки.

— Это полезно для здоровья, — авторитетно заявила Даша. — Сердце должно работать с нагрузкой, иначе оно разленится.

— Смотри, догрузишься, — покачала головой Настя. — Твое счастье, что мой дорогой братец не видит, как ты по лестницам без лифта поднимаешься и тяжелые сумки таскаешь. Кстати, как у него разводные дела? Двигаются?

— Не знаю, — Даша беззаботно пожала плечами. — Я не спрашиваю, а он сам не говорит.

— А почему ты не спрашиваешь?

— Стесняюсь. Неловко как-то.

Настя внимательно посмотрела на свою гостью. Очаровательное личико почти не утратило своей прелести, только румянец, так нежно украшавший раньше Дашины щеки, заметно поблек. Но глаза ее были все такими же ярко-синими и огромными, а выражение лица оставалось по-прежнему приветливым и милым. Настя вспомнила, как полгода назад познакомилась с Дашей, девушкой своего сводного брата, и решила, что Дарья — отъявленная притворщица, потому что таких женщин, какой она показалась с первого взгляда, просто не бывает. Не бывает и не может быть в нашей современной российской действительности такой доброты и доброжелательности, нежности и бескорыстия в сочетании с быстрым острым умом, наблюдательностью и мужеством. Только Дашка с ее характером могла постесняться спросить у человека, чьего ребенка она собиралась через три месяца рожать, как идут дела с разводом и как скоро она может рассчитывать стать законной женой Александра Павловича Каменского, молодого удачливого и весьма богатого бизнесмена.

— Дарья, ты валяешь дурака, — строго сказала Настя. — Я понимаю, ты не хочешь, чтобы все думали, что ты рвешься замуж за богатого, но стеснительности тоже должен быть предел. Если ты не будешь периодически напоминать Саше о своих желаниях, он решит, что все и без того чудесно и тебя все устраивает. Дашенька, милая, людей, которые с удовольствием обдумывают неприятные для себя вещи, удивительно мало на свете. Основная масса человеческих существ предпочитает вытеснять неприятные мысли из сознания и думать так, как им нравится. Саше тяжело разводиться, но это не потому, что он какой-то особенно плохой, а просто потому, что разводиться тяжело всегда и всем, независимо от причины развода и от степени собственной вины. Это тяжело, и все тут. И если развода можно избежать, то люди, как правило, стараются придумывать всякие поводы для затяжек и проволочек, только чтобы не вступать на эту нервотрепочную стезю. Наш Саня, может быть, и гигант деловой хватки, но он отнюдь не гигант воли и мужества, поэтому если ты будешь молчать и делать вид, что все прекрасно и ты его любишь и будешь любить независимо от матримониального статуса, то он никогда не разведется. Ты поняла?

— Я не смогу, — тихо сказала Даша, опустив голову. — У меня язык не повернется. Я же сама говорила ему, что буду ждать его столько, сколько нужно, что буду всегда любить его независимо от того, женится он на мне или нет.

— Но ты же не отказываешься от своих слов, — возразила Настя, включая газ под чайником. — Да, ты готова ждать столько, сколько нужно, но при всем том ты имеешь право по крайней мере знать, сколько именно ты должна ждать. Пусть он скажет тебе: «Даша, мне нужно пять лет». Ты же не начнешь ныть и вопить, что пять лет — это слишком долго, что ты готова ждать только пять месяцев. Нет, ты готова прождать его пять лет, но ты хочешь быть уверенной в том, что через пять лет ситуация так или иначе разрешится. Либо он на тебе женится, либо ты посылаешь его как можно дальше, адрес я тебе запишу, за пять лет ты как раз его наизусть выучишь.

— Все, хватит, не хочу больше о грустном, — решительно произнесла Даша, вскакивая с табуретки. — У тебя свадьба через месяц, а ты мне голову морочишь всякими глупостями. Пошли заниматься твоим гардеробом.

Даша работала продавщицей в секции женского платья в дорогом модном магазине. Узнав, что

Настя наконец-то собралась замуж за своего давнего друга и возлюбленного Алексея Чистякова, она решительно взялась за подготовку свадебного туалета своей будущей родственницы. Настя сразу же категорически отказалась покупать что бы то ни было специально к свадьбе, сославшись на скромность бюджета и прирожденное отвращение к пышности и торжественности. Дарья сперва расстроилась, потому что уже присмотрела в своем магазине несколько очень изящных и элегантных туалетов, баснословно дорогих, но зато вполне заменяющих белое свадебное платье в немыслимых оборочках и дурацких кружевах.

— Хорошо, если ты такая упрямая, я соберу тебе наряд к свадьбе из того, что висит в твоем шкафу, — заявила она Насте.

— Зачем? — удивилась та. — Достать одежду из шкафа я и сама могу.

— Ну да, ты достанешь, — фыркнула Даша. — Если я не буду стоять рядом и смотреть во все глаза, ты потащишься в загс в джинсах, кроссовках и в майке с идиотским рисунком. Анастасия, ты через год станешь подполковником, а серьезности в тебе даже на младшего сержанта не хватит.

Сегодня Дарья была явно настроена привести свою угрозу в исполнение. Пройдя в комнату, она распахнула шкаф, одним ловким движением собрала в охапку все вешалки с одеждой и швырнула на диван. Потом привстала на цыпочки и стала

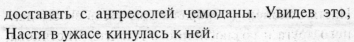

доставать с антресолей чемоданы. Увидев это, Настя в ужасе кинулась к ней.

— Дашка! Сумасшедшая! Отойди отсюда немедленно. Я сама достану. Ты в своем уме? Они же тяжелые!

Когда чемоданы с откинутыми крышками и дорожные сумки были положены на пол ровным строем, Даша перевела дух.

— Все. Теперь уматывай на кухню и не мешай мне, пока я не позову.

Настя с облегчением ушла из комнаты и занялась ужином. Если бы не приход Даши, она сделала бы себе пару гренок с сыром и колбасой и запила их огромной чашкой крепкого кофе. Но беременную Дашу следовало кормить совсем по-другому. Впрочем, деликатность молодой женщины была действительно беспредельной. Идя в гости к сестре будущего мужа и зная, что та ходит в магазины крайне редко, а готовить не любит совсем, Дарья принесла с собой все то, что ей можно и нужно есть: фрукты, йогурт, творог, сыр, хлеб с отрубями, два огурца и огромный краснощекий помидор для салата.

Она как раз приступила к изготовлению десертной смеси из творога, йогурта и мелко нарезанных фруктов, когда позвонил брат Александр.

— Привет, сестренка. Моя красавица у тебя?

— У меня. Санечка, пока она меня не слышит, я задам тебе один нескромный вопрос: ты разводиться собираешься или морочишь ей голову? Ей,

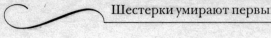

между прочим, рожать через три месяца, если ты не забыл.

— Ася, ты, по-моему, считаешь меня полным подонком. Нет?

— Да нет, кажется, не считаю. Но начинаю к этому склоняться.

— Так вот имей в виду: наш ребенок родится в законном браке. Все вопросы с судом я решил, имущество мы не делим, я все оставляю жене и через три недели покупаю новую квартиру и перевожу туда Дашку. С загсом я тоже договорился, учитывая беременность невесты, нас зарегистрируют без испытательного срока, прямо в день подачи заявления. Мы приедем, заполним анкеты, и через полчаса-час нам выдадут свидетельство о браке. Максимум через месяц все будет сделано.

— А почему Даша всего этого не знает? Почему ты ей не сказал то, что сейчас сказал мне?

— Ася, это трудно объяснить...

— А ты попробуй, — зло сказала Настя. Ей было стыдно за то, что она так плохо думала о брате, и она сердилась на него за то, что он своей скрытностью заставил ее так думать.

— Дай слово, что не будешь смеяться.

— Даю.

— Я хотел, чтобы было как в сказке. Ничего нет, а потом вдруг — раз! — и все сделалось. Конечно, если бы Дашка спрашивала меня, я бы ей все честно рассказывал, но она не спрашивает, и я подумал, что так даже лучше. Пусть она не знает, что на самом деле все уже почти закончено. И вот в один прекрасный день я приду к ней, посажу ее в машину и отвезу в загс, а оттуда — в новую квартиру.

— Саня, ты...

— Что?

— Я не знаю, как сказать... Но ты не прав.

— Почему?

— Потому что Даша носит твоего ребенка, и во всех отношениях лучше, если она будет находиться в радостном ожидании, в приподнятом настроении, если она будет счастлива, а не подавлена. Ведь сейчас она ничего не знает и мучится, неужели ты не понимаешь?

— Но я так хочу, чтобы получилось чудо, как в сказке, понимаешь?

— Да понимаю я все, но, Санечка, милый, чудо локального масштаба создает людям не праздник, а неудобство.

— Я не понял, — полувопросительно произнес Александр Каменский.

— Ну представь себе, ты приезжаешь в один прекрасный день за Дашей и везешь ее в загс. А кто будет свидетелем с ее стороны? Обычно женщины приглашают для этого близкую подругу, и вообще в загс берут с собой двух-трех близких людей. И вот ты явился, как ангел с небес, везти Дарью на регистрацию, а у нее ни свидетельницы, ни подруг, ни платья, и вообще она в этот день плохо выглядит или плохо себя чувству-

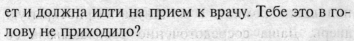

ет и должна идти на прием к врачу. Тебе это в голову не приходило?

— Спасибо, что подсказала, — сухо сказал Саша. — Я предварительно переговорю с ее подругами и приеду уже вместе с ними. Твоя приземленность может испортить настроение даже самому оптимистичному придурку.

Настя почувствовала, как запылали щеки. Да, деликатностью ее природа явно обделила. Некрасивый и никем не любимый мальчик вырос в некрасивого и никем не любимого мужчину, жена которого вышла за него по денежному расчету. И вот ему посчастливилось встретить удивительную девушку Дашу, которая любит его преданно и бескорыстно. И разве можно преодолеть соблазн выступить в роли прекрасного принца? И можно ли его за это упрекать? Может быть, тот день, тот момент, когда он войдет к Даше, возьмет ее за руку и посадит в машину, чтобы отвезти в загс, будет его звездным часом. Может быть, это вообще лучшее, что он сумеет сделать в своей жизни...

— Извини, — виновато сказала она. — Я не хотела тебя обижать. Дашу позвать к телефону?

— Не надо. Скажи, что я заеду за ней в одиннадцать. И еще, Ася...

— Да?

— Хоть это и против твоих принципов, но я прошу тебя, не говори ей ничего.

— Конечно.

Закончив готовить ужин, Настя на цыпочках

подошла к комнате и заглянула в приоткрытую дверь. Даша сосредоточенно раскладывала ее одежду: светлые и темные блузки и пиджаки — на диван, светлые и темные юбки и брюки — на одно кресло, платья — на другое, шарфы, косынки, пояса и прочие аксессуары — на письменный стол, рядом с компьютером.

— Дарья, ужин готов, — позвала Настя, отступив на несколько шагов назад к кухне.

Наскоро поужинав, они приступили с тому, что Настя ненавидела всей душой — к примерке одежды. Благодаря безупречному вкусу Настиной матери Надежды Ростиславовны, работавшей в Швеции, присылаемые и привозимые ею вещи были элегантными, хорошо сидели на высокой худощавой фигуре и отлично сочетались друг с другом. Даше довольно быстро удалось подобрать по меньшей мере четыре туалета, в которых не стыдно было идти не только на собственную свадьбу, но и на прием в английское посольство. Особенно изысканным выглядело длинное жемчужно-серое платье с мышиного цвета шелковым пиджаком.

— К этим нарядам нужно тщательно краситься, — недовольно сказала Настя, рассматривая себя в зеркале. — Моей бесцветной физиономией можно испортить любой туалет. И волосы придется подкрашивать, чтобы не сливались с пиджаком.

— Ну что ты выдумываешь! — возмущалась

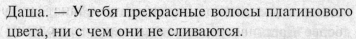

Даша. — У тебя прекрасные волосы платинового цвета, ни с чем они не сливаются.

— Не платиновые, а серые, — невозмутимо поправила ее Настя. — Не надо мне льстить.

— Я не льщу, я правду говорю. И почему ты так себя не любишь?

— А за что мне себя любить? За лицо, которое невозможно запомнить, настолько оно невыразительное и неяркое? За блеклые глаза? За белесые брови и ресницы? Раскрой глаза, Дашенька! Другое дело, что у меня нет никаких комплексов по поводу собственной непривлекательности. Я знаю, что могу, затратив пару часов, превратиться в красотку супер-экстра-класса, и иногда делаю это, когда очень нужно бывает. Но вообще-то мне лень этим заниматься, мне неинтересно, как я выгляжу и нравлюсь ли мужчинам.

— А что тебе интересно?

— У, это долго рассказывать, — рассмеялась Настя. — Вот ты, например, весну любишь?

— Очень, — тряхнула головой Даша.

— Когда идешь по улице, думаешь о том, что весна, апрель, небо, подснежники и все такое?

— Конечно. Думаю об этом и радуюсь, стараюсь дышать поглубже, чтобы весну в себя вобрать. А ты?

— А я, солнышко, моральный урод. Вот иду я сегодня по улице и думаю о том, что в марте в Московской области совершены четыре убийства, и апрель начался с точно такого же убийства, и интересно мне, как наступление весны повлияет на этого загадочного убийцу. Станет ли он более агрессивным, как это случается с людьми, у которых была плохо залеченная черепно-мозговая травма, или смягчится и отвлечется на какую-нибудь любовную историю. Скажется ли перемена погодных и природных условий за городом на его преступной активности. И скажется ли та же самая перемена на наших возможностях поймать наконец эту сволочь.

— Слушай, а про свою свадьбу ты хоть иногда вспоминаешь?

— Конечно, каждый день. Как только новое преступление совершается или начинается запарка, я думаю: хорошо, что я не сегодня замуж выхожу. Вот чует мое сердце, тринадцатого мая, в ту минуту, как мне из дома выходить нужно будет, случится какое-нибудь преступление века, и я начну маяться, что вместо того, чтобы ехать на место происшествия, посмотреть все своими глазами и начинать работать, должна ехать в какой-то дурацкий загс на какую-то дурацкую свадьбу.

— Не на какую-то дурацкую, а на твою собственную, — с упреком поправила ее Даша. — Нельзя же быть такой бездушной, Анастасия.

— Я не бездушная, я просто неправильно устроена, — возразила Настя. — Например, за тех людей, которых еще может погубить этот подмосковный убийца, у меня знаешь как душа болит. Ноет не переставая. Все, Дашуня, давай убирать на место это пиршество тряпья, через двадцать минут твой ненаглядный за тобой приедет.

— Так на чем ты остановилась? Выбрала что-нибудь или мне еще раз приехать?

— Не знаю я, солнышко, не могу решить. Я бы предпочла вариант, при котором мне придется минимально трудиться над лицом и волосами. Серый комплект, конечно, очень хорош, но он и очень обязывает к макияжу и прическе.

— Ладно, я поняла, что ты хочешь, — вздохнула Даша. — Вот, смотри. Берешь короткую черную юбку вот от этого костюма, черную блузку с воротником «апаш» и длинный белый пиджак вот от этого костюма. Запомнила?

— Ну, — кивнула Настя, внимательно наблюдая за Дашей. — А другую блузку нельзя? Ту, у которой высокий закрытый ворот, она мне больше нравится.

— Мало ли что тебе больше нравится. Тебе вообще понравилось бы ходить голой, чтобы не тратить силы на одевание. Лентяйка несчастная! Закрытый высокий ворот для дневного торжества не годится, нужно обязательно открыть шею и повесить на нее что-нибудь изящное, но безумно дорогое. Например, бриллиант в платине.

— Бриллиант в платине?!

Настя от души расхохоталась.

— Ну и замашки у тебя, — проговорила она, отирая выступившие от смеха слезы. — Ты в своем магазине привыкла иметь дело с женами миллионеров, а я — простой российский мент, и вся моя зарплата с надбавками и процентами за выслугу лет не превышает ста пятидесяти долла-

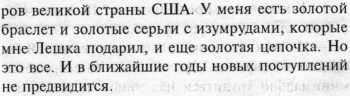

ров великой страны США. У меня есть золотой браслет и золотые серьги с изумрудами, которые мне Лешка подарил, и еще золотая цепочка. Но это все. И в ближайшие годы новых поступлений не предвидится.

— Ты с ума сошла! — возмутилась Даша. — Разве можно к черно-белому комплекту надевать золото? Ни одна уважающая себя женщина себе этого не позволит. Если нет платины, тогда серебро, только очень хорошее. И обязательно в гарнитуре — колье, браслет, серьги. Кольца не надевай.

— Почему?

— Все-таки это свадьба, а не поход в кино, и обручальное кольцо должно быть в этот день главным и единственным. Но маникюр должен быть безупречным, не забудь. И не вздумай красить ногти чем-нибудь пошло-розовым или красным.

— А чем надо? — озадаченно спросила Настя, вытягивая перед собой руки и внимательно разглядывая длинные пальцы с миндалевидными ногтями.

— Серебристо-белым лаком в три-четыре слоя. Купи «Орифлейм» или «Артмалик», они хорошо ложатся и долго держатся.

— И ты думаешь, что в короткой черной юбке и длинном белом пиджаке я смогу не надрываться над приведением в порядок своей физиономии и головы? — недоверчиво уточнила Настя, собирая отложенные Дашей вещи на отдельную вешалку, чтобы потом не перепутать.

— Конечно, — уверенно ответила та. — Короткая юбка откроет ноги, а женщина, у которой такие потрясающие ноги, имеет право быть сколь угодно некрасивой, потому что твои ноги вообще затмевают все. Только не забудь про телесные колготки и туфли на высоком каблуке. Во-вторых, черная блузка подчеркнет твою бледную кожу и сделает ее ослепительно белой. Опять-таки, обладательница такой кожи может себе позволить не быть похожей на Лоллобриджиду. Белый пиджак и украшения создадут ощущение праздника и торжественности. Вот и вся премудрость.

Настя, слушая ее, запихивала на антресоли чемоданы и дорожные сумки. Внезапно один из чемоданов выскользнул из ее рук и упал на пол, больно ударив ее по ноге.

— Уй-й! — взвыла она, сев на пол и схватившись руками на место ушиба.

— Больно? — испуганно спросила Даша, кидаясь к ней.

Настя не ответила. Она сидела на полу, согнув одну ногу и обхватив руками щиколотку, и покачивалась, словно впала в транс. Глаза ее были устремлены куда-то в угол, а на лице застыло выражение недоумения и обиды. Даша попыталась проследить за ее взглядом, но в том углу, куда смотрели Настины светлые и вдруг ставшие огромными глаза, она ничего не увидела, кроме пары домашних шлепанцев сорок пятого размера, принадлежавших, судя по всему, будущему мужу Алексею Чистякову.

— Ты что, Настя? — повторила Даша, осторожно касаясь ее плеча.

— Ничего, — ответила она лишенным интонаций голосом. — Как просто. Юбка от одного костюма, пиджак от другого, бесхозная блузка, а все вместе оказывается элегантным нарядным туалетом, нужно только чуть-чуть фантазии и одно дорогое украшение. Боже мой, как просто.

2

Сын генерала Заточного, шестнадцатилетний Максим ждал звонка от своей девушки, поэтому подскочил к телефону, едва тот успел в первый раз тренькнуть. Голос в трубке был женским, но совсем не тем, который ожидал услышать юноша.

— Добрый вечер, — вежливо поздоровалась женщина. — Я могу поговорить с Иваном Алексеевичем?

— Пап, это тебя! — крикнул Максим и тихонько добавил умоляющим голосом: — Только не долго, ладно? Мила должна позвонить.

— Ладно, — шепотом пообещал отец. — Слушаю вас.

— Иван Алексеевич, я звоню по поводу Платонова. Вы можете мне что-нибудь сказать?

— Ничего. А что вы хотите, чтобы я вам сказал?

— Очень жаль. Если бы все звенья в цепи были полноценными, вы бы уже сказали мне, что Платонов невиновен и может больше не скры-

ваться. Ищите гнилое звено, Иван Алексеевич. Я позвоню вам через некоторое время.

Женщина повесила трубку. Ищите гнилое звено! Легко сказать. А как выполнить? Заточный быстро достал из кармана пиджака, висящего на стуле, записную книжку и набрал номер полковника Гордеева.

— Кто занимается убийством Агаева и розыском Платонова? — спросил он.

— Из моих — Лесников, Коротков, Каменская. От министерства — подполковник Русанов. Дело у вас на контроле?

— Считайте, что так. Официально оно на контроле в Главном управлении уголовного розыска. Но я за ним слежу очень внимательно.

— Я могу узнать, почему?

— Потому что Платонов — мой подчиненный. Виктор Алексеевич, мы можем с вами встретиться?

— Как срочно?

— Очень срочно.

— Завтра с утра? — предложил Гордеев.

— Годится.

— Во сколько мне приехать?

— Если не возражаете, лучше я к вам подъеду. К восьми часам удобно?

— Буду ждать.

Заточный вышел на кухню и уселся на широкий подоконник — излюбленное место для неторопливых размышлений. Четыре человека, трое — из ГУВД Москвы, один — из министерства. Кого-то из них неизвестная женщина, дважды звонившая ему по телефону, назвала гнилым звеном. И он, генерал Заточный, должен понять, что она имела в виду. Судьбу Дмитрия Платонова эта женщина отдала в его руки.

Что должны означать ее слова? Только одно: она звонит как минимум двум из четырех человек и дает им разную информацию. Только собранная воедино, эта информация может пролить свет на историю с Агаевым и Платоновым. Может быть, она даже звонит всем четверым. И собраться эта информация должна в руках у него, Заточного. Но почему-то никто из бравой четверки не идет к нему с рассказами о звонках таинственной незнакомки. Хорошо, допустим, ребята с Петровки с ним, генералом Заточным, вообще незнакомы и им и в голову не приходит обращаться к нему. Но уж своему-то шефу полковнику Гордееву они должны были рассказать. А Гордеев обязательно пришел бы к генералу, потому что знает, что именно Иван Алексеевич направил в группу Сергея Русанова. Может быть, так все и было и гнилым звеном оказался именно Гордеев? Неприятно. Но это тоже надо иметь в виду как возможный вариант.

Завтрашний разговор на Петровке будет непростым, Иван Алексеевич это предчувствовал. Обижать людей нельзя. Но и верить нельзя никому.

Новый звонок телефона вывел его из тяжких раздумий. Через несколько мгновений в кухню заглянул сын.

— Папа, это снова тебя. Опять женщина.

— Та же самая? — встрепенулся генерал.

— Нет, другая. У тебя что, бес в ребро?

— Балда, — генерал шутливо щелкнул Максима по макушке и быстро прошел в комнату, где стоял телефон.

— Слушаю вас.

— Иван Алексеевич, это майор Каменская из Московского уголовного розыска. Простите, что так поздно звоню, но у меня неотложное дело...

3

К утру погода резко испортилась. Если до этого целую неделю было тепло и солнечно и все говорило о ранней бурной весне, то сегодня с утра снова настала хлипкая и слякотная зима, на корню убивающая хорошее настроение и порождающая только одно желание: принять горячую ванну, завернуться в теплое одеяло и спать, спать, спать...

По дороге на работу Настя промочила ноги, по рассеянности наступив на покрытую тонюсеньким ледком глубокую лужу и провалившись в нее по щиколотку. Но она даже не обратила на это внимания, поглощенная предстоящим разговором со своим начальником и с чиновником из министерства. Вчера озарение пришло к ней слишком поздно, но она все равно позвонила Колобку-Гордееву, а тот посоветовал ей связаться с генералом Заточным и даже дал его телефон.

— Заточный держит дело на контроле и собирается завтра с утречка снимать с нас стружку, —

сообщил ей Виктор Алексеевич. — Дай ему пищу для размышлений, чтоб время зря не терял и сны сладкие не смотрел.

— Вы его за что-то не любите? — спросила удивленная таким оборотом Настя.

— А за что мне его любить? — отпарировал Гордеев. — Это же он настоял, чтобы с вами работал Русанов, который у вас на руках гирями повис и не дает собирать улики против Платонова. Все понятно, своего подчиненного выгородить хочет, его за это упрекать нельзя, но и любви к нему этот факт особо не прибавляет. Хотя, конечно, если бы я был его подчиненным, то рассуждал бы иначе. Вообще-то он мужик хороший, я о нем много доброго слышал. Но не нравится мне этот завтрашний сходняк, который он затеял. Зачем ему со мной встречаться? Рассказывать, какие у меня сотрудники плохие и неумелые? Так я про своих сотрудников и так все знаю, и получше его. Советы давать, как раскрыть убийство Агаева и как найти Платонова? Так чего ж он тянул столько времени, если знает, как это сделать. Сказал бы сразу. Или он что-то узнал, что-то такое, что в корне меняет всю картину. Тогда и твоя информация ему пригодится, и завтра он уже не будет тратить время на то, чтобы все соединить вместе, а сделает это за ночь. А утром явится на Петровку доставать кроликов из шляпы.

— Виктор Алексеевич, боязно мне что-то, — призналась Настя. — А вдруг он — лицо заинтересованное? Платонов мне доверился, и если он действительно не виноват, а я выдам доверительную информацию не в те руки? Не может так получиться?

— Стасенька, вероятность такая есть всегда, но давай рассуждать по возможности здраво. Тот, кто является лицом заинтересованным, должен Платонова утопить, весь смысл в этом. Зачем Заточный подсунул нам Русанова? Затем, что Русанов — близкий и давний друг Платонова и будет стоять на ушах, чтобы его спасти. Спасти, деточка, а не утопить. Если бы Заточный был заинтересованной стороной, он бы никогда не прислал Русанова. Ты согласна?

— Ну, в общем, — неуверенно ответила Настя.

— Поэтому набирай-ка номер и звони генералу. И ничего не бойся.

Она так и сделала, и теперь с нетерпением ждала встречи с Иваном Алексеевичем.

Без пяти восемь она сидела в кабинете у своего начальника Гордеева, обутая в форменные черные туфли взамен поставленных сушиться кроссовок. Виктор Алексеевич молча стоял у окна, повернувшись к ней спиной и сосредоточенно созерцая оседающий на тротуаре мокрый снег. Без трех минут восемь вошел генерал Заточный. По его осунувшемуся лицу сразу стало понятно, что сладких снов ночью он и впрямь не смотрел. Настя решила соблюсти пиетет и вскочила с кресла, вытянувшись в струнку.

— Доброе утро, — как-то по-домашнему поздоровался генерал и протянул руку Насте, которая стояла ближе, чем полковник Гордеев. — Майор Каменская — это вы?

— Так точно, товарищ генерал.

— Не нужно, Анастасия Павловна, — Заточный забавно сморщил нос. — Поскольку вы ходите исключительно в цивильном, а форменные туфли надели только потому, что промочили ноги, то я для вас буду Иваном Алексеевичем.

Он легко рассмеялся, окидывая Настю с ног до головы теплым взглядом желтых тигриных глаз, и от этого ей стало не по себе. Заточный прошел вперед, чтобы пожать руку Гордееву, и, глядя ему в спину, Настя вдруг с ужасом поняла, что этот человек ей нравится. Интересно, откуда он узнал про промокшие кроссовки? То, что она, Анастасия Каменская, круглый год ходит в джинсах и свитерах или майках, ни для кого не секрет, а то, что генерал об этом знает, говорит только о том, что он не поехал на Петровку «на авось», а постарался узнать хоть что-нибудь о людях, с которыми ему придется утром разговаривать. Это, конечно, огромный плюс генералу, потому что это означает, что и на руководящем посту он остался первоклассным сыщиком, а не превратился в самовлюбленного сытого ленивого аппаратчика. Но как же он узнал, что она промочила ноги? Видел, как она шла от метро и вляпалась в эту чертову лужу? Заметил, что тогда на ней были кроссовки, а теперь туфли? Но в этом случае он пришел бы на Петровку одновременно с ней, а не на десять минут позже. Впрочем, мало ли в какой кабинет он мог зайти до того, как пришел к Гордееву.

Но больше всего поразили Настю его глаза, жившие какой-то своей особой жизнью, теплые, как два маленьких солнышка, озарившие внезапно сухое скуластое лицо генерала ярким радостным светом.

— Итак, — начал генерал, присаживаясь за длинный стол для совещаний, — подведем итог всему, что у нас было на вчерашний день. Некая женщина звонит мне и говорит, что я являюсь центральным звеном и ко мне с разных сторон будут подцепляться другие звенья, а в результате получится цепочка, которая и докажет невиновность Дмитрия Платонова. Далее, эта женщина звонит вам, Анастасия Павловна, и сообщает, что Дмитрий не виноват, что он встретился с Агаевым, посмотрел привезенные им документы по приборам, содержащим драгметаллы, отвез его на улицу Володарского и уехал. Сообразуясь с этим, вы, Анастасия Павловна, проверяете показания Платонова. Частично они подтверждаются, Агаев действительно приезжал в указанное время на улицу Володарского к своему родственнику, вышел из дома вместе с ним, и был к тому моменту здоровехонек. Более того, приехал он туда действительно на машине, совпадающей по описанию с той, на которой ездит Платонов. Но есть неприятная деталь: спустя некоторое время после отъезда этой машины возле дома, куда зашел Агаев, появляется некий мужчина с «дипломатом», весьма схожим с тем, который имеется у Платонова. Протокол допроса Стаса Шурыгина и протокол опознания, верно?

Настя молча кивнула, напряженно вслушиваясь в слова генерала.

— Пойдем дальше. Никаких документов по списанию приборов при Агаеве обнаружено не было. Эта часть рассказа Платонова не подтверждается. Более того, я успел выяснить, что Агаев вместе с Платоновым действительно работали по выявлению махинаций с этими приборами на заводе в Уральске-18, но замешанная в злоупотреблениях фирма «Артэкс» больше не существует. Таким образом, работа по приборам актуальность потеряла. И случилось это достаточно давно. Так что связывать смерть Агаева с этими приборами вряд ли правильно. Похоже, что Платонов хочет увести нас в сторону, привлекая наше внимание к документам по списанию приборов. Вам не кажется?

Генерал повернулся к Насте и посмотрел на нее своими желтыми глазами, которые на этот раз излучали неловкость и просьбу извинить за столь кощунственное предположение.

— Нет, мне не кажется, — твердо сказала Настя, стараясь не встречаться взглядом с глазами Заточного. — Зато мне кажется, что убитый на прошлой неделе в Совинцентре Юрий Ефимович Тарасов был агентом Платонова именно по проблемам, связанным с уральским заводом. И если

Тарасов продолжал что-то делать для Платонова, то, выходит, работа по Уральску актуальности не потеряла. И я хотела бы знать, в чем тут дело. Ведь если Тарасова убили потому, что он узнал что-то крайне опасное для преступников, значит, они продолжают действовать. И ответить на наши вопросы может только сам Платонов, потому что Слава Агаев убит и Юрий Ефимович тоже убит, а по делу такой сложности наверняка больше никто информацией не обладает, потому что ни один нормальный сыщик ею ни с кем делиться не будет.

— Ну что ж, Анастасия Павловна, вы сами ответили на все вопросы, — улыбнулся Заточный. — То, чего вам так не хватает, и есть та информация, которая должна была поступить ко мне, но почему-то не поступила. Вы оказались хорошим, крепким звеном, а вот другое или даже, возможно, другие звенья оказались подпиленными. Информация, которую дал Платонов, через них не прошла, и я ее не получил. И вот я хочу задать вам вопрос: кто? Кто оказался этим гнилым звеном? Лесников? Коротков? Русанов?

— Русанова сразу отбрасывайте, — хмуро буркнул Гордеев. — Остаются мои ребята.

— И что же вы решили? — виноватым голосом спросил генерал, словно ему и в самом деле было ужасно неудобно, что вот такой уважаемый человек полковник Гордеев из-за глупого каприза генерала Заточного вынужден теперь подозревать в чем-то нехорошем своих любимых подчиненных.

— А что мы можем решить? Проверять будем вдвоем с Анастасией. Русанова привлечем.

— Меня возьмете в компанию?

И снова Заточный повернулся к Насте и обогрел ее теплом своих желтых глаз. И снова она поежилась, как от озноба, потому что желтые тигриные глаза генерала Заточного вселяли в нее безотчетный страх.

— Конечно, добро пожаловать, — вымученно улыбнулась она.

— Отлично.

Заточный легко поднялся, словно в коленях у него были вмонтированы пружины, и сделал шаг в сторону двери. Потом остановился и обернулся к Насте:

— В котором часу у вас проводится утренняя оперативка?

— В десять.

— Сейчас четверть десятого. Где мы могли бы с вами побеседовать?

— Со мной?

Настя вздрогнула, как от удара током. Начинаются сюрпризы, с ужасом подумала она. О чем может разговаривать с ней генерал из министерского главка? Будет выпытывать, что она знает про Игоря Лесникова и Юру Короткова? Про Юрку она знает практически все, но правильно ли будет рассказывать об этом генералу? Про Игоря, напротив, она знает очень мало...

— У вас отдельный кабинет, насколько я знаю. Я могу рассчитывать на чашку кофе?

— Прошу вас, Иван Алексеевич.

Она изобразила гостеприимный жест, пригласив генерала идти за собой. У себя в кабинете она усадила его за свой стол, включила кипятильник, достала чашки, банку с растворимым кофе и коробку с сахаром.

— А вы где сядете? — спросил Заточный, оглядывая маленький кабинет.

— На стуле у окна. Здесь удобно.

— А почему не у стола, напротив меня? Здесь, по-моему, еще удобней.

— Слишком близко к вам. Это опасно, — улыбнулась Настя.

— Вот как? Почему же?

— Во-первых, вы генерал и руководитель из министерства.

— А во-вторых?

— А во-вторых, вы весьма привлекательный мужчина, и это меня настораживает.

— Вот, значит, как, — задумчиво произнес генерал. — Значит, меня не обманули.

— То есть?

— Мне говорили, что один из самых опасных приемов, которыми Каменская выбивает собеседника из седла, это ее фантастическая прямота. Она нарушает все конвенциальные нормы общения и говорит вслух то, что обычно никто никогда не говорит. В том числе она обычно не стесняется сказать человеку, что не верит ему.

— А можно узнать, кто вам все это рассказал

про меня? Про джинсы, про отдельный кабинет, про кофе, про приемы, которыми я пользуюсь?

— Нельзя, Анастасия Павловна. У каждого из нас есть свой Юрий Ефимович Тарасов. И не один, между прочим.

— А какой Тарасов рассказал вам, что я промочила ноги сегодня утром?

— А вы сами не сообразили?

— Нет, — честно призналась Настя.

— У меня хорошее зрение, Анастасия Павловна, и я заметил, что туфли у вас надеты на босу ногу. Если вы, как о вас рассказывают, зимой и летом ходите в джинсах не от бедности, а оттого, что более всего цените телесный комфорт, то вы никогда не наденете обувь без чулок или носков из опасений стереть ноги. И коль уж вы это сделали, то совершенно очевидно, не по собственной воле, а вынужденно. Дальше все просто.

— Браво, Иван Алексеевич! — от души улыбнулась Настя. — Насыпайте себе кофе, вода уже закипела.

Она налила кипяток в чашку Заточного, потом сделала кофе для себя и отошла со своей чашкой к окну.

— Вы все-таки решили сесть подальше от меня?

— Хорошо, я сяду за стол, если вы настаиваете, — раздраженно сказала Настя, придвигая стул и садясь лицом к лицу с Заточным.

— Спасибо, Анастасия Павловна. У вас хороший кофе, — похвалил генерал.

— Это не у меня, а у фирмы «Нестле». Так о чем вы хотели поговорить со мной, Иван Алексеевич? Уже половина десятого, через полчаса нам придется расстаться.

— Я хотел спросить у вас, правда ли, что вы выходите замуж через месяц.

Настя поперхнулась и чуть не пролила кофе на стол. Медленно поставила она чашку, осторожно вытащила указательный палец из колечка изогнутой ручки и только после этого подняла глаза на Заточного. Его лицо выражало крайнюю степень заинтересованности и дружеского любопытства.

— Через полтора, — сказала она охрипшим голосом, с трудом шевеля губами.

— А зачем?

— Что — зачем?

— Зачем вы выходите замуж за человека, с которым и без того ничто не мешает вам быть вместе? Что изменится от факта вашего бракосочетания?

— Ничего, — она пожала плечами. — Просто он этого хочет, и я не вижу больше поводов уклоняться. Вы совершенно правы, это действительно ничего не изменит для меня, поэтому, если он настаивает, почему бы не пойти ему навстречу. Иван Алексеевич, вы поймали меня, задав неожиданный вопрос, заставив растеряться и с перепугу вступить с вами в обсуждение проблем, которые я ни с кем не считаю нужным обсуждать. Я уже пришла в себя от изумления, поэтому дис-

куссию на тему моего семейного будущего мы закрываем.

— Очень жаль, — генерал ослепительно улыбнулся своей знаменитой солнечной улыбкой, от которой растаяло не одно жестокое и каменное сердце.

— Почему же?

— Потому что, если бы вы были свободны, я пригласил бы вас куда-нибудь. Например, в театр.

Чашку Настя все-таки выронила, и дымящийся кофе растекся по темному линолеуму.

— Иван Алексеевич, вы что, ставите на мне психологические эксперименты? — спросила она, насыпая в чашку новую порцию растворимого кофе и заливая ее водой. — Как назвать то, что вы вытворяете со мной?

— Я опробую на вас ваше же оружие, которое называется «Убойная прямота». Во-первых, хочу посмотреть, как оно действует, потому что сам никогда его не применял. Во-вторых, хочу, чтобы вы на собственной шкуре испытали то, что заставляете чувствовать других людей. Мне говорили, что вы бываете жестоки, и я подумал, что будет совсем неплохо, если вы на несколько минут постоите по другую сторону барьера.

— Вы пытаетесь меня воспитывать? — зло спросила она. — Мне, знаете ли, уже хорошо за тридцать, поэтому ваша затея обречена на провал. Вы опоздали.

— Отнюдь, Анастасия Павловна, разговаривая с вами, я проверяю, насколько точны были харак-

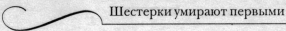

теристики, которые вам дали мои Юрии Ефимо-
вичи. Я проверяю их способность дать полный и
квалифицированный психологический портрет.

— У меня такое чувство, что вы сделали из
меня подопытного кролика.

— А вы невнимательны, Анастасия Павловна, — снова улыбнулся генерал, на этот раз еще
теплее и ласковее. — Я ведь сказал вам, что опробую ваше же оружие — прямоту. Я просто говорю
вам правду, чистую правду, абсолютно неприкры-
тую. Нагота шокирует, это верно, но зато никого
не обманывает. Я еще раз повторяю вам, если вы
все-таки меня не услышали: ВСЕ, ЧТО Я ВАМ
СКАЗАЛ В ЭТОМ КАБИНЕТЕ, — ПРАВДА.

Настя снова почувствовала озноб, потом внезапно краска бросилась ей в лицо. Она посмотрела прямо в желтые тигриные глаза, которые стали
похожи на расплавленное золото.

— Вы действительно хотели бы пригласить
меня в театр?

— Хотел бы. Но только если бы вы не собира-
лись замуж.

— А какая связь? Вы же не жениться на мне
хотите.

— Откуда вы знаете? — озорно усмехнулся генерал. — Этот вопрос мы еще не обсуждали. Что
же касается театра, то я полагаю, что вам придется обманывать своего жениха, чтобы объяснить
ему, с кем и куда вы пошли. Потому что если вы
скажете, что пошли слушать оперу с малознако-
мым генералом из министерства, с которым у вас

ничего нет и быть не может, то вашего жениха это вряд ли устроит. Ни один нормальный человек в это не поверит, потому что этого просто не бывает. Значит, вам придется врать, придумывать несуществующую подругу или еще что-нибудь. А я очень не люблю, когда из-за меня люди начинают лгать и выкручиваться. В нашем распоряжении осталось десять минут, поэтому перейдем к нашим общим проблемам. Как мы с вами будем работать дальше? У вас есть предложения?

— Я еще не думала об этом.

— Что ж, мне говорили, что вы медленно думаете. Я не очень доверяю телефонам в последнее время, поэтому предлагаю встречаться каждый день либо утром, либо вечером, после работы. Вам как удобнее?

— Только не утром, — быстро ответила она. — Утром я очень хочу спать, мне каждая минута дорога.

— Хорошо, тогда по вечерам. Где вы живете?

— На Щелковской.

— Замечательно, а я на Измайловской. Будете мне звонить домой и назначать удобное время и место. Если меня не будет дома, передайте сыну, он уже почти совсем взрослый и ничего не перепутает. Договорились?

— Договорились.

Иван Алексеевич пожал ей руку и ушел. До оперативки осталось пять минут, впереди предстоял длинный и тяжелый рабочий день, а Настя Каменская чувствовала себя совершенно разбитой.

Глава 10

1

Ирина Королева встретила Настю прохладно, но, узнав о цели ее визита, смягчилась.

— Какие сведения можно получить из наших документов? Ну, в основном о том, какие фирмы кого приглашают и для каких целей. А также кто, когда, зачем и на какой срок приезжает в Москву по делам бизнеса. Мы оказываем визовую поддержку, оформляем паспорта в ОВИРе, обмениваемся визовыми телексами с нашими посольствами и консульствами за рубежом.

— Будем искать, — вздохнула Настя. — Тащи сюда все папки.

— Как — все? — ужаснулась Ирина. — Ты хоть скажи примерно, что именно мы ищем.

— Примерно — будем искать все, что касается фирмы «Артэкс». А там посмотрим.

Через час перед Настей лежал листок с записями, в которых отражалась международная деятельность бесславно скончавшейся фирмы.

— А теперь что?

— А теперь самая тягомотина начнется. Будем искать следы тех людей, которые имели дело с «Артэксом». Вот их имена. У меня есть сильные подозрения, что Юрий Ефимович Тарасов искал в ваших бумагах именно эти сведения.

Ирина разложила папки на своем столе, Настя устроилась за столом Светланы Науменко, которая приболела и на работу не пришла. Через не-

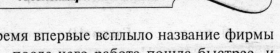

которое время впервые всплыло название фирмы «Вариант», после чего работа пошла быстрее, и уже к обеду стало понятно, что «Вариант» в полном объеме пришел на смену скончавшемуся «Артэксу».

2

По просьбе Платонова Кира принесла охапку газет, печатающих деловые объявления. Дмитрий объяснил ей, что нужно делать, и они погрузились в молчание, просматривая с карандашом в руках многостраничные издания. Платонов быстро устал, от зрительного напряжения у него заболели глаза, мелкие буквы стали сливаться. Кира же, напротив, работала как ни в чем не бывало, полностью погрузившись в выполнение задания и ни на что не отвлекаясь.

— Неужели у тебя глаза не устают? — удивился Платонов, запрокидывая голову с закрытыми глазами, чтобы немного передохнуть.

— Нет, а что, должны уставать? — откликнулась Кира, не отрываясь от газеты.

— Счастливая, — завистливо вздохнул он. — А у меня такое чувство, что мне песку в глаза насыпали.

Она молча пожала плечами, не отводя глаз от печатного текста. Через некоторое время она вдруг сказала:

— Дима, если тебе трудно, давай я сама все газеты просмотрю. А ты займись чем-нибудь другим.

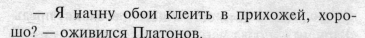

— Я начну обои клеить в прихожей, хорошо? — оживился Платонов.

Он быстро переоделся в старые тренировочные брюки, найденные Кирой в глубине шкафа, и принялся за работу. Клей ложился ровно и хорошо схватывался, стены постепенно покрывались светлыми, с золотым рисунком, обоями, и Дмитрия охватило знакомое радостное чувство, которое всегда появлялось, когда работа спорилась и становился виден результат. Даже резать рулоны сегодня ему удавалось так, что рисунок на стыке полос совпадал с точностью до миллиметра. Спохватился он только тогда, когда понял, что занимается прихожей почти три часа и за это время не слышал ни одного звука, кроме шелеста переворачиваемых страниц.

Дмитрий осторожно заглянул в комнату. Кира сидела в той же позе, в какой он ее оставил, и внимательно просматривала газеты.

— Кира, может, сделаешь перерыв? — предложил он. — Я чай свежий заварю.

— Я не устала, — негромко ответила она, не поднимая головы.

Платонову стало неловко, он решил отложить чаепитие и закончить клеить обои. Если Кира не устала, то и ему придется еще поработать, чтобы не выглядеть лентяем.

Когда он намазывал клеем последнюю полосу, послышался ее голос:

— Кажется, я нашла. Фирма «Вариант» объявляет о прекращении своей деятельности и пред-

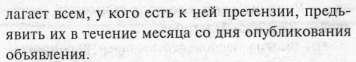

лагает всем, у кого есть к ней претензии, предъявить их в течение месяца со дня опубликования объявления.

Дмитрий бросился в комнату.

— Где? Покажи!

— Вот здесь, я обвела карандашом.

Он внимательно прочитал набранный мелким шрифтом текст. Так и есть, «Вариант» пошел по тому же пути, что и его предшественник «Артэкс». Но почему? Неужели Сережка Русанов где-то сделал неосторожное движение и спугнул их? Обидно. Серега — опытный сыщик, но от ошибок не застрахован никто. В конце концов, и сам он, Платонов, несколько месяцев назад спугнул «Артэкс».

— Это то, что ты искал? — спросила Кира, внимательно наблюдавшая за ним.

— Да. Спасибо тебе.

— Ты расстроен?

— Конечно. Теперь они с чистой совестью уничтожат все документы по золотосодержащим отходам и придумают еще какую-нибудь аферу, создадут новую фирму и начнут все сначала. Конечно, рано или поздно я их вытащу на свет божий, они от меня не уйдут. При условии, разумеется, если меня не посадят за взятку, которую я не брал, или за убийства, которых я не совершал. Но все равно жалко: столько трудов псу под хвост. Тарасова из-за этого убили, Славку Агаева убили, мне столько крови попортили, а потом

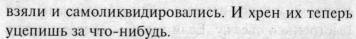

взяли и самоликвидировались. И хрен их теперь уцепишь за что-нибудь.

После обеда и до самого вечера Платонов занимался ремонтом квартиры, не произнеся больше ни слова. Кира вымыла посуду и взялась за стирку. Закончив работу, Дмитрий пошел в ванную мыться, открыл дверь и обомлел: Кира стояла на краю ванной на одной ноге, приподнявшись на цыпочки, и развешивала свежевыстиранное белье.

— Немедленно слезай, — испуганно зашипел он, — ты же упадешь и расшибешься.

— Не упаду, — невозмутимо ответила она. — У меня хороший баланс, я никогда не теряю равновесия.

— Слезай, я тебе говорю, — рассердился Платонов. — Я сам белье повешу.

Он протянул руки, осторожно снял Киру и аккуратно поставил на кафельный пол. На какое-то мгновение они оказались слишком близко друг к другу, и Платонов снова увидел знакомую вспышку загадочного пламени в глубине ее глаз. Он замер, подумав, что уж тут-то ему от поцелуя не отвертеться, но в ту же секунду Кира, едва заметно качнувшись ему навстречу, мягко отстранилась и отступила назад.

— Развешивай белье, а я пойду готовить ужин, — с легкой улыбкой сказала она, выходя из ванной.

Поздно вечером, перед тем как идти спать, Кира напомнила ему, что завтра суббота.

— Мне нужно везти продукты родителям. Ты

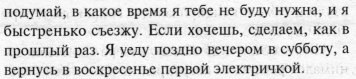

подумай, в какое время я тебе не буду нужна, и я быстренько съезжу. Если хочешь, сделаем, как в прошлый раз. Я уеду поздно вечером в субботу, а вернусь в воскресенье первой электричкой.

— Я не хочу, чтобы ты ездила поздно вечером, — возразил Платонов. — Кругом полно всякой пьяни и хулиганов. И потом, ты же слышала, как по телевизору рассказывают об убийце, разгуливающем по Подмосковью.

— Ну и что ты предлагаешь? Не ездить я не могу, а уж когда мне ехать — решай сам.

— Может быть, завтра с утра? — предложил он. — И после обеда — обратно, чтобы вернуться засветло.

— Я тебе не нужна завтра?

— Кира, милая моя, ты мне нужна постоянно, — улыбнулся Дмитрий. — Но я же не могу заставить твоих престарелых родителей умирать с голоду из-за этого.

— Хорошо, так и решим. Завтра с утра я поеду и к вечеру вернусь.

Лежа на раскладушке в кухне, Платонов привычно прислушивался к доносящимся из комнаты звукам. Вот Кира раскладывает диван, стелет постель. Шорох газет — Кира убирает их с журнального столика, интересно, куда? Платонов насчитал четыре шага, значит, если он правильно помнит расстановку мебели в комнате, газеты перекочевали на полку под телевизором. Мягкий щелчок — она зажгла светильник над диваном, снова шаги и щелчок более громкий — выключила верхний свет. Еще один еле слышный стук — пластмассовая пуговица шелкового халатика, небрежно брошенного на кресло, стукнула о полированную поверхность подлокотника. Вздох пружин. Шелест переворачиваемых страниц — Кира любила читать перед сном.

Прислушиваясь к Кире и представляя мысленно все ее движения, Платонов вдруг почувствовал острую тоску по жене, Валентине. И дело было вовсе не в том, что ему захотелось близости с женщиной, нет, напротив, близости ему не хотелось совсем, слишком в сложной и тревожной ситуации он оказался, чтобы тосковать по сексу. Просто он был очень привязан к жене, ценил ее, дружил с ней и, расставаясь, обычно очень скоро начинал скучать. Да, он любил Алену Русанову, он испытывал одновременно нежность и восторг, обнимая ее, но почему-то никогда по ней не скучал и без нее не тосковал. Он не задумывался над объяснениями такого феномена, просто принимал его — и все.

3

После посещения Совинцентра Настя разыскала эксперта Олега Зубова, вечно хмурого, всегда чем-нибудь недовольного и постоянно жалующегося на здоровье. Впрочем, все прекрасно знали, что на настроение Олега внимания можно не обращать, потому что оно всегда плохое, а экспертом он был первоклассным, и что самое главное — работу свою любил и делать ее не ленился.

Зубова Настя застала с огромной дымящейся кружкой в одной руке и безразмерным бутербродом — в другой. Он сидел в низеньком кресле, вытянув непомерной длины ноги и расслабленно прикрыв глаза.

— Тебя можно отвлечь? — робко спросила Настя, подходя к Зубову и стараясь не споткнуться о его ноги.

— Нельзя, — буркнул тот сквозь зубы, продолжая медленно жевать бутерброд. — Я после суток, меня нет.

Настя бросила взгляд на часы — половина пятого. Суточное дежурство заканчивается в десять утра, и если Олег до сих пор не ушел домой, то можно представить, как сильно он устал.

— Ты собираешься уходить?

— Уйдешь с вами, — снова процедил он, слегка пошевелив вытянутыми ногами, что, по-видимому, должно было обозначать страстное намерение уйти отсюда, которому осуществиться не дают плохие мальчики-милиционеры. — Развели бандитов и воров, понимаешь ли, а потом честному эксперту продыху нет. Ты чего пришла?

— В любви объясняться буду.

Олег вяло приоткрыл один глаз, откусил от полуметрового бутерброда изрядный кусок и снова начал медленный процесс пережевывания пищи с закрытыми глазами.

— Начинай, — изрек он через некоторое время.

— Олеженька, ласточка моя, ягодка моя крас-

ненькая пупырчатая, — начала Настя вдохновенно, ибо знала, что от нее требуется только одно — разбудить эксперта.

— Какая ягодка?

Зубов быстро открыл оба глаза и приподнял голову, при этом на его длинном лошадином лице мелькнул неприкрытый интерес.

— Пупырчатая, — громко и внятно повторила Настя.

— Почему?

Он подтянул ноги и согнул их в коленях.

— Потому что самые вкусные ягоды всегда в пупырышек, — объяснила Настя. — Клубника, малина, ежевика, шелковица. Понял?

— Не понял, но зато проснулся.

Олег помотал головой и сделал большой глоток горячего крепкого чая. Настя знала это состояние тяжелой сонной одури, которое наступает после суточного дежурства, если вовремя не лечь спать.

— Так чего надо-то?

— Бумажку с номером банковского счета, которая проходит по убийству Агаева.

— Губы раскатала! — фыркнул Зубов. — Она у следователя.

— Олежка, при чем тут следователь, у тебя же наверняка и копия заключения осталась, и фотография.

— Дать, что ли?

— Ага.

— Не «ага», а дайте, пожалуйста, господин Зубов. Через буфет.

— Что тебе принести? — с готовностью спросила она. Манера эксперта все одолжения оказывать «через буфет» была хорошо известна в МУРе. При этом все знали, что дорогого подношения Олег не потребует никогда, а если принести — не возьмет. Для него важен был сам факт маленького пищевого подарка как знак уважения и признания того, что эксперт оказывает услугу, а не делает то, что и без того обязан делать. Почему-то мысль об оказании услуги грела Зубова, но к этому все давно привыкли и рассматривали некоторую странность его характера как нечто неизбежное, вроде причуды гения.

— Пачку печенья. Финского, — уточнил он.

Через пятнадцать минут Настя вернулась, неся в руках синюю тубообразную упаковку с финским печеньем. На столе перед экспертом уже лежала копия заключения и фотографии полоски белой бумаги с написанными на ней цифрами и буквами. Фотографий было две — в реальном масштабе и увеличенная в два раза.

На увеличенной фотографии можно было заметить какие-то странные следы по краю бумажной полоски, напоминающие не то точки, не то царапины. Всего этих точек было десять, пять в одном месте и пять — в другом.

— А что это? — спросила Настя, показывая на следы.

— Типографская краска. Я тоже обратил на

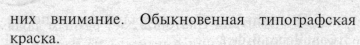

них внимание. Обыкновенная типографская краска.

— Интересно, откуда же отрезали эту полоску? — задумчиво проговорила она. — У тебя есть идеи?

— Судя по качеству бумаги, это был какой-то альбом, типа альбома для рисования, или тетради для гербария, или вообще детская книжка наподобие «Раскрась сам». Бумага не писчая, не для машинописных работ и не для принтера.

— Иными словами, нужно искать человека, в семье которого есть ребенок в возрасте от пяти до двенадцати лет. Пол-Москвы.

— Ну, мать, на тебя не угодишь, — развел руками Зубов, вскрывая подаренную ему пачку печенья и протягивая ее Насте. — Угощайся.

Она машинально взяла печенье и сунула в рот, не чувствуя вкуса. Какая-то смутная мысль мелькнула в глубине ее сознания и исчезла, вызвав беспокойное раздражение.

Настя знала, что работа ее внутреннего компьютера имеет три разновидности «выходов». При одном варианте долгая кропотливая работа, требующая безупречного внимания и прекрасной памяти, позволяла в беспорядочном ворохе информации находить то, что нужно. При другом варианте внутренний компьютер включался внезапно, реагируя на совершенно неожиданные вещи, как это случилось, например, вчера, когда составление свадебного наряда из разных комплектов и костюмов навело Настю на мысль о том, что Дмитрий Платонов дает разным людям кусочки информации в надежде на то, что, собравшись вместе, они восстановят истину. При третьем же варианте компьютер полностью выходил из повиновения хозяйке и вел себя как ему вздумается. Он находил верное решение, о чем тотчас ставил в известность Настю, посылая ей сигналы, заставляющие ее морщиться от неприятного холодка где-то в области солнечного сплетения, однако обнародовать это решение не спешил, заставляя хозяйку подбирать методом проб и ошибок специальные программы и ключи.

Почувствовав знакомое беспокойство, Настя поняла, что в ближайшее время здоровый сон и нормальный аппетит ей не угрожают. Она будет выполнять свою работу, искать «подпиленное звено», через которое не прошла информация от Димы Платонова к генералу Заточному, обсуждать с Андреем Чернышевым варианты поиска подмосковного стрелка-убийцы и при этом постоянно думать о полоске бумаги, отрезанной то ли от школьного альбома, то ли от детской книжки.

Почему бумажка с номером счета, на который переведены деньги от фирмы «Артэкс» в фирму жены Платонова, оказалась у убитого Славы Агаева? Если Слава узнал о том, что Платонов взял взятку, и сказал об этом Дмитрию, то понятно, почему Платонов мог убить своего помощника из Уральска. Но совершенно непонятно, почему убийца не забрал у жертвы эту бумажку. Ведь

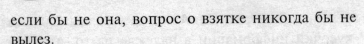

если бы не она, вопрос о взятке никогда бы не вылез.

А если Агаев узнал про деньги, но ничего Платонову не сказал? А почему, собственно? Не доверял ему? Хотел сам проверить? Тогда очень важно понять, откуда вообще появилась эта пресловутая бумажка: привез ли Агаев ее с собой из Уральска или получил от кого-то уже здесь, в Москве?

Настя еще раз проверила все передвижения Агаева по минутам. Выходило, что времени на заезды куда-нибудь по пути из аэропорта на Житную, в министерство, у него не было. Если только его не встречал кто-то в аэропорту. Кто-то, кто и отдал ему эту полоску бумаги с реквизитами банковского счета, отрезанную от детского альбома.

Она попыталась представить себе самый естественный путь, по которому столь серьезная банковская информация может соединиться с невинной ребячьей принадлежностью. Картинка сложилась быстро и легко. Человеку звонят домой и говорят: записывайте. Он хватает первое, что подворачивается под руку, например, альбом сынишки или дочки, записывает с краю листа цифры и буквы, а после окончания разговора аккуратно отрезает полоску ножницами. Да, по-видимому, так все и было. Если бы человек этот звонил сам, то приготовил бы для записи более подходящий листок, например, блокнот или записную книжку. А если бы разговор состоялся по служебному телефону, а не по домашнему, то откуда бы взялся детский альбомчик?

4

В субботу Кира поднялась рано и стала собираться за город, к родителям. Платонову пришлось тоже встать, так как расставленная на кухне раскладушка мешала Кире подойти к плите, чтобы вскипятить воду для кофе. Дмитрий наблюдал, как она разглаживает на столе и складывает в маленькие квадратики черные нейлоновые сумки, свободно умещающиеся в карманах ее просторной куртки.

— Мне повезло, что прямо возле вокзала есть огромный гастроном, который работает без выходных с восьми утра до девяти вечера. По крайней мере, мне не нужно тащить продукты через всю Москву, я их покупаю прямо перед электричкой.

Она быстро выпила кофе и ушла в ванную одеваться. Пуговицы халатика стукнули о металлопластик стиральной машины, затем послышался характерный звук застегиваемой металлической «молнии» — Кира надевала джинсы. Несколько раз пшикнул спрей-дезодорант, в этот момент Платонов попытался представить себе стройную подтянутую фигуру женщины, стоящей перед зеркалом в одних джинсах и надевающей бюстгальтер. Перед его мысленным взором появились заведенные за спину руки, соединяющие разъемы пластмассовых застежек, отражающаяся в зеркале упругая красивая грудь, туго стянутые джинсами «стретч» мускулистые бедра. Женщина была несомненно красива. Но еще более несомненным было то, что она не вызывала у Платонова никаких «посторонних» мыслей. «Неудивительно, — подумал Дмитрий. — В таком дерьме, в каком я оказался сейчас, мне еще бывать не приходилось. Хорошо еще, что я сохраняю способность что-то соображать. На секс у организма сил уже нет».

Он машинально продолжал прислушиваться к доносящимся из ванной звукам. Сочный звук открывающегося замка на магнитной присоске — Кира что-то достает из зеркального шкафчика, висящего на стене. Сухое шуршание, происхождение которого так и осталось для Платонова невыясненным. Щелчок металлической заколки, которой Кира убирает в узел на затылке свои тяжелые густые волосы.

Наконец она вышла в прихожую и стала одеваться. Глядя на ее задумчивое и немного грустное лицо, Платонов внезапно ощутил прилив нежности к этой тихой женщине, взвалившей на себя огромную и опасную ношу помощи попавшему в беду сыщику. Под влиянием порыва он шагнул к ней, обнял за плечи, прижался щекой к ее волосам.

— Возвращайся скорее, хорошо? — шепотом попросил он. — Я буду тосковать без тебя.

— Хорошо, я постараюсь, — так же шепотом ответила она.

Дмитрий почувствовал, как напряглась ее спина, словно она хотела отпрянуть от него, но огромным усилием воли сдерживалась.

— И будь осторожна, Кира.

— Хорошо, я постараюсь, — повторила она.

— Кира, я дурак, я все делаю неправильно, — произнес Платонов неожиданно для себя. — Когда ты вернешься сегодня вечером, все будет по-другому. Я тебе обещаю. Все будет по-другому.

Он и сам не понимал, о чем говорил сейчас, он не знал, что именно делает неправильно и что именно будет по-другому, просто он инстинктивно чувствовал, что должен это сказать, а уж о том, как выполнить обещанное, он подумает. У него впереди целый день.

— Мне надо идти, иначе я не успею на поезд, — сказала Кира, делая шаг назад.

Платонов резко притянул ее к себе и медленно и нежно поцеловал в губы.

— Иди, — тихо сказал он с улыбкой, — но помни: я тебя жду. Я тебя очень жду. Возвращайся быстрее. И береги себя, пожалуйста.

Оставшись один, Дмитрий бесцельно послонялся по квартире, посмотрел телевизор, потом взял себя в руки и начал обдирать обои в кухне. С энтузиазмом взявшись за работу, он быстро вынул посуду и прочую кухонную утварь из навесных и напольных шкафов, отодвинул холодильник, отнес в комнату все, что можно было. Стены оказались на удивление хорошими, шпаклевочных работ не требовали, и он решил, что, пожалуй, успеет к возвращению Киры наклеить новые обои.

Методично намазывая полосы обоев клеем,

прикладывая их к стене и разглаживая тряпкой, Платонов думал о том, сколько же еще времени ему придется провести в этой квартире, пока обстановка не разрядится. Он по опыту знал, что комбинация с кусочками информации — самая верная, самая безопасная, но именно поэтому и самая медленная, и надо набраться терпения и ждать. Можно позвонить и сказать все, от начала до конца, только одному человеку и не ожидать мучительно, пока несколько человек догадаются собраться вместе и сложить из мозаики картинку. Но всегда есть риск ошибиться, доверить бесценную информацию тому, кто тебя предаст, из корысти ли, по злобе, по глупости, но все равно предаст. Информация попадет к преступникам, а не к сыщикам, и преступники найдут тебя и заставят замолчать задолго до того, как оперативники только заподозрят неладное. Если же дробить информацию и давать ее разным людям, то всегда есть шанс, и немалый, что даже если кто-то из них окажется предателем, то остальные, собравшись вместе и поняв, что какого-то кусочка мозаики не хватает, все же до истины докопаются. Только на это нужно время, потому что ни один более или менее опытный сыщик, которому позвонила неизвестная женщина и передала информацию от находящегося в розыске преступника, не побежит немедленно по коридорам с истошным криком: мне позвонили! мне сказали! Он и шепотом об этом скорее всего никому не скажет. Он будет молча жевать эту информацию в попытках ответить в первую очередь на вопрос: а почему позвонили именно мне? Ведь этот преступник меня не знает, мы с ним незнакомы, так почему он решил довериться именно мне? Почему? Не потому ли, что о других он знает что-то такое, что заставляет его сомневаться? Тогда и мне нужно некоторое время помолчать, присмотреться к окружающим, прежде чем рассказывать, что беглый убийца и взяточник вступил со мной в контакт.

К вечеру позавчерашнего дня, четверга, генералу Заточному еще не звонили ни Каменская, ни Сережа Русанов. Думают, примериваются, осторожничают. Первым, конечно, позвонит Серега, просто потому, что он лучше знает Ивана. От Каменской трудно ожидать, что она сообразит обратиться к Заточному. Она скорее всего расскажет о звонках Киры или Русанову, или своему начальнику, а уж от них ниточка потянется к Заточному. Сам Серега Русанов, конечно, ни за что не расколется Каменской, что ему звонила Кира и что он получил от Платонова документы по золотосодержащим отходам. Он скажет об этом только Заточному, только ему одному, потому что информация взрывоопасная и обращаться с ней нужно крайне осторожно.

Платонов уже давно понял, что Уральск-18 обложили административно-финансовой блокадой, потому что все заводы в этом, еще в недавнем прошлом закрытом и засекреченном, городке имели отношение к оборонке, а значит, работали со стратегическим сырьем и драгоценными металлами. Какая-то сволочь в правительственных сферах нажала на кнопку и перекрыла финансирование этих заводов, заморозила их счета, объявив убыточными, и рабочие теперь не получают зарплату, а администрация, чтобы помочь людям, готова идти на любые сделки, зачастую закрывая глаза на их сомнительность.

В преступной группе, выдаивающей деньги из многострадального Уральска, должны быть люди из Центробанка, а также человек, выдающий лицензии на вывоз стратегического сырья и драгметаллов из страны. Наверное, должен быть и крупный чиновник из Таможенного комитета, а если эти люди еще и обладают непомерной жадностью, то привлекли к себе на службу и налоговую полицию. С такой солидной бандой шутки шутить опасно, и информацию надо скрывать ото всех до тех пор, пока не будет полного набора доказательств, от которых уже невозможно отпереться.

Разгладив тряпкой последнюю полосу обоев, Платонов отступил на несколько шагов в прихожую и полюбовался на результаты своего труда. Кухня стала светлее и наряднее, обои лежали ровно, а проступающие темные влажные пятна через несколько дней высохнут и исчезнут.

Быстро собрав обрезки обоев и грязные тряпки в огромный пластиковый мешок для мусора, Дмитрий вынес его поближе к входной двери, тщательно вымыл пол в кухне и полез в душ отмываться. Стоя под горячей водой, он вдруг вспомнил про странные шуршащие звуки, доносящиеся из ванной, когда Кира открывала зеркальный шкафчик. Он протянул руку, открыл правую дверцу и увидел на полочках аккуратно расставленные баночки с кремами. Определенно, шуршать здесь было нечему. За средней дверцей полочек не было, там стояли высокие флаконы с шампунем, жидким мылом, баллон с лаком для волос и гель для душа. Платонов открыл левую дверцу, еще раз про себя отметив, что не ошибся, определяя по звуку, что Кира открывает дверцы на магнитных присосках. Его взгляду предстали маленькие коробки с «Тампексами», женскими прокладками «Carefree» и большая коробка с прокладками «Силуэт». Дмитрий на миг испытал острое чувство неловкости, как бывает всегда, когда соприкасаешься с чем-то очень интимным. Ему захотелось посмотреть, может ли шуршать содержимое этих коробок, но он с удивлением понял, что не может заставить себя даже прикоснуться к ним. Почему-то все, что связано с гинекологией, вызывает у среднестатистического мужчины, если он не врач, странную смесь ужаса и брезгливости. Платонов про себя усмехнулся, осторожно закрыл дверцу шкафчика и состроил сам себе дурацкую рожу, глядя на отражение в зеркальной поверхности. Тоже мне, Эркюль Пуаро акустики, весело подумал он.

5

Семнадцатилетний Володя Трофимов выволок из электрички велосипед, стащил его с платформы по деревянным ступенькам и весело начал крутить педали. Он любил ездить на дачу к деду, где был огромный участок с теннисным кортом, бассейн и где ему предоставлялась полная свобода. Дед был крупным воротилой, Володя это прекрасно знал, недаром же и в городской квартире, и на даче всегда маячили два-три телохранителя, а оба автомобиля имели бронированные стекла и мощные движки. Когда-то, когда мальчик учился в восьмом классе, один из подручных деда услышал, как кто-то из одноклассников, обращаясь к Володе, назвал его Трофимом, что было вполне нормальным, так как школьные прозвища чаще всего переделывались из фамилий. Отозвав Володю в сторонку, он сказал:

— Скажи своим дружкам, чтобы придумали тебе другую кликуху.

— Почему? — удивился Володя.

— Потому что Трофим — это имя. С большой буквы. Его заслужить надо. Твой дед его носит. Понял?

Володя тогда сделал вид, что понял, но с тех пор стал внимательнее присматриваться к деду и его окружению. Отца своего мальчик помнил плохо, его убили, когда Володе было шесть лет. Когда через несколько лет мать собралась снова выходить замуж, дед сказал невестке:

— Хочешь уйти из моей семьи — скатертью

дорога, но внука оставишь со мной. Тебе одной его не вырастить, а чтобы сын моего Николая рос рядом с чужим мужиком, с отчимом, я не допущу. Решай.

Мать помучилась некоторое время, но замуж все-таки вышла, и с тех пор мальчиком безраздельно владел дед, великий и могущественный Илья Николаевич Трофимов, которого все называли просто Трофимом.

От станции до дедовой дачи было почти десять километров, и Володя с удовольствием думал о предстоящей быстрой езде сначала по широкой дороге, а потом по узенькой тропинке, с обеих сторон обрамленной деревьями. Снег давно сошел, и, хотя земля все еще была мокрой, на велосипеде вполне можно было проехать. На даче он поплавает в бассейне, позанимается на тренажерах, потом его накормят вкусным сытным обедом, а когда стемнеет, он зайдет за Наташей и они отправятся гулять до тех пор, пока ее родители не уснут. А там... Он сладко зажмурился от предвкушения.

Володя занимался тяжелой атлетикой и в свои семнадцать лет имел столь мощный торс, что со спины его можно было принять за двадцатипятилетнего мужчину. Осознание власти и могущества своего деда давно стерло детскую наивность и неуверенность с его лица, и отказа у девушек и женщин он не знал. Наташа, приезжавшая на дачу с родителями каждую субботу, была на пять лет старше его, но кого это волнует! Ни Трофиму, ни ее старомодным родителям и в голову не приходит, что между десятиклассником Володей и заканчивающей институт студенткой может быть что-то, кроме трогательной детской дружбы. Трогательная дружба, разумеется, когда-то была, дети вместе плавали в бассейне и играли в теннис, ездили наперегонки на велосипедах и смотрели до полуночи фильмы ужасов по видику. Но однажды на смену «ужастикам» и «страшилкам» пришла крутая черная порнуха. Двадцатилетняя Наташа завелась с пол-оборота, и Володя, у которого аж в глазах потемнело от желания, с одного взгляда понял, что она готова сейчас отдаться первому встречному и ей совершенно наплевать, сколько ему будет лет, пятнадцать или семьдесят пять. У него уже был довольно солидный опыт сексуального общения и с одноклассницами, и с девушками-спортсменками, вместе с которыми они выезжали на лагерные сборы, так что страха перед близостью со взрослой Наташей Володя не испытывал. Все прошло очень хорошо, и вот уже два года он регулярно ездил на дачу, стараясь не пропускать ни одной субботы.

Широкая дорога кончилась и перешла в тропу шириной метра в полтора, окаймленную деревьями. Володя Трофимов подумал, что уже через месяц голые ветки покроются нежной листвой, а через два зелень станет сочной и такой густой, что вовсе не обязательно будет дожидаться, пока Наташины родители уснут, и можно будет заниматься любовью среди бела дня, найдя местечко поукромнее...

Если бы нашелся ангел, готовый отвечать на глупые вопросы следователей, он бы рассказал, что Володя Трофимов умер с мыслью о любви.

6

На этот раз понедельника ждать не пришлось. Трофим, обеспокоенный тем, что внук что-то слишком долго добирается до дачи, послал одного из охранников навстречу мальчику, велев прихватить кое-какие инструменты на случай, если окажется, что сломался велосипед. Уже через час охранник вернулся, принеся страшное известие. А через четыре часа Трофим, попрощавшись с работниками милиции, вошел в дом, заперся в кабинете и позвонил Виталию Николаевичу Кабанову.

— Я знаю, что у тебя на днях был человек, — начал он, стараясь говорить спокойно и ничем не выдать обрушившееся на него горе.

— Был, — подтвердил Кабанов.

— Он изложил тебе свою просьбу?

— Да.

— Ты взялся ее выполнить?

— Да.

— Хорошо. Теперь слушай меня, Паровоз. Слушай внимательно, потому что второй раз я повторять не буду. Этот снайпер сегодня убил моего внука. Милиция его найти не может, а ты, Паровоз, его знаешь. Сроку тебе — три дня. Пусть

выполнит задание и исчезнет с лица земли. Если через три дня эта мразь еще будет жива, менты узнают, что снайпер твой человек, и тогда тебе конец. Ты понял меня, Паровоз?

— Я тебя понял, Трофим.

— Вот и ладно. Три дня. Не забудь.

Трофим положил трубку на рычаг, но вдруг осознал, что не может разжать обхватившие ее пальцы. Все тело его словно свело судорогой, он скрипнул зубами, стараясь удержать рвущийся из горла хриплый стон, и рухнул лицом на полированную поверхность большого письменного стола.

7

Снайпер застрелил внука самого Трофима! Такого никто не ожидал. Этого нельзя было предвидеть. И все-таки злость и страх были столь велики, что Виталий Николаевич, сознавая собственную неправоту и несправедливость, обрушился с упреками на своего помощника Геннадия Шлыка.

— Я же говорил тебе, что пора прекращать! Я говорил! Говорил! Надо было остановить это сразу, после первого же трупа, это ты все время твердил, что нужно подождать! Вот, пожалуйста, дождались. Ты хоть понимаешь, чем это нам грозит?

Шлык подавленно молчал. Сказать ему было нечего.

— Откуда Трофим узнал, что у меня есть связь с этим стрелком? От тебя? Говори, сукин ты сын, ублюдок недоделанный, это ты Трофиму стучишь? Чем он тебя взял? Деньгами?

— Побойтесь бога, Виталий Николаевич, вы же никогда в моей преданности не сомневались. От добра добра не ищут, сами знаете.

— Мало ли чего я знаю! — бушевал Кабанов. — Я и другое знаю: я много в своей жизни дел наворочал, но всегда сухим выходил, потому что с мокрыми не вязался. На мне ни одной смерти нет, ни одного трупа. И вот Трофим узнает, что у меня есть контакт со снайпером, присылает ко мне человека — и все, я в одну секунду сделался соучастником. Так мало того, теперь еще Трофим требует, чтобы я убрал этого снайпера. Ты понимаешь, что будет дальше? Дальше либо мне тюрьма в подарок от ментов, либо пожизненная кабала у Трофима, который знает, что на мне висит труп, а эта кабала еще почище государственной тюрьмы будет. А если задание снайперу не передавать и потом его не трогать, то через три дня Трофим меня достанет. И никуда я от него не денусь. Моей власти не хватит на то, чтобы за три дня свернуть все дела, купить билет, получить визу и свалить отсюда к чертовой матери. Да и бессмысленно это, в любой цивилизованной стране Трофим меня найдет, у него свои люди по всему свету разбросаны.

Он умолк, потирая ладонями лицо и то и дело отирая выступающий на шее пот. Геннадий по-прежнему молчал, думая о том, что доказать его связь с Трофимом невозможно. Сам он никогда не признается, а Трофим его не сдаст. Конечно, Паровоз будет его подозревать, ну и черт с ним, никуда не денется, выгнать — Трофима побоится, убить — рука не поднимется. Так и останется все по-прежнему.

— Завтра утром устрой мне встречу с вольным стрелком, — сказал Кабанов, немного успокоившись. — Времени у нас воскресенье, понедельник и вторник. Значит, до утра среды. К среде все должно быть кончено. Снайпера мы, конечно, уберем, это несложно, а вот как сделать, чтобы он успел задание выполнить за это время — другой вопрос.

— Не думайте вы об этом, Виталий Николаевич, для вас важнее Трофима никого нет. Не успеет снайпер убрать парочку в квартире — да и черт с ним. Ликвидируем его, наказ Трофима выполним, а там пусть как хотят.

— Тоже верно, — согласился Кабанов. — Парочка в квартире — не моя печаль, не я за них гонорар получать должен. Налей-ка мне рюмку, Геннадий.

8

Кира вернулась засветло, Платонов даже еще не успел начать беспокоиться за нее. Увидев оклеенную новыми обоями кухню, она восторженно всплеснула руками.

— Как хорошо! Правда, Дима? Красота какая!

Он собрался было начать выполнять данное ей утром обещание о том, что с сегодняшнего вечера все будет по-другому, поэтому подошел сзади и обнял ее, словно ненароком коснувшись груди под свободным толстым свитером. Из его намерения, однако, ничего не вышло, потому что Кира рассмеялась и выскользнула из его сомкнутых рук.

— Платонов, почему у тебя прилив нежности случается тогда, когда мне нужно бежать? Утром я из-за этого чуть на электричку не опоздала.

— А сейчас куда ты торопишься? — спросил он недовольно и смущенно.

— В душ. Я же тебе говорила, я после дачи всегда грязная и потная. Попробуй потаскай две десятикилограммовые сумки быстрым шагом, я посмотрю, сколько ты без душа протянешь.

Она закрыла за собой дверь в ванную и щелкнула задвижкой. Снова раздалась череда знакомых звуков — «молния» на джинсах, заколка, магнитная присоска, шуршание, вода, падающая из душа на дно ванной. Сегодня, однако, шум воды, беспрепятственно падающей вниз, раздавался дольше обычного. Платонов представил себе, как Кира, уже раздевшись, вдруг обессиленно присела на край ванны. Ей стало плохо?

Он подошел к двери и прислушался. Стонов, кажется, нет. Плачет? Тоже не слышно.

— Кира! Все в порядке? — громко крикнул он.

— В порядке, — тут же отозвалась она.

Ему показалось, что голос ее прозвучал прямо у него над ухом. Наверное, Кира стоит у самой двери и разглядывает себя в зеркале. Может быть,

10   Зак. 642

пробует новую прическу? Или озабоченно рассматривает недавно появившиеся морщинки возле глаз? Ах, эти женщины!

Наконец характер шума изменился, Кира встала под душ, и Платонов успокоился. Он думал о находящейся в нескольких метрах от него обнаженной ослепительно красивой женщине и не подозревал о том, что часы начали отсчитывать последние трое суток, отведенные ему «заказчиком».

Глава 11

1

В ночь с субботы на воскресенье, с восьмого на девятое апреля, Настя проснулась в четвертом часу и уже не смогла уснуть. Еще с вечера она приняла снотворное, надеясь, что мозг сможет отдохнуть хотя бы семь-восемь часов, но ничего из ее затеи не вышло. Снотворное подействовало лишь около половины первого, а в четверть четвертого сердце начало гулко колотиться о грудную клетку и глаза открылись сами собой.

Настя знала, что легко поддается жалости. Но пока она находится во власти этого мягкого сентиментального чувства, она вольно или невольно старается избирать методы работы, этому чувству соответствующие. Если же ей доводилось впасть в ненависть и ярость, то она начинала крушить все подряд, не глядя на часы, забывая о приличиях и не испытывая ни голода, ни усталости.

Убить мальчишку, семнадцатилетнего пацана!

И хотя Настя уже знала, что этот мальчишка — внук самого Трофима и что на даче его дожидалась двадцатидвухлетняя любовница, все равно погибший был несовершеннолетним подростком, почти ребенком. И даже если все жертвы снайпера не случайны, если за каждой из них стоит совершенно конкретный оплаченный кем-то замысел, если гибель внука — расправа с самим Трофимом, если все эти убийства являются лишь проявлением местных мафиозных войн и криминальных разборок, все равно этого допускать нельзя. Нельзя убивать подростков.

Среди ночи Настя Каменская проснулась с мыслью о том, что она должна достать этого проклятого снайпера. Она должна. Должна.

Надеяться на то, что удастся уснуть, было глупо. Она вылезла из-под теплого одеяла, закуталась в длинный махровый халат, натянула на ноги толстые шерстяные гольфы и поплелась на кухню. Через несколько минут закипел чайник, Настя сделала себе огромную чашку кофе, вытянула ноги, положив их на вторую табуретку, закурила и стала разглядывать принесенную с работы фотографию, которую ей в пятницу дал Олег Зубов.

Оперативники в Уральске по просьбе московских коллег побывали дома у Агаевых и пересмотрели все до единого книжки и альбомы для рисования, принадлежащие маленькой дочке Славы Агаева, в поисках странички с отрезанным краем. Им не удалось ничего найти. Более того, полученные образцы документов, выполненные, вне всякого сомнения, самим Агаевым, красноречиво свидетельствовали о том, что почерк, которым были записаны банковские реквизиты, ему не принадлежал. Стало быть, бумажку эту Агаев от кого-то получил. Но где и когда? В Уральске? В Москве? И от кого?

Тревожное чувство не исчезало, напротив, оно становилось все сильнее, а потом внезапно пропало. Вместо этого в Настиной голове почему-то всплыли польские фамилии Томашевский и Кисьлевский.

Бред, подумала она, помотав головой. Кто такие эти Томашевский и Кисьлевский? Борис Викторович Томашевский, русский литературовед, текстолог, занимался Пушкиным. Кшиштоф Кисьлевский — знаменитый кинорежиссер, автор «Короткого фильма об убийстве», который Настя искренне считала шедевром, потому что никому до этого не удавалось с такой прямотой, честностью и болью доказать, что насилие порождает только насилие и ничего другого и единственный путь остановить страшную эскалацию смерти — понять это и воздержаться от мести. Нельзя требовать этого от человека, он слишком слаб для такого мудрого решения, но можно и должно требовать это от государства.

Все это хорошо, но каким образом в ее невыспавшемся мозгу соединились Пушкин и идея возмездия? Пушкин и убийство. Томашевский и Кисьлевский. О господи! Ну конечно же, все это не имеет ни малейшего отношения ни к Пушкину, ни к фильму об убийстве. Томашевский и Кисьлевский — польские музыканты, пианисты, когда-то очень популярные и даже гастролировавшие в Москве. Они исполняли в четыре руки на двух роялях переложения популярных классических произведений, от песен Шуберта до сонат Бетховена. Именно вариации на тему сонаты g-mol в свое время так понравились и запомнились ей, Насте.

От сонаты Бетховена мысль быстро перескочила к французскому триллеру «Соната смерти», над текстом которого Настя изрядно помучилась когда-то, раскрывая на первый взгляд совершенно незатейливое убийство молодой пьющей проститутки. Тут же в памяти всплыл рисунок на обложке книги — кроваво-красные полосы, имитирующие нотный стан, и нарисованный поперек них скрипичный ключ.

Несмотря на обжигающе горячий кофе, желудок вдруг свело в ледяной комок. Десять точек на краю полоски бумаги, вернее, две группы по пять — не кончики ли линеек нотного стана? Тогда понятна и особая бумага, не для машинки и не для принтера, а скорее для альбома или для специальной тетради. Для нотной тетради...

Настя посмотрела на часы — еще нет четырех, терпеть придется как минимум два часа. В шесть можно позвонить генералу. И наплевать на приличия.

2

Утро оказалось гораздо более холодным, чем показалось Насте, когда она выглядывала из окна. Дорожки в Измайловском парке были покрыты легким налетом инея, и проглядывающее сквозь облака солнце, похоже, не собиралось набирать силу и властно напоминать о наступившей весне, такое оно было вялое и безрадостное.

Генерал Заточный шел рядом с Настей, одетый в спортивные брюки и теплую куртку на меху, и она с завистью поглядывала на его сухие жилистые руки без перчаток — по-видимому, Ивану Алексеевичу было ничуть не холодно. Сама же Настя успела промерзнуть до костей уже через десять минут после выхода из метро, потому что оделась явно не по погоде.

— Понимаете, Иван Алексеевич, — говорила она дрожащим от холода голосом, с трудом двигая одеревеневшими губами. — У меня нет другого выхода, кроме как подозревать Русанова. Я знаю, что это не просто глупо, это, наверное, даже непрофессионально, но против логики у меня обычно аргументов не находится.

— Но все ваши аргументы косвенные, — возразил Заточный, — и даже если их очень много, все равно они не заменят одного прямого доказательства. Вы не можете этого не понимать.

— Согласна. Вот я и прошу вас о помощи.

— Вы хотите, чтобы я помог вам найти прямые улики?

— Нет, я хочу, чтобы вы помогли мне приду-

мать, не являются ли косвенные улики в отношении Русанова прямыми в отношении кого-то другого.

— То есть вы сами не верите в то, что Сергей замешан?

— Конечно, не верю. Я не вижу смысла. Выгоды не вижу.

— Но для кого-то этот смысл есть.

— Есть, — кивнула Настя. — И выгода тоже. Просто все так неудачно складывается, сначала для Платонова, теперь для Сергея. Похоже, кто-то очень хочет подставить их обоих. Вот я и хочу понять кто. Вы мне поможете?

— Если я вас правильно понял, вы хотите попробовать поискать, отталкиваясь от последних дел Платонова?

— Ну да, в частности, меня интересуют детали уральского дела. Может быть, Тарасова и Агаева убили именно потому, что они слишком много знали про уральские махинации.

Генерал замедлил шаг, потом остановился. Видно, руки у него все-таки начали мерзнуть, потому что он зябко поежился и засунул их в карманы. Поредевшие волосы на голове обнажали хорошей формы череп, и, глядя на него, Настя с удивлением поймала себя на мимолетно мелькнувшей мысли, что ей, оказывается, могут очень нравиться лысеющие мужчины. До этого она всегда считала, что недостатка волос на голове надо стесняться, а мужчины, которые ей нравились, всегда были обладателями густых ухожен-

ных шевелюр. Теперь же, поглядывая искоса на пятидесятилетнего генерала, она думала о том, что он ей ужасно нравится. Несмотря на начавшееся облысение. Несмотря на то, что он был чуть ниже ее ростом. Несмотря на то, что через месяц с небольшим она выходит замуж. Несмотря ни на что... Генерал Заточный ей нравился, и все тут. И как сыщик. И как генерал-руководитель. И как мужик.

— Вы сказали «может быть». Может быть, Тарасова и Агаева убили из-за уральских дел. А что, может и не быть? — наконец прервал молчание Иван Алексеевич.

— Конечно, — удивленно ответила Настя. — Хотите, я вам назову с ходу не меньше десятка причин, по которым мы в течение трех суток получили два трупа — Агаева и Тарасова. И Уральск — только одна из них.

— Но зато самая очевидная, — возразил Заточный.

— Вот это-то и плохо. Меня всегда настораживает самое очевидное. Такое чувство, будто в глаза насильно пихают.

— А вы этого не любите? — насмешливо спросил генерал.

— Не-а, — она помотала головой. — Терпеть не могу.

— Вы очень независимы, наверное?

— Очень.

— И внушению не поддаетесь?

— Ни в какую. Со мной два гипнотизера од-

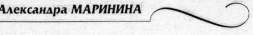

нажды мучились-мучились, так ничего и не сумели сделать.

— А овсянку вы любите?

Настя от неожиданности споткнулась и, чтобы не упасть, ухватилась за рукав синей куртки, в которую был одет Иван Алексеевич.

— Овсянку? — недоверчиво переспросила она. — Я не ослышалась?

— Нет, я спросил именно про овсянку. Так любите или нет?

— Ненавижу.

— Жаль, — шутливо вздохнул он. — А я люблю. Не сошлись во вкусах. Ладно, Анастасия Павловна, я, как крупный руководитель, своей властью распределю работы. Не возражаете?

— Нет, пожалуйста.

— Я попробую выяснить все, что можно, насчет Уральска. А вы займитесь оставшимся десятком причин, по которым в течение короткого времени убиты два человека, связанные и с Уральском, и с Платоновым. По-моему, справедливо, как вы полагаете? Я — начальник, поэтому мне — одну версию. Вы талантливый подчиненный, поэтому вам — десять.

— Как скажете, Иван Алексеевич, — ответила Настя. — Спасибо, что взяли на себя Уральск.

— Почему?

— Терпеть не могу всякие экономические хитрости. Меня от них тошнит, — призналась она.

— Не понял.

Генерал снова остановился и пристально по-

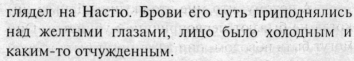

глядел на Настю. Брови его чуть приподнялись над желтыми глазами, лицо было холодным и каким-то отчужденным.

— Что значит «тошнит от экономических хитростей»?

— А то и значит, что тошнит, — ответила она с внезапной злостью. — Единственный предмет, по которому у меня в университете была четверка, это политэкономия. У меня с ней отношения с самого начала не сложились. Видимо, это генетическое, природное, с этим ничего нельзя поделать. Меня тошнит от слов «банк, кредит, эмиссия, инфляция, биржа, акция». Мне все это неинтересно. Мне от этого скучно. Понимаете?

— Чудеса какие-то, — удивленно развел руками генерал. — Мне о вас говорили, что вы такая умница, такая способная, что вы занимались математикой, у вас прекрасная память. Так неужели вы не можете освоить такую ерунду, как основы экономической теории? Вы же знаете четыре иностранных языка...

— Пять, — машинально поправила его Настя.

— Да? Тогда тем более. А вы сидите в уголке и плачете, что не можете чего-то сделать, вместо того чтобы вытереть слезы, взять в руки пару книжек и быстренько выучить все, что нужно. Стыдно, девушка.

— Вы не поняли, Иван Алексеевич. Вы, конечно, во всем правы, я могу взять в руки книги и за три дня въехать в проблему. Но я не хочу.

— Но почему же?

— А потому, что мне это скучно. Деньги никогда не бывают первопричиной убийства. Они могут быть поводом, они даже могут быть второй причиной. Но первой — никогда.

— И опять я вас не понял. Я всегда считал, что деньги, корысть — одна из самых распространенных причин, по которым одни люди убивают других. Разве нет?

— Нет, конечно. Причина совсем в другом. Причина в том, для чего человеку нужны эти самые деньги. И ответ на этот вопрос лежит в области обычных человеческих чувств, а никак не в области экономической теории. Человек хочет власти. Он хочет физического и материального комфорта. Или психологического комфорта. Или он хочет добиться женщины, которую любит. Или он хочет сохранить свою жизнь. Для всего этого могут быть нужны деньги. Но если бы для этого были нужны не деньги, а что-нибудь другое, он бы все равно убил, только не того, у кого есть деньги, а того, у кого есть это «другое». Но он бы все равно убил. Потому что то главное из области человеческих чувств, ради чего он убивает, оказалось сильнее, чем библейский запрет убивать. Вот что мне интересно, Иван Алексеевич. Мне не важно, *каким способом* человек получает деньги, как он их ворует и отмывает, потому что для этого есть служба борьбы с экономическими преступлениями и служба борьбы с организованной преступностью и коррупцией, где вы и трудитесь, товарищ генерал. Мне важно понять, *зачем* человек это делает. Мы как-то привыкли, что ответ «он хочет иметь много денег» сам по себе является окончательным и никаких дальнейших разъяснений не требует. Дескать, желание иметь много денег абсолютно естественно, так же, как желание жить и сохранять при этом свободу.

— А что, на самом деле это не так? — иронично поинтересовался генерал.

— Конечно, нет. Желание жить заложено природой, это нормальный здоровый инстинкт. А вот желание иметь много денег — это уже сложнее. Что человек будет делать с этими большими деньгами? Потратит на еду? На путешествия? На создание надежной охраны вокруг себя? На женщин? Пустит в оборот? Или положит в чемодан, как Корейко, потому что для него психологический комфорт, осознание себя миллионером, вполне самостоятельная ценность? Вот что важно, Иван Алексеевич. Потому что на убийство идут ради этого, а деньги — это так, вторично.

— Значит, вы всерьез допускаете, что за убийствами Агаева и Тарасова могут стоять вовсе не денежные интересы?

— Допускаю. И если честно, мне бы хотелось, чтобы это было именно так. Чтобы деньги здесь оказались ни при чем.

— Почему же?

— А мне будет интереснее работать. Люди ведь намного интереснее экономических глупостей.

— Ну, стало быть, я был прав, взяв себе эко-

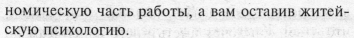

номическую часть работы, а вам оставив житейскую психологию.

Они давно уже подошли к метро и стояли на открытой платформе на пронизывающем ветру.

— Вы сейчас куда едете? — спросил Заточный.

— Домой. Я жутко замерзла, и, кроме того, мне необходимо влить в себя литр крепкого кофе, иначе я не человек, а дохлая кошка.

— Господи, ну почему вы мне не сказали, — огорченно произнес Иван Алексеевич. — Я бы не таскал вас по парку, а пригласил бы к себе домой.

Голос у него был виноватый, но глаза снова засветились теплым светом, говоря собеседнику: «Да, я не прав, но вы же не будете на меня сердиться, правда? Потому что вы **не можете** на меня сердиться. Потому что я все равно вам нравлюсь, и вы мне все прощаете».

— И заставили бы есть овсянку? — улыбнулась Настя.

И снова, глядя в его желтые тигриные глаза, Настя подумала, что это просто удивительно, до какой степени он ей нравится. Ей никогда раньше не нравились мужчины такого типа. Что это с ней происходит?

3

В воскресенье с утра Кира собралась на рынок и за продуктами. Большинство магазинов по воскресеньям не работали, но гастрономы в центре города все-таки были открыты. Глядя, как она одевается, Платонов еще раз повторил ей свое сегодняшнее задание: Кира должна была дозвониться до Каменской и передать ей подробную информацию о том, что Дмитрий делал в понедельник, вторник и среду перед тем, как исчез. Такова была просьба Каменской, и Платонов счел ее вполне разумной и правильной.

Дозвониться до Каменской с первого раза ей не удалось, к телефону никто не подходил.

4

Бывшего чемпиона Европы по стрельбе, а ныне командира отряда спецназа старшего лейтенанта Бориса Шалягина Чернышев сумел отловить только в воскресенье. Шалягин был в гараже, предпринимая отчаянные попытки вернуть к жизни неизлечимо больной «Москвич», и разговаривал с Андреем лежа на спине под брюхом своей машины.

— Девятимиллиметровый «стечкин»? — переспросил он. — А чего, нормально.

— Чего нормально-то? — не понял Чернышев. — Говори толком.

— Любой хороший стрелок должен любить «стечкин», — пояснил Борис, шаря рядом с собой в поисках откатившегося в сторону болта. — Вот если бы твой клиент предпочитал что-нибудь другое, я бы еще подумал. А так — нормально.

— Как ты думаешь, он может быть сотрудником нашей системы?

— Запросто. Чем снайперу еще заняться, как не в спецназ идти? У спортсменов выбор-то небольшой, если они хотят сохраниться: или в спорте остаются, или к нам, в милицию, или, может, в ФСК, в «Альфу» какую-нибудь. Кому еще он нужен со своим специфическим мастерством?

— Боря, подумай как следует, может ли такое быть, что у стрелка крыша поехала и он начал отстреливать всех подряд. Я хочу понять, должен ли я продолжать отрабатывать учеты психоневрологических диспансеров, или можно поставить на этом крест.

Шалягин вылез из-под машины и принялся тщательно вытирать грязные руки тряпкой.

— У стрелка — может быть. У снайпера — никогда.

— В чем разница?

— Знаешь, как говорят у нас? Каждый снайпер — стрелок, но не каждый стрелок — снайпер. Стрелок — это мастерство, рука, глаз. Снайпер — это характер, тип личности, особая психика.

— Но почему? — удивился Андрей. — Я хочу понять, в чем разница. Может, это и есть то главное, чего мне не хватает, чтобы хоть что-то сдвинуть в расследовании.

Шалягин отшвырнул тряпку в угол, открыл двери машины, уселся на водительское место и достал из-под сиденья початую бутылку виски.

— Хочешь? — предложил он Чернышеву. — Только из горла́, я тебя не ждал, стакан не захватил.

— Нет, спасибо, — отрицательно мотнул головой Андрей.

— Брезгуешь? Или трезвость блюдешь? — хмыкнул Борис, отпивая из бутылки солидный глоток.

— Блюду. Мне сегодня еще перед руководством появляться придется, с выхлопом нельзя.

— А, ну тогда, конечно, — понимающе кивнул спецназовец. — Ты вообще-то о стрелковом деле хоть что-нибудь знаешь?

— Да практически ничего, — признался Андрей. — На уровне занятий по физподготовке. Нормативы выполняю, но наши нормативы по сравнению с большим спортом — нулевой класс начальной школы.

— Тогда я тебе в двух словах нарисую картинку, чтобы ты главное понял. Стрелок — это человек, который должен за контрольное время сделать определенное количество выстрелов, и пули попадут примерно туда, куда нужно. Ему надо суметь сосредоточиться на десять секунд, за это время десять раз выстрелить и постараться, чтобы все пули легли более или менее кучно. Чем меньше разброс, тем лучше. Через десять секунд он отстрелялся и может расслабиться, оправиться и покурить. А снайпер — это совсем другая песня. Снайпер — это охотник, который выбирает место, готовится и ждет. Часами. Сутками. И никаких «расслабиться, оправиться и покурить», потому что жертва может появиться в любую секунду, как раз в ту, когда ты отвлекся. Но самое главное — у снайпера есть только один выстрел. Ты понял? Только один. Не десять, как у стрелка, а один-единственный, от которого все и зависит. Вот, к примеру, преступник взял заложника и удерживает его в отдельном доме. Знакомая ситуация?

— Очень даже, — кивнул Андрей, внимательно слушавший Шалягина.

— И вот приходит снайпер, подкрадывается к дому, занимает позицию, готовится и начинает ждать, когда преступник потеряет осторожность и его голова хотя бы на долю секунды покажется в дверном или оконном проеме. В эту долю секунды можно успеть сделать только один выстрел, а не десять. Время идет, снайпер лежит, не шевелится, чтобы прицел не сбить. Ни поесть, ни покурить, ни почесаться, ни в туалет сбегать.

— А как же? — ошарашенно спросил Чернышев, которому такие простые вещи как-то и в голову не приходили.

— А никак. В штаны. Лежит и преет в собственном поту и моче. Короче говоря, снайпер — человек, умеющий переносить физический дискомфорт. Умеющий лежать или сидеть неподвижно, умеющий ждать, не нервничая и не раздражаясь, ни на что не отвлекаясь. Он по темпераменту должен быть флегматиком или в крайнем случае сангвиником. Лучше всего, если он эмоционально холодный, не подвержен острым вспышкам эмоций.

— Почему? Какая связь?

— Прямая. Рука дрогнет. Рука, Андрюха, может дрогнуть не только от жалости к жертве, но и

от ненависти к ней, вообще от любого сильного переживания. Снайперу нельзя быть таким, понимаешь? Он не должен знать жалости, но и не должен ненавидеть того, кого собирается убить. Он должен быть или уметь быть равнодушным, только тогда он настоящий снайпер. Так что вряд ли ты его найдешь среди психов. Он скорее всего нормальный, только сволочь первостатейная.

— Но если он нормальный, значит, между всеми шестью трупами должна быть связь, — задумчиво проговорил Андрей. — А я этой связи не вижу.

Шалягин сочувственно пожал плечами, сделал из бутылки последний глоток и снова спрятал ее под сиденье.

5

Виталий Николаевич Кабанов думал, что каждое произнесенное им слово сродни движению лопаты могильщика. Чем больше слов — тем глубже могила, в которую он сам себя зарывает, выполняя указание Трофима.

— Мужчина и женщина в однокомнатной квартире, четвертый подъезд, третий этаж. Дом, в котором находится магазин «Дары океана». Срок — до вечера вторника. Крайний срок — в среду утром мы должны встретиться. Ты доложишь об исполнении и получишь гонорар. Поскольку это первое поручение, предоплата тебе пока не положена. Задание ясно?

— Да.

— Берешься?

— Да.

— Подумай как следует, пока мы с тобой разговариваем, ты еще можешь отказаться. Как только мы расстанемся, часы пойдут. В твоем распоряжении три дня.

— Я все сделаю.

И снова, глядя в спокойные глаза снайпера, Кабанов подумал, что о больной психике здесь и речи нет. «Это не человек, — сказал сам себе Виталий Николаевич, — это машина для убийства, которая ничего не чувствует, которой неведомы ни сомнения, ни страх, ни жалость. Господи, и откуда только такие берутся?»

6

Кира снова зашла в телефонную будку и набрала номер Каменской. Наконец-то ей удалось дозвониться, и она ровным голосом пересказала Анастасии все, что велел передать Дима.

— В понедельник с утра он разговаривал по телефону с Русановым, Сергей это подтвердит, вряд ли он забыл, потому что он сам позвонил Диме и договаривался с ним насчет подарка Лене...

— Минутку, — прервала ее Каменская. — Вы сказали, Русанов звонил Платонову в понедельник утром?

— Да, около девяти утра.

— А не наоборот? Вы ничего не путаете?

— Русанов позвонил Диме, я ничего не путаю. Так сказал Дима.

— Хорошо, продолжайте, пожалуйста.

— После разговора с Русановым Дмитрий зашел в гараж, взял машину и поехал на работу...

Выйдя из телефонной будки, Кира медленно дошла до бульвара, перешла дорогу и села на скамейку. Ей нужно было подумать.

7

Сегодня Платонов взялся за комнату, решив подготовить ее к ремонту. Для этого нужно было по возможности сдвинуть мебель на середину, укрыть ее полиэтиленовой пленкой и ободрать старые обои. Пытаясь справиться с высокой мебельной стенкой, Дмитрий обнаружил старую дамскую сумочку из змеиной кожи, засунутую между стеной и боковой стойкой. Руки его сами открыли замочек, прежде чем он успел подумать о том, надо ли это делать.

В сумочке лежали документы — свидетельство о рождении Киры Левченко, институтский диплом, свидетельство о разводе, три акции АО МММ, купленные, очевидно, на пробу или для смеха, под влиянием всеобщего ажиотажа. Там же Дмитрий нашел и справку о приватизации квартиры, и еще один странный документ, свидетельствующий о том, что за гражданкой Левченко Зоей Федоровной числится участок за номером 67 Манихинского кладбища, на котором захоронен гражданин Левченко Владимир Петрович. Платонов быстро просмотрел остальные документы, ничего интересного в них не нашел и уже собрался было сунуть их обратно в сумочку, но профессиональное любопытство взяло верх, и он открыл «молнию» на внутреннем боковом карманчике. Там лежали два свидетельства о смерти: Левченко Зои Федоровны, скончавшейся в 1987 году, и Левченко Владимира Петровича, умершего тремя годами раньше.

Негнущимися пальцами Платонов застегнул все замки и положил сумочку на одну из открытых полок стенки. Значит, родители у Киры умерли. Куда же она ездит каждую неделю по выходным дням? К любовнику? Вполне возможно. К престарелым родственникам, которым надо помочь с продуктами? Навещать ребенка, который по каким-то причинам с ней не живет? Тоже возможно, правда, непонятно, почему надо это скрывать. Как бы там ни было, ездила Кира Левченко вовсе не к родителям.

Повинуясь внезапному порыву, Платонов метнулся в ванную и открыл зеркальный шкафчик. Преодолев острое чувство неловкости, которое снова возникло у него при виде чисто женских гигиенических принадлежностей, Дмитрий снял с полки большую голубую коробку, которая оказалась неожиданно тяжелой. Он засунул туда руку и вытащил обернутый в несколько полиэтиленовых пакетов револьвер. Еще прежде, чем он

успел понять, что именно держит в руках, он узнал тот самый шуршащий звук, происхождение которого так долго не мог установить.

Платонов развернул пакеты, и в нос ему ударил хорошо знакомый запах пороха. Из револьвера стреляли, причем не так давно.

Истина, так долго прятавшаяся от него, открылась Дмитрию внезапно и бесстыдно, демонстративно выставляя себя напоказ и нагло насмехаясь над его недогадливостью. Боже мой, как слеп и глуп он был! Он должен был увидеть и понять это раньше, ведь все бросалось в глаза, все, а он, дурак самонадеянный, думал только о том, нужно ли ложиться в постель с Кирой немедленно или можно еще потянуть.

Он вспомнил ее сосредоточенность, умение выполнять, не раздражаясь и не отвлекаясь, монотонную скучную работу. Вспомнил, как она могла часами сидеть, застыв в одной позе, не издавая ни звука. Как ровно стояла она у плиты, не перекашивая плечи и не «проседая» на одну ногу. Как без малейшего напряжения балансировала на краю ванной на одной ноге, не теряя равновесия. Как, поворачивая и слегка наклоняя голову, фиксировала ее всегда в одном и том же положении, как приучил ее тренер, отрабатывая стойку. У нее было тело и движения тренированного стрелка, и только абсолютный глупец мог этого не заметить.

Она никогда не прищуривала один глаз, если нужно было что-то рассмотреть вдалеке. Она закрывала глаз ладонью. Платонов вспомнил, как инструктор по стрельбе учил их: в стойке работает каждая мышца вашего тела, даже лицевые мышцы работают. Если вы встали в стойку и сощурили глаз — все, стойка нарушилась, прицел сбился.

Платонова бросило в жар. Он вспомнил, как отстранялась от него Кира, когда он пытался обнять ее и прижать к себе. Вчера, когда она собиралась якобы к родителям. И потом, когда вернулась. Конечно, она отстранялась, как же иначе, ведь у нее под свитером, за поясом джинсов, был револьвер.

Револьвер, из которого недавно стреляли.

Один раз? Или несколько? В барабане не хватает одного патрона. А куда она ездила на прошлой неделе?

Вопросы посыпались на Платонова со всех сторон, и он сначала попытался найти хоть какие-нибудь ответы, потом вдруг спохватился, что думать надо вовсе не об этом.

Он находится в квартире убийцы-маньячки. Он доверил ей свою жизнь, свою свободу. Деваться ему некуда, выйти из ее квартиры он не может, потому что его уже десять дней числят во всероссийском розыске и на руках у каждого милиционера есть его фотография. Он не может уйти отсюда и добровольно дать себя арестовать, потому что в этом случае документы о злоупотреблениях попадут бог знает в чьи руки и дело будет развалено — моргнуть не успеешь.

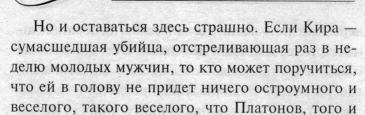

Но и оставаться здесь страшно. Если Кира — сумасшедшая убийца, отстреливающая раз в неделю молодых мужчин, то кто может поручиться, что ей в голову не придет ничего остроумного и веселого, такого веселого, что Платонов, того и гляди, помрет со смеху?

Что же делать? Спрятать револьвер? А вдруг у нее есть еще оружие? Она обнаружит, что револьвер исчез, поймет, что Платонов его нашел, и...

Оставить все как есть? И молить бога, чтобы до следующей субботы все кончилось. Тогда он сможет выйти отсюда, вернуться на работу и сообщить кому следует о Кире.

Сообщить о Кире? О женщине, которая согласилась помочь ему, поверила ему, пустила его в свой дом, кормит его обедами и добросовестно выполняет его поручения?

Что же делать? Кира может вернуться в любую секунду, и решение нужно принимать как можно быстрее.

8

Кира сидела на скамейке, не обращая внимания на моросящий холодный дождь, и думала о том, как спасти свою жизнь. Два часа назад она получила задание убить мужчину и женщину, живущих в однокомнатной квартире на третьем этаже дома, где находится магазин «Дары океана». Убить Дмитрия Платонова и саму себя.

Бывшая свекровь была отчасти права, Кира

действительно очень рассчитывала на свою внешность и готова была добывать себе жизненные блага через постель. Сама по себе практика эта весьма распространена, но Кире почему-то казалось, что про нее так плохо никто никогда не подумает, никто не догадается, что она эксплуатирует свой экстерьер. Постоянные монологи свекрови убедили ее в том, что ее нехитрый замысел ни для кого секрета не составит. Это в немалой степени расстроило Киру, ибо она хорошо понимала, что способностями бог ее не наделил и добиться в жизни чего-нибудь приличного она самостоятельно вряд ли сумеет.

Поступив назло мужу и ненавистной свекрови в институт, Кира совершенно случайно оказалась на соревнованиях по стрельбе. Институт должен был выставить команду, а одна девушка-спортсменка прямо перед соревнованиями бросила учебу и укатила в родной Тмутараканск. Тренер долго уговаривал Киру, уверяя, что делать ей ничего не придется. В команде обязательно должен быть основной состав и запасной, она поедет в запасном составе, один шанс на миллион, что окажутся задействованы все запасные и дело дойдет и до нее.

Однако, приехав на соревнования, Кира пришла вместе со всеми на тренировку и заявила тренеру, что хочет попробовать пострелять. Ей дали пистолет, объяснили в двух словах, что к чему, как нужно целиться и на что нужно нажимать, а

потом ахали и махали руками, не веря, что человек, впервые в жизни взявший в руки оружие, мог показать такой результат.

Она оказалась не просто очень способной в этом виде спорта. Видно, этот дар был ей дан от природы. И, конечно, повезло с тренером. Он сразу увидел в стройной длинноногой красавице настойчивость, стремление довести до конца любое, пусть и самое незначительное, начатое дело, умение сосредоточиться и полностью отключиться от всего постороннего. Он понял, что кареглазая студентка второго курса создана для стрельбы, природой предназначена для нее. В ее характере было все, что необходимо хорошему стрелку. Тренер убедился в этом на первых же занятиях, когда отрабатывал со спортсменами стойку. Никаких выстрелов, никакой работы с оружием, только стойка. Приготовиться к стрельбе — отставить, приготовиться — отставить, и так десятки, сотни раз, до тех пор, пока стрелок не научится принимать стойку автоматически, пока каждая мышца, каждая клеточка его тела от ступни до лба не запомнит единственно правильное, подобранное тренером специально для этого человека положение, позволяющее выполнять прицельную стрельбу. Кира была одной из очень немногих, кто на таких тренировках не раздражался, не удивлялся и не спрашивал, зачем это нужно, не ныл, что ему скучно и скорей бы дали в руки пистолет. Она была способна видеть цель и не искать развлечений и праздников на пути к ней. Более того, тренер видел, что унылая, монотонная, однообразная и тяжелая ежедневная работа нравится кареглазой красавице Кире, ибо освящена для нее сияющим светом далекой цели: стать первой, стать лучшей.

Но тренер видел и другое — она не была честолюбива. Кира никогда не заводила разговоров о титулах и наградах, о призах и званиях, более того, олимпийский чемпион Владимир Усков, к которому привел Киру ее первый, институтский, тренер, безошибочно определил, что молчит девушка не из скромности, а оттого, что ей это и в самом деле неинтересно. Интересовало ее только одно: что нужно сделать, чтобы стрелять еще лучше.

Через два года Кира Левченко завоевала все мыслимые призы и медали. И тогда же в ее голову впервые пришла мысль о том, что этим тоже можно зарабатывать деньги. И очень большие. Такие большие, какие никакой красотой не заработаешь.

Мысль, впервые появившись, тут же исчезла. Шел 1991 год, разговоры о мафии, наемных убийцах, бесконтрольно гуляющем по рукам оружии и прочих устрашающих вещах велись повсеместно, становились привычными и никого уже не удивляли. Мысль о том, чтобы зарабатывать вожделенные суммы, используя свой талант снайпера, посещала Киру все чаще. Чтобы не терять форму, она купила на рынке с рук у какого-то носатого чучела револьвер Стечкина и большой запас патронов к нему и систематически уезжала за город тренироваться. Разумеется, она ходила и к Ускову, так и не понявшему, почему Кира вдруг ушла из команды и перестала ездить на соревнования. В тире она поддерживала «скорость и кучность», но только в лесу могла проверить свои способности к выполнению всего того, что требуется от снайпера. Терпение. Выдержка. Неподвижность. Сосредоточенность. Несколько часов в одной и той же позе. И после мучительных часов ожидания — единственный верный выстрел.

Работала она все эти годы в библиотеке «Раритет», известной всем московским библиофилам своими фондами старых, в том числе дореволюционных, книг. Библиотека занимала два этажа и подвал большого здания, где в былые времена размещались булочная, приемный пункт службы быта, ателье проката, юридическая консультация и мастерская по ремонту радиоаппаратуры. Консультация и ремонтная мастерская оставались живы и по сей день, а остальные помещения постепенно переходили в руки новых владельцев, открывавших на освободившихся площадях коммерческие магазины и офисы.

Однажды, подбирая литературу в расположенных в подвале фондах, Кира услышала чьи-то голоса, да так близко и отчетливо, что невольно стала оглядываться в поисках незнакомцев, проникших в святая святых «Раритета», и только потом сообразила, что голоса доносятся с противоположной стороны здания. Там какая-то очередная новая фирма отделывала помещение под офис, и рабочие, вошедшие в трудовой раж, продолбили, видимо, стену насквозь.

То, что довелось Кире услышать в тот раз, ее заинтересовало. Она поняла, что разговор шел между хозяином и его ближайшим помощником, и из их слов совершенно недвусмысленно следовало, что взятки, шантаж и прочие неблаговидные формы поведения являются для них делом обычным и повседневным, а лежащие в различных, в том числе и зарубежных, банках денежные суммы давно перевалили тот рубеж, который необходим даже очень капризному человеку для удовлетворения страсти к материальному комфорту и путешествиям.

Неподвижно, боясь шелохнуться, чтобы не выдать своего присутствия, Кира внимательно дослушала беседу до конца. На другой день она снова спустилась в подвал, но дыру уже заделали, и ничего интересного она больше не услышала. Набравшись терпения, она дождалась, когда закончится ремонт и новый хозяин окончательно переедет в новый офис, и несколько недель присматривалась к нему, не зная, как завязать знакомство.

Возможность зайти в заветное помещение представилась неожиданно. Привезли книги, которые библиотека отдавала на реставрацию. Водитель, как водится, беззаботно покуривал в кабине «уазика», с насмешкой поглядывая на Киру, которая вытаскивала из машины тяжеленные пачки книг. Машина с грузом перед дверьми офиса — вещь опасная, и потому совершенно естественно, что Геннадий Шлык тут же вышел на улицу, остановившись неподалеку и подозрительно поглядывая в сторону «уазика» в попытках рассмотреть, что или кто находится внутри. Он отвечал за безопасность Кабанова, поэтому в первые же дни обошел все находящиеся в здании учреждения и запомнил в лицо всех (к счастью, весьма немногочисленных) их сотрудников. Библиотекарша никаких подозрений у него не вызывала, потому он снизошел до того, чтобы предложить ей помощь.

— Давай, поднесу, — грубовато процедил он сквозь зубы, буквально вырывая из рук Киры тяжелые пачки.

Водитель «уазика» презрительно скривился, очевидно, полагая, что Шлык взялся явно не за свое дело — тяжести таскать. Кира же благодарно улыбнулась неожиданному помощнику, придержала для него дверь и постаралась мимолетно, но весьма многозначительно коснуться грудью его плеча. Сигнал был принят, после водружения книг на положенное место последовало знакомство и приглашение поужинать.

Ужин прошел в обстановке теплой и наэлектризованной невысказанными намеками и обещаниями. На другой день Кира зашла в контору Кабанова и сказала, что ей нужен Геннадий. Она очень рассчитывала попасться на глаза Хозяину и познакомиться с ним. Но ей не повезло, Шлык вышел к ней сразу же, взял под ручку и решительно вывел на улицу, а только потом спросил, что, собственно говоря, случилось и зачем она явилась к нему на службу, ведь они договорились, что он сам зайдет к ней в библиотеку ближе к концу рабочего дня. Кира мило улыбалась и говорила, что ее посылают в библиотечный коллектор и она просто зашла предупредить, что если к шести часам не вернется, то пусть Геночка не думает, что она его «продинамила» и смоталась с работы, она обязательно вернется, если уж не к шести, то к половине седьмого — наверняка. Шлык смягчился, обязательность и предусмотрительность его новой знакомой ему понравились. Вечером они снова пошли ужинать в ресторан.

Разумеется, Шлык был здорово разочарован, когда понял, что Кире нужен не он, а его шеф Кабанов, но виду не подал, дескать, не очень-то ему и хотелось.

— Зачем тебе Виталий Николаевич? — допытывался он у Киры, но та только загадочно улыбалась.

Шлык популярно объяснил ей, что Виталий Николаевич людей «с улицы» не принимает, и если Кира о чем-то хочет с ним переговорить, то должна прежде изложить свой вопрос ему, Генна-

дию. Может статься, Кабанов-то и не нужен окажется.

— Хорошо, — решительно ответила Кира. — Я скажу тебе, а ты передай своему шефу. Я — чемпионка по стрельбе, мастер спорта. И очень хочу иметь много денег. Все, Геночка, больше я ничего тебе объяснять не стану. Ты умный, сам поймешь.

— Да с чего ты взяла, что Виталий этим заинтересуется? — вытаращил глаза Шлык от неподдельного изумления. Он был уверен, что красивая девица будет проситься на работу секретарем-референтом или попросит оказать спонсорскую помощь какому-нибудь ее недотепе-приятелю. — Мы торгуем оборудованием для типографий, а не спортсменами-стрелками.

— А ты передай, Геночка, — ласково сказала Кира. — И не рассказывай мне, что я обратилась не по адресу, не надо меня обманывать.

Через два дня Шлык зашел в «Раритет» и разыскал Киру.

— Здесь поговорим или до вечера потерпишь? — холодно спросил он.

— Потерплю, — ласково улыбнулась Кира, чем в немалой степени озадачила Геннадия. Ему казалось, что внутри она вся кипит от нетерпения. В тот момент, оценив ее выдержку и самообладание, он впервые усомнился в том, что правильно понял эту женщину.

Он, конечно, не смог удержаться, чтобы не

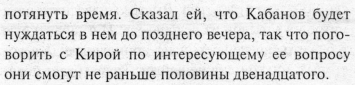

потянуть время. Сказал ей, что Кабанов будет нуждаться в нем до позднего вечера, так что поговорить с Кирой по интересующему ее вопросу они смогут не раньше половины двенадцатого.

— Хорошо, — спокойно ответила Кира, — я подожду. Где мы встретимся?

Шлык назначил ей место встречи, злорадно думая о том, что ничего интересного она не дождется. Кабанов ее предложением не заинтересовался.

— Я тебя предупреждал, что ничего не выйдет, — сказал он ей, когда они встретились поздно вечером. — Деловые люди такими глупостями не занимаются, тем более что тебя никто не знает и не может дать тебе рекомендации. Конечно, есть такие, кого твое предложение может заинтересовать, но не нас. И потом, для такой работы надо иметь соответствующую репутацию, а у тебя ее нет. Кто ты такая? Откуда взялась? Можно ли тебе доверять? Брось эту затею, девочка, она тебе не по зубам. Сиди тихонько в своей библиотеке и ищи приличного мужа, вот тебе мой совет. Я на зоне побывал, могу тебя заверить, ничего хорошего там нет. Ничего. Только плохое.

— Мне, Геночка, твои советы не нужны, — холодно ответила Кира, медленно шагая рядом с ним по аллее и крепко держа его под руку. — Мне нужна помощь. Но если ты мне в ней отказываешь, то придется обходиться своими силами. Начиная с этой недели каждые выходные в Москов-

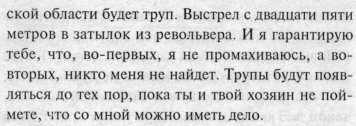

ской области будет труп. Выстрел с двадцати пяти метров в затылок из револьвера. И я гарантирую тебе, что, во-первых, я не промахиваюсь, а во-вторых, никто меня не найдет. Трупы будут появляться до тех пор, пока ты и твой хозяин не поймете, что со мной можно иметь дело.

Шлык остановился и внимательно посмотрел на нее.

— Ты — сумасшедшая? — с тихим ужасом спросил он.

— Я — целеустремленная, — так же тихо ответила Кира. — И не думай, пожалуйста, что твои детские советы и уговоры заставят меня отказаться от своей цели. Не смотри, что я красивая баба, характер у меня твердый. И слово свое я держу.

Она мягко высвободила свою руку, легонько поцеловала Шлыка в щеку и ушла за город поджидать свою первую жертву. Сейчас, сидя на мокрой скамейке под моросящим дождем, она вспоминала, как ехала в электричке, как шла по дороге, выбирая место и намечая время, когда можно будет дождаться одинокого путника и спокойно скрыться. Для себя она решила, что женщин и стариков трогать не будет, постарается выбирать молодых мужчин примерно одного и того же возраста. Пусть милиция думает, что их отстреливает сумасшедший маньяк.

Тогда, в первый раз, ее беспокоило опасение, что она не сможет выстрелить в живую мишень, в человека. Ведь говорят же, что, когда дело доходит до выстрела в человека, многие ломаются, не каждому это оказывается под силу. Но тот первый выстрел дался ей на удивление легко. Просто надо сосредоточиться на цели и не думать о том, что это чья-то жизнь, что это живой человек, такой же, как она сама. Кира умела отвлекаться от всего несущественного и не думать о постороннем.

И вот прошло шесть недель, всего шесть недель, и ее затея обернулась против нее же.

После первого убийства она испытала совершенно новые, неведомые ранее чувства, когда смотрела по телевизору очередную милицейскую хронику. Они меня не найдут, радостно твердила она про себя, они никогда меня не найдут.

После второго убийства она поехала на Житную и встала прямо перед широким крыльцом Министерства внутренних дел. Мимо нее проходили сотрудники министерства в форме и в гражданском, некоторые оглядывали красивую молодую женщину хорошо знакомым ей взглядом и шли дальше, а она стояла и в радостном возбуждении твердила про себя: «Вы ходите мимо меня, вы даже можете прикоснуться ко мне, и никто из вас не знает и не догадывается, что я — та, кого вы все ищете. Я — преступница. Я — убийца. Вы должны меня схватить и запереть в камеру, а вы ходите мимо меня, улыбаетесь и думаете о том, что хорошо бы со мной переспать». Ощущение пьянило ее и будоражило, оно было одним из самых

сильных, которые Кире Левченко довелось испытать в жизни.

Она и после третьего убийства пришла сюда, на Житную улицу. Ее тянуло к министерству как магнитом. Тогда-то она и увидела Дмитрия Платонова, садящегося в красивую дорогую машину. Собственно, из-за машины она и обратила на него внимание, запомнила лицо, потому что, пристально глядя на него, подумала: «Пройдет немного времени, и у меня будет такая же. Нет, моя будет лучше. Обязательно будет, потому что тебе никогда меня не поймать».

А после четвертого убийства она увидела его в метро. Он стоял, держась рукой за верхний поручень и опираясь лбом на предплечье, словно дремал. Вид у него был усталый и измученный, и Кира с интересом принялась его разглядывать, пытаясь угадать, почему он едет в метро, а не на своей роскошной машине. Их глаза встретились, и в Кире вспыхнул азарт игрока...

Она знала, что и как нужно делать, чтобы понравившийся ей мужчина захотел с ней познакомиться. Все вышло так, как она задумала. В то время, как ее ищет вся московская милиция, она сближается с сотрудником Министерства внутренних дел. Более того, она оказывает ему помощь, наслаждаясь каждой минутой, проведенной рядом с ним, потому что это минуты непереносимо острого чувства смертельного риска. Она уезжает за город, чтобы убить очередную жертву, и он, сыщик, провожает ее до двери и просит вернуться поскорее, потому что она ему нужна. Она возвращается домой, при каждом шаге чувствуя засунутый за пояс джинсов и скрытый свободным свитером револьвер, из которого два часа назад застрелила человека, и он, работник милиции, встречает ее у дверей, радуется ей и разогревает для нее еду. Никакой наркотик не дал бы ей такого наслаждения. А впереди — еще одно новое ощущение, если она решится переспать с ним. Это тоже может оказаться интересным...

Платонов ей нравился, и она искренне хотела помочь ему, хотела, чтобы его неприятности кончились и он смог спокойно жить дома и ходить на работу. Кира не желала ему зла, наоборот, она была благодарна Диме за те дни и часы необыкновенного душевного подъема, который она испытала, играя с ним, ничего не подозревающим, в азартную и опасную игру. Она старалась как можно лучше и точнее выполнять все его поручения, остро ощущая, что он, подполковник из МВД, доверил ей свою жизнь. Ей, убийце-снайперу. Подумать только! Никакому фантасту такое и в голову не придет, думала она, улыбаясь про себя.

А теперь шутка обернулась устрашающей правдой. Жизнь Димы и в самом деле оказалась в ее руках, потому что ей велено было его убить.

Кира отчетливо понимала, что ввязалась в нешуточное дело. Те люди, в среду которых она так упорно прорывалась, не в игрушки играют. Не выполнить заказ нельзя, ее тут же найдут и примерно накажут. Но и выполнять его Кира не собиралась. Она никогда, ни при каких условиях не станет убивать Платонова. Потому что, сидя на скамейке на пустынном бульваре и слизывая с губ стекающие по лицу капли дождя, она вдруг поняла, что выбросила шесть человек из жизни легким движением пальца на спусковом крючке, как игроки, взяв в руки колоду карт, первым делом выбрасывают ненужные для игры шестерки. Сначала убирают эти шестерки, и только потом начинается собственно Игра. Оказывается, убить незнакомого человека, внушая себе, что это не более чем движущаяся мишень, совсем не то же самое, что убить человека, с которым ты прожила десять дней бок о бок в одной квартире. С которым ты разговаривала. Для которого готовила еду. Которому помогала и сопереживала. Человека, которому ты нравишься. И который тебе доверяет. Нет, это совсем не одно и то же.

Поэтому единственное, что ей нужно сейчас, это придумать, как спасти Дмитрия и себя. И на все про все у нее времени — до вечера вторника. В крайнем случае — до утра среды.

Глава 12

1

Старушки в этом подъезде оказались как на подбор словоохотливы. То ли дети и внуки их навещали редко, то ли характер у всех них был открытый, дружелюбный и любознательный, но,

так или иначе, о своих соседях по подъезду они знали много и рассказывали о них охотно.

Особенно долго пришлось просидеть у семидесятишестилетней Марии Федоровны Казаковой, живущей на первом этаже.

— Ой, бедная девочка! — причитала старушка, взмахивая руками, но не забывая при этом подливать гостье чаю и подкладывать в розетки варенье. — Растет ведь без материнского пригляду. Отец-то у нее хороший, достойный, да только он на работе круглые сутки. А Верка — не мать, а ехидна. Что ни день — то пьяная. Как она девочку-то до сих пор не угробила — не пойму. Чудом разве что.

— А что же она не лечится? — спросила Настя, с удовольствием слизывая с ложки сироп от абрикосового варенья.

— Так не хочет, — вздохнула Мария Федоровна.

— Может, им лучше развестись? — предположила Настя.

— Да куда им! — безнадежно махнула рукой старушка. — Уж мы сколько раз ему говорили: забирай, мол, дочку да подавай в суд на жену, чтобы развели и родительских прав лишили.

— А он что?

— Ничего. Головой качает. Не могу, говорит, такому позору жену предавать. И дочку жалко. В школе-то сразу узнают, что у нее мать — алкоголичка, лишенная родительских прав. Знаете,

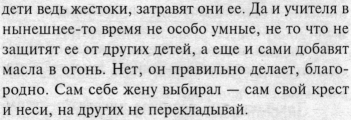

дети ведь жестоки, затравят они ее. Да и учителя в нынешнее-то время не особо умные, не то что не защитят ее от других детей, а еще и сами добавят масла в огонь. Нет, он правильно делает, благородно. Сам себе жену выбирал — сам свой крест и неси, на других не перекладывай.

— Да ведь ребенок же растет, — возразила Настя. — Девочке-то каково? Она же себе мать не выбирала, почему она должна страдать из-за ее пьянства?

— Вот и получается палка о двух концах, — согласно кивнула Казакова. — И дочку жалко, и жену жалко, и против своей совести идти не хочется. А совесть ему велит жену из дома не гнать.

— Да? — хмыкнула Настя. — А совесть ему не велит создать ребенку нормальные условия для жизни?

— Ой, дочка, путано все это. И так нехорошо, и эдак. Пусть уж он сам разбирается, не нам с тобой его судить.

— Ну что вы, Мария Федоровна, я же не для того, чтобы его судить, к вам пришла. Я участковому помогаю, у меня что-то вроде практики. Вот он меня попросил пройтись по участку, с людьми поговорить, может, у кого соседи беспокойные, или дети неблагополучные растут, скандалы в семье и все такое. Благодаря вам я теперь знаю, что за девочкой надо приглядывать, чтобы от рук не отбилась, в плохую компанию не попала. А осуждать ее отца за то, что с женой справиться не

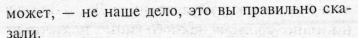

может, — не наше дело, это вы правильно сказали.

— Он ведь и голос на Верку никогда не повысит, видно, любит ее все-таки, — заметила Казакова.

— Так-таки и не повышал никогда? — усомнилась Настя. — Не поверю. Так не бывает. Может, вам не слышно?

— Ну как это мне не слышно! — обиделась Мария Федоровна. — Дом-то блочный, семидесятых годов постройка, у нас каждый шепот слышен, не то что крик. А если ты, дочка, думаешь, что я глухая к старости стала, так это верно, поэтому шепота я, конечно, не слышу. Но если голос чуть-чуть повысить — так каждое их слово пересказать могу.

Она пожевала губами, сделала несколько глотков из чашки, всем своим видом показывая, что не верить человеку в ее почтенном возрасте — грех непростительный. Если она сказала, что муж на Верку-пьяницу голос не повышал, значит, так оно и было. Потом смущенно перевела взгляд с гостьи на окно и откашлялась.

— Вообще-то ты права, дочка, один раз было. Кричал он на нее сильно. Но только один раз. Это точно.

— И по какому поводу?

— Утверждать не берусь, но похоже было, что он ее на мужике поймал. Очень гневался. Я даже бояться стала, чтоб он ее не прибил.

— Да что вы, Мария Федоровна, не похоже, —

снова поддела старушку Настя. — Если, как вы говорите, она пьет давно, много и каждый день, то поймать ее на мужике можно по меньшей мере три раза в неделю. Вы мне поверьте, я точно знаю. Все женщины-алкоголички одинаковые. Не может такого быть, чтобы муж ее поймал на этом деле только один раз. А если это случалось неоднократно, то не стал бы он так уж сильно гневаться еще из-за кого-то. Подумаешь, одним меньше — одним больше. Если он терпит ее запои, то и это стерпит. Нет, Мария Федоровна, там что-то не то было. Вы, наверное, ошиблись.

— Да нет же, не ошиблась я, — стала горячиться старушка. — Я же каждое слово слышала. Она с другом его... Вот из-за этого он и разозлился. Он прямо так и сказал, мол, когда ты с пьяных глаз с такой же швалью, как ты сама, валяешься, так это черт с тобой, это твое личное дело. Я тебя давно не трогаю, поэтому, если ты на себе заразу какую-нибудь таскаешь, меня не волнует. Но его, дескать, ты не имела права за собой тащить, он мужик слабый, поддался тебе, ну и так далее.

— А она что же? Что-нибудь отвечала?

— Ой, вы знаете, она, наверное, сильно пьяная была. Потому что началось-то все не с того, что он ее поймал, а она сама ему рассказала.

— Как это?

— Да вот так. Он ей замечание сделал какое-то безобидное, а она завелась с пол-оборота, ну ее и понесло. Мол, ты сам только своей работой живешь, ничего тебя в жизни не интересует, хоть бы ты по бабам шлялся, так хоть на нормального мужика был бы похож, а так — ни рыба ни мясо, ни педик, ни импотент. Вот Димка твой — он настоящий мужик, сразу видит, чего женщина хочет, и умеет сделать так, чтобы она была довольна. Вот тут он и начал кричать. Честное слово, первый раз за все годы я слышала, как он кричит. Вот те крест. А Верка его слушает и отвечает невпопад как-то, не про то, я потому и говорю, что она, наверное, совсем не в себе была. Он ей про друга, а она ему про сестру чью-то, не то про его, не то про свою. Он ей говорит, что она могла его друга, Димку-то этого, заразить чем-нибудь, а она ему отвечает, что, мол, конечно, сестра чихнет — а для него уже мировая катастрофа. Видать, совсем мозги-то пропила, уже не понимает ничего.

— Может быть, — согласилась Настя, только чтобы что-нибудь сказать.

Значит, Дмитрий Платонов переспал с женой Сергея Русанова, шлюхой и алкоголичкой. И Сергей, ни в малейшей степени не покоробленный неверностью жены и недостойным поведением друга, рассердился только из-за одного: он боялся, что Дмитрий заразился какой-нибудь гадостью от его жены и принесет потом (если уже не принес) эту гадость его горячо любимой сестре Елене. Похоже, привязанность брата к сестре была и в самом деле такой сильной, как говорил сам Русанов. Настолько сильной, что перекрыла эмоции, связанные с поступком жены и друга. Настолько сильной, что могла заставить ненавидеть Платонова, который предал Елену, опустившись до мимолетной связи со спившейся женой друга. В глазах Русанова Дмитрий сразу свалился на две ступеньки ниже. Подонок, потому что прикоснулся с жене друга, близкого и давнего друга. И дурак, потому что спутался со шлюхой, спавшей бог весть с кем. И вдвойне дурак, потому что одно дело, когда ты спишь со шлюхой и на этом останавливаешься, и совсем другое — когда ты после этого идешь к прелестной юной девушке, которая тебя любит и тебе доверяет.

Русанов мог начать ненавидеть Дмитрия. А это уже многое меняло...

2

Дмитрий так болезненно ощущал, что время идет, а он так ничего и не придумал, что ему казалось, будто с каждой прошедшей минутой из него уходит частица жизни. Каждая прошедшая минута приближала возвращение Киры, и что ему делать, он не знал. Единственная верная линия поведения — делать вид, что ничего не случилось. Только так можно попытаться спастись. Но это лишь в том случае, если Кира — не сумасшедшая. Тогда ее поведение можно хоть как-то прогнозировать, рассчитывать, предвидеть. А если нет? Если она буйнопомешанная маньячка, в голову

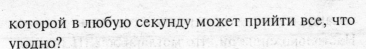
которой в любую секунду может прийти все, что угодно?

«Я должен это сделать, — твердил себе Платонов, растерянно мечась по квартире, — я должен собраться с силами и сделать это. Тем более вчера утром я на это намекал. Нужно продолжать свою линию, словно ничего не случилось, словно я ничего не знаю, не видел никакого револьвера и ни о чем не догадываюсь. Теперь я понимаю, почему не мог нормально воспринимать ее, как всегда воспринимал женщин, особенно красивых. Потому что она не такая, как они. Господи, как же мне это сделать? Где набраться мужества? Где взять мужскую силу? А вдруг у меня ничего не получится? Тогда она сразу догадается, что я все понял. Нормальный мужик не может заниматься любовью с женщиной-убийцей. И если я не смогу, если у меня не получится, сразу станет понятно, из-за чего».

Он не понимал, почему Кира задерживается, и нервничал, оттого что не мог точно прикинуть, когда она придет и есть ли у него в запасе еще какое-то время. Наконец ему удалось взять себя в руки и мысленно составить примерную схему той пьесы, которую ему придется разыгрывать, когда вернется хозяйка квартиры.

Когда она вернется, он сделает вид, что спит. Полежит тихонько, послушает, что она будет делать, потом «проснется», позовет ее, попросит присесть рядом с ним на диван и...

Нет, наверное, не так. Он будет сидеть на кухне, изображая глубокую задумчивость. Не встанет ей навстречу, не выйдет в прихожую, а будет сидеть и ждать, пока она сама подойдет к нему. Начнет трагическим голосом говорить что-нибудь душещипательное, всем своим видом показывая, как он страдает. Будет бить на жалость, рассказывать, как ему тяжело от того, что все так получилось, что он не может показать себя настоящим мужиком, ухаживать за ней так, как положено ухаживать за красивыми женщинами, потому что заперт в ее квартире кознями недоброжелателей...

А можно встать в прихожей как истукан, молча смотреть на нее грустными глазами, а потом чуть слышно, но выразительно произнести: «Господи, Кира, дорогая моя, мне было так страшно, я вдруг испугался, что ты не придешь, и понял, как много ты для меня значишь...»

Перебирая в уме возможные варианты быстрого сближения, Дмитрий так ни на чем конкретном и не остановился, решив в конце концов положиться на случай. Как пойдет.

3

Воскресенье незаметно катилось к вечеру, и Насте казалось, что оно тянется уже трое суток. То ли оттого, что проснулась она в четыре утра, в восемь уже разгуливала по парку с генералом Заточным, а в одиннадцать начала обход квартир в доме, где жил Сергей Русанов, то ли оттого, что мысли ее за это время много раз меняли направление и предлагали ей для обдумывания несколько разных и так не похожих друг на друга схем, но к пяти часам она почувствовала себя разбитой и больной. Ночные заморозки к полудню сменились дождем, а сейчас из-за быстро гонимых ветром облаков уже проглядывало солнце, и резкая смена давления отзывалась в ней неприятными ощущениями и слабостью. Руки начали дрожать, голова кружилась, и больше всего на свете ей хотелось завернуться в теплое одеяло и уснуть.

Вернувшись домой после разговора со словоохотливыми пенсионерками, она созвонилась с Игорем Лесниковым, уселась за компьютер и, чтобы убить время, стала снова и снова разглядывать карту Московской области с обозначенными на ней местами убийств, совершенных неизвестным снайпером. Точек на карте было уже шесть, и Настя пристально вглядывалась в них, стараясь уловить хоть какую-нибудь закономерность в их расположении.

Позвонил Леша Чистяков, она поболтала с ним минут пятнадцать, порой отвечая невпопад и продолжая думать о снайпере, убившем внука самого великого Трофима.

— Ася, очнись! — окликнул ее Лешка. — Ты где витаешь? Я тебя спрашиваю, сколько еще ты будешь сидеть за компьютером.

— От забора и до обеда, — отшутилась она,

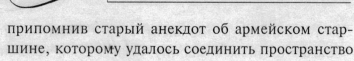

припомнив старый анекдот об армейском старшине, которому удалось соединить пространство и время.

— Если я приеду сегодня, ты меня пустишь за машину на часок? Ты небось опять голодная сидишь, привезу тебе продукты, накормлю, но мне нужно будет немного поработать.

— Что? — рассеянно переспросила она и вдруг выпалила: — Лешик, ты — гений. Приезжай. Я тебя люблю.

— Ты — чокнутая, — пробурчал Чистяков, но Настя была уверена, что он улыбается. — У тебя хлеб-то есть?

— Нету. У меня пусто. Все, Лешенька, целую тебя, приезжай.

Она бросила трубку и метнулась к компьютеру. Соединить пространство и время. Ну конечно! Господи, как просто!

Настя снова вскочила и подлетела к телефону.

— Андрюша, — возбужденно заговорила она, услышав в трубке голос Андрея Чернышева, — срочно найди расписание пригородных электричек всех московских вокзалов и бегом ко мне.

— Зачем?

— Надо. Пожалуйста, Андрюшенька, не спрашивай ничего, не теряй время. Хорошо?

— Ладно. У меня вообще-то Кирилл не кормленый, и погулять с ним надо...

— Чернышев, ты хочешь, чтобы у меня сделался инсульт?! — закричала она в трубку. —

У тебя шесть трупов висит, а ты о чем думаешь? Сажай Кирилла в машину, бери с собой еду и поезжай. Здесь покормишь его и погуляешь.

— Ты — маленький белобрысый тиран, — проворчал Андрей больше для проформы, потому что хорошо знал: если у Анастасии Каменской «пожар», значит, дело серьезное. А уж если она повышает голос, стало быть, пожар полыхает вовсю.

4

Частный особняк на окраине Москвы был обнесен чугунной решеткой, сквозь которую любому желающему было видно все, что необходимо увидеть, чтобы раз и навсегда потерять желание проникнуть за ограду. Дом охранялся по всем правилам, что отнюдь не способствовало проявлению излишнего любопытства.

Виталий Васильевич Сайнес не любил бывать здесь, ибо в этом доме особенно остро чувствовал свою ничтожность. Хозяин обращался с ним с хорошо скрытым пренебрежением, но чем тщательнее скрывалось истинное отношение, тем явственнее оно ощущалось. Сайнес зависел от хозяина дома, поэтому терпел.

— Наши зарубежные партнеры крайне недовольны тем, что и вторую фирму пришлось ликвидировать. Они не любят задержек, и тем более им не нравится, когда так часто возникают сложности. Пора предпринять что-нибудь радикаль-

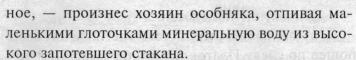

ное, — произнес хозяин особняка, отпивая маленькими глоточками минеральную воду из высокого запотевшего стакана.

— Но на самом деле все не так уж плохо, — нерешительно возразил Сайнес. — В курсе наших дел были только три человека. Двое из них мертвы, третий в ближайшие дни тоже уйдет. Документы по приборам и по золотосодержащим отходам у нас. Я полагаю, мы можем больше ни о чем не беспокоиться.

— Вы забыли о том, что Платонов посвятил в свои дела женщину. О ней вы позаботились?

— Конечно. Она уйдет вместе с ним, одновременно.

— И вы полагаете, что всего этого достаточно, чтобы спокойно работать дальше? — раздраженно спросил хозяин. — Вы, Виталий Васильевич, видимо, совершенно забыли о том, что в курсе событий еще один человек. И оригиналы документов находятся именно у него, а у нас с вами — только копии. На каком основании вы сбрасываете его со счетов?

— Но это же наш человек, — искренне удивился Сайнес. — Он же работает в нашу пользу, а не против нас.

— Это вам так кажется, — зло усмехнулся хозяин. — Ни в ком нельзя быть уверенным. Человек, продавшийся единожды, может сделать это еще раз. Этот человек слишком легко меняет направление и сдает позиции, он ненадежен.

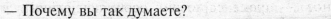

— Почему вы так думаете?

— А вы вспомните, с чего все началось. Он пошел по следу Платонова, чтобы выяснить, каким делом он занимается в Уральске. Вы задумывались когда-нибудь, зачем он это сделал? Нет? Так я вам скажу. Он хотел развалить это дело и подставить Платонова под статью нашего горячо любимого Уголовного кодекса. Вы что же, полагаете, он делал это из любви к нам? Или за деньги, которые мы ему платим? Увы, любезный Виталий Васильевич, все совсем не так. У него личные счеты с Платоновым. Наш друг Русанов хотел его свалить и упрятать за решетку или хотя бы создать ему миллион неприятностей. Только поэтому он и пошел следом за ним по уральским документам. А к нам он попал только потом, когда наши люди из Уральска сообщили, что первым идет Платонов, прорабатывая сигнал этого придурка Сыпко, и за ним по пятам двигается некто Русанов. Вот тогда мы этим Русановым и заинтересовались, пригласили к себе, побеседовали и договорились, к обоюдному удовольствию. Мы сами заинтересованы в том, чтобы дело, которое ведет Платонов, рухнуло, как карточный домик. И нас вполне устраивало, что эту неприятную обязанность взял на себя квалифицированный специалист, к тому же имеющий здесь личный интерес. Мы ему платим, и он сочетает приятное с полезным. Но, дорогой Виталий Васильевич, вы должны согласиться, что одно дело — личные мотивы, и совсем другое — сознательное сотрудничество с людьми, совершающими экономические преступления. Это, как говорится, две большие разницы и одна маленькая. Русанов продался нам, и нет никаких гарантий, что он не станет работать против нас. Мало ли чего ему в голову вступит! А теперь подумайте: это человек, который знает все и у которого на руках находятся подлинники документов. В такой ситуации вы можете позволить себе планировать свой завтрашний день? Вспомните-ка Берлиоза на Патриарших прудах.

— Вы хотите сказать, что... — нерешительно начал Сайнес.

— Именно, уважаемый Виталий Васильевич, именно. Это необходимо сделать, и как можно быстрее. Только после этого мы сможем чувствовать себя относительно спокойно.

— Но мне больше не к кому обратиться, у человека, который мне помог, большое горе, у него погиб единственный внук, я не могу сейчас его трогать.

— Сантименты! — жестко оборвал его хозяин особняка. — Сопли на глюкозе. Внук внуком, а дело есть дело. Вы сегодня пожалеете его, а завтра кто пожалеет вас? Уж не он, это я вам гарантирую. В этой стае законы волчьи. Все, Виталий Васильевич, разговор окончен. Действуйте. И не тяните.

5

Наконец Кира нашла в себе силы подняться со скамейки. Она даже не заметила, как просидела на бульваре почти три часа. «Как быстро проходит день, — тоскливо подумала она. — Вот и утро среды наступит — оглянуться не успею. Надо что-то делать. Но что?»

Она хотела позвонить либо Каменской, либо генералу Заточному. Они могли ей помочь, они наверняка знают, как это сделать, как ей выпутаться из того капкана, в который она сама себя загнала. Но почти сразу Кира сообразила, что такой серьезный и опасный разговор вести по телефону нельзя, а встречаться с ними — рискованно. Оставался Русанов, единственный человек, встречаться с которым она не опасалась, потому что он был другом Дмитрия и, следовательно, ничего страшного не произойдет, даже если он выследит ее после встречи и узнает, где скрывается Платонов. Да, решила она, нужно позвонить Сергею. Остается только он.

Она медленно побрела вдоль бульвара, мысленно составляя начало разговора. На ее пути то и дело попадались телефонные будки, но она проходила мимо. Кира помнила, что в двух кварталах отсюда, возле кинотеатра, находится телефон-автомат, с которого она уже однажды звонила Русанову. Это показалось ей обнадеживающей приметой. Она позвонит именно с этого телефона, пусть он снова принесет ей удачу.

Войдя в телефонную будку, она достала из сумки кошелек и принялась искать жетон для автомата. Окинула взглядом исписанную номерами телефонов стену, улыбнулась про себя, снова прочитав выполненную затейливой вязью фразу: «Лена, я умираю без тебя, почему ты не подходишь к телефону?» В прошлый раз она тоже смотрела на эту фразу и улыбалась. Чуть выше, она помнила, должен быть записан телефон какой-то дамы с экзотическим именем. Да, так оно и есть, синим фломастером на светлом пластике выведено: Сауле Мухамедияровна, 214-10-30...

Острая боль пронзила Киру, словно ей в горло воткнули тонкий раскаленный железный прут и протолкнули до самых бедер. Она вспомнила. И поняла, почему после того звонка Русанову чувствовала себя неуютно, испытывала какое-то смутное беспокойство, которое даже Дима не смог не заметить. Она тогда сказала Платонову, что ей кажется, будто она сделала что-то не так, а он ее успокаивал, говорил, что это нормальное ощущение человека, который впервые делает непривычное для него дело.

Тогда она должна была сказать Русанову: «Вы должны не забыть три раза по тридцать плюс десять». Начав фразу, она уперлась взглядом в записанный синим фломастером телефон 214-10-30 и машинально сказала: «Вы должны не забыть три раза по десять плюс тридцать». Ей казалось, что она и сейчас слышит свой голос, произносящий неправильные цифры. Но ведь смысл сказанного состоял в том, что документы лежат не в двадцать седьмой, а в сто двадцать седьмой ячейке. А три раза по десять плюс тридцать — это не сто, а только шестьдесят. Значит, Русанов должен был искать документы в ячейке номер 87. Как же получилось, что он их нашел там, куда Кира их положила? Ведь в тот же день вечером он подтвердил, что забрал документы в камере хранения.

Выходит, он с самого начала знал, где они. Потому что после первого ее звонка послал на вокзал людей, которые ее выследили и видели, куда она положила документы. Она могла бы сказать ему какие угодно цифры, она могла бы даже перепутать вокзал, но он все равно получил бы конверт с бумагами. Потому что они ему нужны. И потому, что он вовсе не играет в одной команде с Дмитрием. Он ему не доверяет. Они не друзья, а противники. А Дима так верит ему...

Кира быстро вышла из будки и зашагала к метро. Ей нужно домой. Ей нужно увидеть Диму, сказать ему обо всем, сказать, что он ошибся в своем друге, что тот предал его. Что все гораздо хуже, чем они предполагали, потому что Киру скорее всего выследили уже тогда, неделю назад, и теперь в их квартиру хотят подослать наемного убийцу...

Нет, этого говорить нельзя. Про убийцу она знать не может. Но все равно, про Русанова она скажет обязательно.

Впервые за много лет ее захлестнула волна сочувствия и нежности. Кира Левченко никогда никого не любила, кроме своего бывшего мужа, она была для этого слишком холодна и невозмутима. Она испытывала интерес к некоторым мужчинам, позволяла им ухаживать за собой, спала с ними, с трудом сдерживая откровенную скуку, но никто из них не будил в ней теплых чувств, никто не заставлял тосковать по себе и с нетерпением ждать следующего свидания. А сегодня, поняв, что не может убить Платонова, она внезапно поняла, что успела привязаться к нему, что он ей не безразличен, что она заигралась в придуманную ею же игру, сделав Дмитрия источником необычных острых ощущений, подпитывающих ее азарт, а в результате оказалась в роли матери, опекающей и оберегающей своего ребенка, помогающей ему выбраться из сложной и опасной ситуации.

Она шла все быстрее и быстрее и под конец чуть не бежала по эскалатору. Если она не придумает, как спастись самой и спасти Дмитрия, если она ничего не придумает до утра среды, к вечеру их обоих все равно убьют. Их фамилии и адрес известен, ничего сложного. Жить им обоим осталось двое с половиной суток. Жить. Жить...

6

Андрей Чернышев появился, ведя на поводке огромного Кирилла — свою любимую овчарку, в родословной у которой было записано длинное и

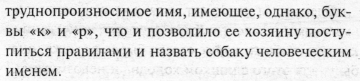

труднопроизносимое имя, имеющее, однако, буквы «к» и «р», что и позволило ее хозяину поступиться правилами и назвать собаку человеческим именем.

— Ты мне пса загубишь, — начал он прямо с порога. — Хорошая собака должна есть только у себя дома и только из своей миски. Миску я привез с собой.

— А расписания ты привез? — спросила Настя, ласково поглаживая Кирилла по шее. Пес вообще-то не был особо приветливым, но Настю к себе подпускал на правах старой знакомой. Во-первых, однажды, уводя ее с линии огня при задержании опасного преступника, Кирилл заставил ее со всего размаху ударить плечом в незапертую железную дверь, в результате чего Настя упала, разбила коленку и сломала каблук, а пес еще долго чувствовал себя виноватым. Во-вторых, когда полтора года назад преступники запугивали Настю тем, что у них есть ключи от ее квартиры, Кирилл провел с ней целую ночь, не только охраняя, но и успокаивая. А рано утром Андрей Чернышев сменил замок в ее двери и увез собаку.

— Привез. На, держи, — Андрей протянул ей девять тоненьких книжечек. — Может, объяснишь, что у тебя за пожар?

— Угу, — промычала Настя невнятно, усаживаясь за компьютер. — Иди сюда. Вот, смотри, места, где были найдены застреленные снайпе-

ром люди. Мы-то с тобой исходили из того, что человек привычно уезжает на одно и то же расстояние, и, отталкиваясь от этого, пытались определить примерный район его жительства. А может быть, все дело не в расстоянии, а во времени? Он убивает там, куда может доехать, к примеру, за два часа. Он тоже привык, но не к километрам, а к часам и минутам. Чувствуешь разницу?

— Ну, более или менее, — неопределенно кивнул Андрей. — Давай поподробнее.

— А если поподробнее, то все зависит от того, как далеко от вокзалов он живет. Поезда со всех вокзалов идут с одинаковой скоростью, но до одного вокзала ему добираться пять минут, а до другого — час. Поэтому по одной дороге он уезжает аж за сто километров, а по другой — убивает в двадцати километрах от города. Сейчас мы с тобой откроем расписания и будем считать, сколько минут идут электрички до тех станций, где совершены убийства. Будем считать, что самая дальняя станция связана с тем вокзалом, ближе всего к которому живет стрелок. Ну и так далее. Идея ясна?

— Ясна. Только как ее выполнять — не понятно.

— Чего тебе не понятно? — начала злиться Настя, которая терпеть не могла, когда ее останавливали «на всем скаку».

— Как минуты посчитать, это я понял. А вот как дальше-то?

— Андрюша, не забивай ты себе этим голову, — махнула она рукой. — Я сама это сделаю, если ты не знаешь как. Ты только помогай.

— Ладно, — вздохнул Чернышев. — Вечно ты меня унижаешь, Анастасия. Показываешь интеллектуальные фокусы и балдеешь, видя мой разинутый рот, вместо того чтобы сесть и терпеливо объяснить товарищу, как ты это делаешь.

— Как не стыдно! — рассмеялась она. — Такой большой мальчик — и такие комплексы. Вот я, например, много чего не умею, не бегаю, не стреляю, никаких данов и поясов у меня нет, а ты все это делаешь на «пять» с плюсом. Так что мне теперь, повеситься из-за этого? Ненавидеть тебя? Ты умеешь одно, я — другое, ну и слава богу. Будем дружить. И не смей на меня дуться.

Они открыли книжечки, вооружились карандашами и начали считать. Потом Настя составила какую-то одной ей понятную таблицу, вывела на экран карту города со схемой метро и торжествующе ткнула пальцем в район Северного округа.

— Вот, смотри. Здесь есть территория, с которой можно за пять минут попасть на платформу Дмитровская Рижского направления, за восемь минут — на Савеловскую дорогу, и за десять — на Ленинградскую, на платформу Петровско-Разумовская. И именно на этих направлениях убийства совершены дальше всего от города. Почти два часа пути. Теперь гляди сюда. По Киевскому направлению он ехал всего сорок четыре минуты, по Ярославскому и Казанскому направлениям — вообще до смешного. И там и там по пятьдесят восемь минут. То есть совершенно очевидно, что путь от дома до места убийства укладывается примерно в одно и то же время. Если смотреть по километрам, то у нас с тобой получался Западный округ, который постепенно смещался в сторону Центрального. А если смотреть по времени, то получается Северный. И не весь, а именно та часть, которая расположена близко к Ленинградской, Савеловской и Рижской дорогам.

— Я не понял, почему ты считаешь, что он живет именно близко от этих платформ? То, что примерно на одинаковом расстоянии, это я согласен, но почему ты считаешь, что это расстояние непременно маленькое? Ты думаешь, что он живет вот здесь, а ведь он вполне может жить и здесь, — он показал на Северо-Восток, в район проспекта Мира. — Рижский вокзал, недалеко — Каланчевская Ленинградской дороги, а прямо по Сущевскому валу можно быстренько доехать до Савеловского вокзала. Почему ты исключила такой вариант?

— Потому что я умею считать до пяти, дорогой мой. То место, которое ты показал, — это совсем другая ветка метро, и по этой ветке расстояние до Киевского вокзала и до Комсомольской площади, где у нас расположены Ярославский и Казанский вокзалы, сильно различается. А если наша гипотеза верна и все дело не в километрах, а во времени, то для стрелка дорога от дома до этих вокзалов должна занимать одно и то же время. Поэтому он должен жить на территории вдоль Серпуховской линии метро. По этой линии с любого места дорога до «Киевской» будет ровно на две минуты дольше, чем дорога до «Комсомольской». И еще одно: не забывай, что на Комсомольской площади находится и Ленинградский вокзал. А по этой дороге он вон аж куда укатил. Значит, по Ярославскому и Казанскому направлениях он уезжал с вокзала, затратив предварительно около часа на дорогу, а по Ленинградской — с платформы, неподалеку от которой живет.

Чернышев поднялся с низкого кресла, которое пришлось придвинуть к письменному столу, чтобы был виден экран монитора, размял затекшую спину, с хрустом потянулся. Потом лукаво посмотрел на Настю и состроил ей страшную физиономию.

— А все равно я лучше тебя стреляю.

Она собралась было сказать в ответ что-нибудь смешное, но в эту секунду раздался звонок в дверь.

— Вот, — торжествующе произнес Андрей, — это пришел Чистяков, принес мясо. Сейчас мы с ним вместе приготовим такую еду, какую тебе вовек не изобразить, чтобы ты не зазнавалась и не считала себя самой умной. Мужики рядом с

тобой делаются интеллектуальными импотентами от страха перед твоими мозгами.

Но Андрей ошибся. На пороге стоял не будущий Настин муж, а Игорь Лесников, который молча протянул ей нотную тетрадь, изъятую полчаса назад у Елены Русановой. У одной из страниц сбоку ножницами была отрезана полоска.

7

Услышав звук вставляемого в замок ключа, Платонов внезапно испугался. Да, он знал, что этот момент рано или поздно настанет, потому что так или иначе Кира все равно должна будет вернуться домой. Но только теперь он понял, что в глубине души надеялся, что как-нибудь обойдется. Причем он даже не пытался себе представить, что это значит — обойдется. Кира попадет под машину? Ее арестуют? На Москву спустится корабль с пришельцами? Что может случиться такого, благодаря чему ему не придется оставаться один на один в квартире с хладнокровной убийцей, вполне вероятно, сумасшедшей? Вот уж воистину, надежда умирает последней.

Открылась входная дверь, а Платонов так и не решил, что ему делать, как вести себя, как заставить тело сделать то, что нужно сделать для спасения своей жизни? Он молча стоял, опираясь спиной на косяк кухонной двери, и смотрел на входящую в квартиру женщину. Ему сразу бросилась в глаза ее бледность.

— Я плохо расслышал, — произнес он как можно безразличнее. — Что я должен сделать?

— Ты должен убить своего друга Сергея Русанова. Потому что твой друг Сергей Русанов не верит тебе и хочет тебе навредить. Ты прости меня, Дима, я совершила ошибку, но эта ошибка сегодня позволила мне понять, кто является твоим настоящим врагом.

— Ну что ты говоришь, Кира, — сказал Дмитрий с мягкой укоризной, — не может этого быть. Сережа мой друг вот уже много лет, зачем ему мне вредить...

Он машинально продолжал говорить какие-то ненужные слова, стараясь убедить Киру в том, что она ошибается, но в голове у него с каждой секундой крепла мысль: может быть, это может быть. «Может быть. Потому что, если это так, тогда все сразу становится понятным. Серега мог вычислить Тарасова, потому что он, во-первых, опытный оперативник, во-вторых, слишком хорошо знает мой характер. Серега мог убить Агаева, потому что я ни от кого не скрывал факт нашей со Славиком встречи, и телетайпограмму посылал из нашей дежурной части, и вышел вместе с ним из министерства. И тогда становится понятным самоликвидация фирмы «Вариант». Я-то думал, что Русанов где-то неосторожно сработал, и удивлялся, что такой опытный и квалифицированный специалист мог допустить такую оплошность. А если это не оплошность? Но почему? Боже мой, почему он это сделал? Зачем?»

— Дима, — позвала она неожиданно охрипшим голосом.

От него не укрылась ни эта внезапная хрипота, ни дрожащие губы, ни ее страх. Он настороженно молчал, пытаясь быстро найти объяснение ее нервозности.

— Дима, — повторила она, протягивая к нему руки, и он услышал в ее голосе не только страх, но и желание.

Их бросило друг к другу без всяких слов и прелюдий. Платонов рванул «молнию» на куртке и стащил ее с Киры, не отрываясь от упругих губ, потом нащупал застежку на ее джинсах. Через две минуты, убрав все помехи, он овладел ею стоя здесь же, в прихожей, не произнеся ни слова, не издав ни звука. Слышно было только их тяжелое дыхание и скрип стула, на который Кира опиралась руками.

Дмитрий очень хотел, чтобы все прошло хорошо. Потому что он боялся вызвать подозрение. В первый раз в жизни он не занимался любовью с женщиной, а совокуплялся с ней, спасая себя. Ему казалось, что все происходит мучительно долго, что это никогда не кончится, что отныне он обречен вот так стоять вечно, держа за бедра обнаженную женщину и совершая все нужные телодвижения, ибо, как только он остановится, ему придется умереть. Женщина его убьет. И единственный способ не дать ей себя убить — постоянно совокупляться с ней. Кошмарное видение было мгновенным, но таким ярким, что Платонова бросило в жар и ему показалось, что его сила иссякает. К счастью, в этот момент Кира глухо застонала, и он немного расслабился, поняв, что смог, справился, не выдал себя.

Свет в прихожей был выключен, Кира не успела его включить, когда пришла. Молча, не глядя друг на друга, они собрали свою валяющуюся на полу одежду. Платонов ушел в комнату, Кира — в ванную. В квартире повисла напряженная недобрая тишина.

Он быстро оделся, провел расческой по волосам, включил телевизор и уселся в кресло возле низенького журнального столика. Ему было слышно, как Кира принимала душ, потом открылась дверь ванной, и он обратил внимание, что в этот раз не услышал щелканья задвижки. В первый раз за все время Кира, уйдя принимать душ, не закрыла изнутри дверь.

«Идиот, — мысленно выругал себя Платонов, — я же должен пойти с ней вместе, как это делают все приличные любовники. Совершенно очевидно, она этого ждала. А я повел себя как последняя свинья, справил нужду и, не говоря ни слова, уселся перед телевизором. Но мне нельзя было идти в ванную вместе с ней, потому что я хороший сыщик, но плохой актер, я могу не справиться с собой и начать непроизвольно поглядывать на шкафчик, где лежит револьвер».

Кира так и не зашла в комнату и начала на

кухне возиться с обедом. Платонов понял, что надо что-то предпринимать, иначе ситуация зайдет в тупик, из которого потом будет уже не выбраться. Он глубоко вдохнул, резко выдохнул воздух и пошел к Кире извиняться.

Та стояла у окна и смотрела куда-то в пространство.

— Я тебя обидел? — начал Платонов без предисловий. — Прости, родная, я знаю, что повел себя грубо и несдержанно, мне не следовало... Прости меня, Кира. Я в первый же день предупредил тебя, что ты мне очень нравишься, правда, я обещал держать себя в руках, пока ты сама не захочешь нашей близости, но я же не железный. Я очень хотел тебя. Прости еще раз.

Кира повернулась к нему и как-то странно улыбнулась.

— Хотел? А теперь больше не хочешь? — спокойно спросила она.

— А теперь хочу еще больше, — пошутил он, случайно скаламбурив. — Чем я могу загладить свою вину?

— Ты должен убить Русанова, — сказала она примерно таким же тоном, каким могла бы сказать: «Ты должен прибить полку и погладить белье».

«Боже мой, значит, она все-таки сумасшедшая», — в отчаянии подумал Дмитрий. Если так, то ему, пожалуй, не спастись, если только он немедленно не сбежит отсюда, из этой веселенькой квартирки. Но бежать было некуда.

Глава 13

1

Утром в понедельник Платонов проснулся ни свет ни заря и долго раздумывал, вставать ли ему, рискуя разбудить Киру, или еще поваляться и подумать.

Спал он снова на кухне на раскладушке. Вчера у них с Кирой состоялся тяжелый разговор о Сергее Русанове. Кира настаивала на своей правоте, Дмитрий как мог защищал друга, но чем больше аргументов в его пользу он находил, тем острее делались подозрения.

— Дима, перестань, — наконец устало сказала Кира. — Ты сам не веришь в то, что говоришь.

Платонов понимал, что она права.

До самого позднего вечера они ни словом не обмолвились о том, что произошло в прихожей. Но чем ближе подходил момент, когда надо будет ложиться спать, тем явственнее ощущалась возникшая между ними неловкость. Они долго пили чай на кухне, оттягивая решительную минуту, заводили какие-то необязательные разговоры, задавая друг другу ненужные вопросы и давая на них чрезмерно обстоятельные ответы. Наконец Платонов поднялся.

— Тебе надо отдыхать, Кира, — ласково сказал он. — Иди ложись.

Она вопросительно посмотрела на него, словно говоря: «А ты? Ты пойдешь со мной или будешь спать на кухне?» Но промолчала.

— Иди, милая, — повторил он. — А я приду потом пожелать тебе спокойной ночи.

Дмитрий быстро постелил себе на раскладушке, снял рубашку и носки и в одних джинсах зашел в комнату. Кира уже лежала в постели с книжкой, и он заметил, что лицо ее не было расслабленным, как у человека, собирающегося уснуть. Он присел на краешек дивана и осторожно погладил Киру по волосам. В ответ глаза ее вспыхнули тем самым огнем, который он уже не раз замечал. Но на этот раз лицо ее не оживилось, не порозовело, напротив, она была бледна, губы сжались, шея напряглась. Кира вскинула руки, обхватила его за шею и притянула к себе, и Дмитрий ясно почувствовал, как она дрожит.

«Да что это с ней? — с холодным удивлением подумал он. — Похоть разбирает, что ли? Ну, повезло мне, похотливая убийца-маньячка».

Он машинально делал все, что нужно делать, запустив руки под одеяло и лаская ее шелковистую гладкую кожу, касаясь губами ее лица и шепча едва слышные нежные слова, и настороженно наблюдал за ней, чтобы точно понять, чего она хочет: только убедиться в его расположении или получить все сполна по полной программе. Внезапно Кира открыла глаза, и Платонов увидел в них неприкрытый ужас, граничащий с паникой.

— Что с тобой, милая? — тихонько спросил он, целуя ее в шею. — Я что-то делаю не так?

— Дима, я не хочу умирать, — быстро зашептала она. — Я не хочу, не хочу, не хочу. Я боюсь. Если он меня выследил, он может нас убить.

«Слава богу, она не сумасшедшая, — с облегчением подумал Платонов. — Нормально развитый инстинкт самосохранения заставляет ее перед страхом смерти самоутверждаться в качестве живого существа. Что можно противопоставить смерти? Только продолжение рода. Поэтому перед ее лицом повышается сексуальная активность. Но она что-то уж слишком боится. Похоже, она знает больше, чем я. Значит, она о чем-то умалчивает. Интересно, что же это такое, чего я не знаю и что заставляет ее так трястись от страха?»

Он ласково успокаивал Киру, утешал, говорил, что ничего страшного случиться не может, что она все придумала, умело и настойчиво ласкал ее до тех пор, пока она не закрыла глаза и не откинулась на подушки, прерывисто дыша.

Когда все закончилось, Дмитрий поцеловал Киру в щеку и ушел спать на кухню. Судя по доносившейся из комнаты тишине, Кира уснула сразу и крепко, и Платонов слегка позавидовал ее нервам. Сам же он еще долго вертелся, пытаясь понять, что могло так панически испугать Киру, а заодно принять решение о том, как ему вести себя дальше. Самым главным был вопрос о Кире: что делать с ней? Да, она убийца, она преступница, на ее совести шесть жизней, и она безусловно должна быть наказана. Но она — женщина, которая не побоялась привести его в свой дом, когда он нуждался в ночлеге и отдыхе, которая поверила ему и согласилась помочь, принеся ему в жертву собственные планы и удобства. И, кроме того, это женщина, которая в данный момент явно чемто напугана и сама нуждается в поддержке и защите. «Так как, Платонов, — спросил сам себя Дмитрий, — кем ты предпочитаешь быть, ментом или мужчиной?»

С этим вопросом в голове он уснул, с ним же и проснулся и решил еще некоторое время полежать тихонько, чтобы не будить Киру и подумать в спокойном одиночестве.

К тому моменту, когда она встала, Дмитрий принял решение и угрюмо думал: «Ты не мент и не мужик. Ты просто сволочь, Платонов».

2

Выполняя указание Платонова, Кира снова поехала в центр, на Садовое кольцо, звонить. Первый звонок был Казанцеву.

— Дима все еще разбирается с Катей из Омска, — произнесла Кира условную фразу. — Ему надо знать, куда ему сегодня ехать.

— Через пять минут скажу, — пообещал Казанцев. — Перезвоните мне.

Через пять минут Кира уже знала, что пароль для получения информации в Центральном адресном бюро на сегодняшний день был «Воронеж». Без знания пароля, предупредил ее Дмитрий, в ЦАБе информацию не дают никому, да и то спрашивают фамилию и место работы.

— В Центральном округе работает Ламара Ушанговна Бицадзе, вот ею и назовешься. Ты умеешь говорить с грузинским акцентом?

Кира с улыбкой произнесла несколько слов, имитируя произношение известной грузинской певицы, исполняющей русские романсы.

— Замечательно, — похвалил Дмитрий. — Значит, позвонишь Казанцеву, спросишь пароль, потом позвонишь в ЦАБ, скажешь, что ты — Ламара Ушанговна Бицадзе из Центрального округа, и спросишь данные на саму себя. Назовешь свою фамилию, имя, отчество и год рождения и спросишь адрес и номер телефона.

— А зачем это нужно? — удивилась Кира.

— Будем с тобой проверять, не затеял ли против нас игру кто-нибудь из крупных милицейских чинов, — объяснил Платонов, чувствуя себя полным идиотом. — Серега не может взять и прислать к нам с тобой убийцу, он должен пойти к руководству и наврать им с три короба про то, что я невероятно опасен, ну и так далее. Короче, если нас выследили и против нас что-то затеяли, то по твоему адресу и по твоей фамилии справок не дают. Поняла? Мы с тобой вроде как в разработке находимся. Поэтому, если тебе ничего не скажут и переадресуют к кому-нибудь в МВД, значит, ты была права, и нам с тобой надо быстренько уносить ноги. Зато если тебе скажут все, что ты про-

сишь, стало быть, все в порядке, твой адрес на контроле не находится. Только акцент не забудь.

И вот сейчас Кира стояла в телефонной будке и, старательно имитируя грузинский акцент, произносила:

— Добрый день, девушка, до Воронежа доедем?

— Фамилия?

— Бицадзе из Центрального округа.

— Кого ищем?

— Левченко.

— Ждите.

Примерно через полминуты в трубке послышался другой женский голос.

— Левченко. Имя и отчество?

— Кира Владимировна.

— Год рождения?

— Шестьдесят пятый.

— Место рождения?

— Москва.

— Ивановская, 18, квартира 103. Телефон...

Она выслушала свой адрес и телефон, поблагодарила и повесила трубку. Значит, Русанов не посмел ничего затеять официальным путем. Значит, никто в МВД не в курсе, где находится Дмитрий Платонов. Это хорошо.

И наконец, третий звонок, который просил сделать Дима. Она должна позвонить Каменской и сказать загадочную фразу: «Заместитель начальника ОВИРа Центрального округа плохо выполняет свою работу».

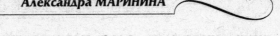

— И что это означает? — изумленно спросила Кира, выслушав странную просьбу Платонова.

— Да не бери ты в голову, — отмахнулся он. — Это что-то вроде пароля, наши милицейские дела, жаргон. Просто запомни и скажи ей.

— Нет, я хочу понимать, что делаю, — заупрямилась она. — Я не буду звонить Каменской, если не буду точно знать, что и зачем я говорю.

— Понимаешь, те российские граждане, которые по делам фирмы «Артэкс», а потом и фирмы «Вариант» выезжали за границу, оформляли паспорта в ОВИРе Центрального округа. Там завелся один лихой и наглый взяточник, который за огромные деньги делал загранпаспорта в течение трех дней без всяких проверок и в нарушение всех правил. Я знал об этом уже давно, но молчал, чтобы не спугнуть всю стаю. А теперь, раз уж мы с тобой решили, что Русанов нас продал и документы, над которыми я так трясся, все равно ушли в чужие руки, можно и ОВИРом заняться. Пусть Каменская шепнет кому надо, чтобы там проверку затеяли. Поняла?

— Теперь поняла, — кивнула Кира.

3

Когда позвонила женщина, связанная с Платоновым, Настя сидела в своем кабинете и готовила для Гордеева очередную аналитическую справку. То, что ей пришлось выслушать, ошарашило ее.

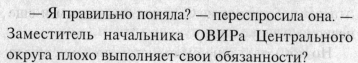

— Я правильно поняла? — переспросила она. — Заместитель начальника ОВИРа Центрального округа плохо выполняет свои обязанности?

— Да.

— Хорошо, я разберусь, — сухо ответила Настя.

Ситуация перестала ей нравиться. Еще вчера, когда Игорь Лесников нашел у Елены Русановой ту пресловутую нотную тетрадь, от которой была отрезана полоска бумаги, чтобы записать на ней номер банковского счета, Настя с грустью подумала, что доступ к этой тетради имели в равной степени и Русанов, и Платонов. И тот и другой регулярно бывали у Елены, и оба частенько делали из ее квартиры деловые звонки.

Немного поразмыслив, она пришла к выводу, что Платонов вряд ли стал бы давать в чьи-то руки номер счета, если речь шла о полученной им взятке. Так что скорее всего бумажку эту дал Агаеву все-таки не Дмитрий. Экспертиза почерковедов будет готова еще не скоро, у них в ЭКУ быстро ничего не делается. И не потому, что они бездельники и лентяи, вовсе нет, они работают не покладая рук, но вакансий там уже больше, чем живых людей, а количество экспертиз растет пропорционально количеству совершаемых в городе преступлений. В качестве образцов для сравнения экспертам предоставили документы, выполненные Платоновым, его женой Валентиной, самим

Агаевым, Тарасовым, Сергеем Русановым и еще несколькими людьми.

Но пока ответа не было, оставалось место для сомнений в искренности Платонова. А тут вдруг этот чудной звонок с информацией о заместителе начальника Центрального ОВИРа. Голову он ей морочит, что ли?

Настя открыла телефонный справочник и нашла ОВИР Центрального округа. Заместитель начальника — Бицадзе Ламара Ушанговна. Настя усмехнулась про себя. Ламара Бицадзе была знаменита на всю Москву тем, что, придя в окружной ОВИР, первым делом начала перепроверять за своими подчиненными каждого человека, подававшего заявление на получение загранпаспорта. Она висела на телефоне целыми днями, терзая девушек из Центрального адресного бюро, сличала списки, выверяла номера, годы рождения, адреса и телефоны и в конце концов вытащила на свет божий тех, кто выписывал паспорта в обход установленных правил и, более того, тем, кому паспорт для поездок за рубеж иметь вовсе не полагалось.

Ну и что могла означать фраза о том, что Ламара Ушанговна плохо выполняет свои обязанности? Она перестала проверять людей по ЦАБу? Она стала сама брать взятки? Или...

Настя быстро набрала номер телефона Бицадзе. У Ламары было глубокое низкое контральто, от которого, как казалось, начинала вибрировать

телефонная трубка. Она молча выслушала довольно странные Настины объяснения.

— Да, я сегодня наводила справки в ЦАБе, — ответила она сразу же.

— Сколько раз?

— Шесть или семь, точно не помню. Если нужно, я подниму документы.

— Ламара Ушанговна, вы могли бы позвонить девочкам и попросить их подобрать все ваши сегодняшние запросы?

— Господи, да зачем? — удивилась Бицадзе. — Я сейчас достану папки, по которым сегодня наводила справки, и все вам скажу сама.

— Это само собой. Но девочкам все-таки нужно позвонить. Я подозреваю, что кто-то, наводя справки, воспользовался вашим именем.

— Ладно, я позвоню, — вздохнула Ламара.

Через полчаса Бицадзе сама перезвонила Насте.

— Вы как в воду глядели, — почему-то радостно сообщила она. — Я делала семь запросов, а у них числится восемь. На Левченко Киру Владимировну, шестьдесят пятого года рождения, проживает: Ивановская улица, 18, квартира 103, я запрос не делала. А кто такая эта Левченко?

— А черт ее знает! — в сердцах бросила Настя. Нет, решительно, этот странный Платонов, видимо, от безделья бесится. Он что же, думает, ей делать больше нечего, кроме как его шарады разгадывать?

Откуда Платонов мог узнать, что кто-то позвонил в ЦАБ и, назвавшись Ламарой Бицадзе, навел какую-то справку? Да ниоткуда не мог он этого узнать, если только не он сам это сделал. Ламара Бицадзе — личность известная, ее имя и должность знают все девушки-телефонистки в ЦАБе, поэтому хоть фамилия и несклоняемая, но звонить во избежание неприятностей должна все-таки женщина, а не мужчина. Значит, справочку о Кире Владимировне Левченко наводила скорее всего та самая женщина, у которой живет Платонов. Но зачем? Зачем вся эта катавасия с «заместителем начальника ОВИРа, который плохо исполняет свои обязанности»? Почему нельзя было сказать Насте открытым текстом все, что нужно, про эту Киру Левченко? Бред какой-то, честное слово!

Почему нельзя было сказать Насте открытым текстом? Потому что... Нельзя. Нельзя, и все. Не надо злиться на Платонова, надо попытаться его понять. Не дурак же он, в самом-то деле. Почему могло оказаться нельзя? Потому что это самым непосредственным образом касается той женщины, которая звонит по его просьбе. Как это может ее касаться? Он у нее живет. Таким образом он дает ей, Насте, свой адрес, но звонящая по его просьбе женщина об этом не догадывается. Зачем это нужно? Почему, если он решил открыть свое местопребывание, он не хочет, чтобы об этом знала хозяйка квартиры? Потому что он по ка-

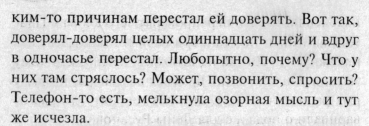

ким-то причинам перестал ей доверять. Вот так, доверял-доверял целых одиннадцать дней и вдруг в одночасье перестал. Любопытно, почему? Что у них там стряслось? Может, позвонить, спросить? Телефон-то есть, мелькнула озорная мысль и тут же исчезла.

Нечего хихикать, одернула себя Настя, у человека проблемы, он из-под себя выпрыгивает, чтобы как-то их разрешить, а тебе весело. У тебя, между прочим, тоже проблем выше крыши, как и нераскрытых убийств.

Она вернулась мыслями к Сергею Русанову. Все, что он говорил, даже то, что было направлено как бы на защиту его друга Дмитрия Платонова, на самом деле имело только одну цель: вывести себя из-под подозрения в убийствах Тарасова и Агаева.

Он сказал, что у Платонова есть темно-бордовый кожаный кейс. Он знает это точно, потому что его сестра подарила одинаковые портфели им обоим. ИМ ОБОИМ. Он сказал: у Димки есть такой «дипломат». А она, Настя, должна была услышать: он и у меня есть. Должна была, но не услышала. Хорошо хоть сейчас вспомнила.

Он рассказывал, что в день, когда убили Тарасова, Платонов позвонил ему домой около девяти часов утра. А вот Платонов говорит совсем другое, он утверждает, что это Русанов ему позвонил, при этом Платонов-то был дома, а вот где был в этот момент Русанов? Сергей создает себе алиби, надеясь на то, что перепроверять его слова у Платонова никто не станет, а если и станет, то есть надежда, что Димка не вспомнит точно, кто кому звонил. Он вспомнит предмет разговора, но тут у них разногласий нет, они оба говорят, что разговаривали о подарке для Лены Русановой.

И наконец, самое главное. Он постоянно твердит, что обожает свою сестру, и если бы с Димкой было что-то не так, он не позволил бы их отношениям сохраняться. И ведь это правда. С Димкой оказалось «что-то не так», Димка оказался пошлым кобелем, готовым рискнуть здоровьем и хорошим отношением юной Елены ради пьяной потаскухи. И Сергей действительно не остался к этому равнодушен. Другое дело, что масштаб мести оказался явно не соразмерен проступку. Но ведь верно и другое: кто способен на сильную любовь, тот способен и на сильную ненависть, потому что все дело, в принципе, в способности испытывать сильные эмоции. Настя про себя знала, что она, например, на сильные чувства не способна. Ну что ж, каждому свое. Все от природы.

Неужели Русанов и в самом деле оказался тем гнилым звеном, о котором предупреждали генерала Заточного? Какую информацию передавал через него Платонов? Ах, если бы знать...

Только привычка прояснять любой вопрос до конца заставила Настю открыть карту Москвы и посмотреть, где находится Ивановская улица, на которой живет Кира Левченко, вполне вероятно, вместе с Дмитрием Платоновым. Она долго в оцепенении смотрела на карту, чувствуя, как холодеют руки при мысли, что она могла полениться сделать это или забыть.

Настя заставила себя встряхнуться и принялась названивать в областное управление Андрею Чернышеву.

— Андрюша, бросай все, доставай из своего сейфа списки спортсменов-стрелков.

Такие списки были запрошены и сделаны сразу же после первого убийства, совершенного неизвестным снайпером, и так и лежали в сейфе у Чернышева, потому что у сыщиков не было ни единого поискового признака, по которому из этой многоликой массы можно было бы выделить не то что одного-единственного, а хотя бы десяток подозреваемых. Теперь этот признак появился. У него оказался адрес и вполне конкретная фамилия.

— Ищи Левченко К.В., 1965 года рождения.

— Нет такой, — ответил Андрей, шелестя перелистываемыми страницами.

— Ищи как следует, — взмолилась Настя, — должна быть.

— Ну нету, Ася, что я тебе, врать буду?

— А кто есть?

— Есть Левицкий, Левиков, Левашов, Леванский, Левстроев, Левченко Борис Сергеевич, Левченко Игорь Иванович. А твоего как зовут?

— Кира Владимировна.

— Баба, что ли? — брякнул Чернышев и тут же спохватился: — Ой, Аська, прости, сорвалось. Но такой здесь нет. Слушай, а она замужем была?

— Понятия не имею. Но ты прав. Список большой?

— Офигительно. Как ты любишь. Километра полтора будет. Я все знаю, Каменская, сейчас ты заставишь меня сидеть и вычитывать имена по всему списку в поисках некой Киры Владимировны, 1965 года рождения, а потом проверять ее на предмет изменения фамилии. Угадал?

— Слушай, ты поразительно быстро набираешься ума рядом со мной. Может, я начну хорошо стрелять и бегать, если буду почаще с тобой работать?

Андрей погрузился в бесконечный список фамилий и в конце концов нашел-таки Киру Владимировну, 1965 года рождения, которая в период развития своей спортивной карьеры носила фамилию Березуцкая, а два года назад сменила ее снова на девичью и стала Кирой Левченко.

4

Прошли ровно сутки с тех пор, как Виталий Николаевич Кабанов дал задание Кире убрать мужчину и женщину в доме, где расположен магазин «Дары океана». После выполнения задания он, Кабанов, должен будет Киру убить. Конечно, не сам, не своими руками, но суть от этого мало меняется. За эти сутки Виталий Николаевич окончательно убедился в том, что никаких осложнений на свою голову ему не нужно и в тюрьму идти ему тоже не очень хочется. И не только в тюрьму, но даже и в суд, даже свидетелем. И ведь могло бы ничего и не быть, если бы дурак Генка не стучал Трофиму. Если бы не это, век бы ему не видеть ни Виталия Васильевича с его заказом, ни Трофима с его требованием в течение трех дней стереть с лица земли снайпера, застрелившего его внука.

В недрах сознания Паровоза-Кабанова зрело решение, возможно, далеко не самое удачное, но дававшее хоть какую-то надежду. К вечеру понедельника решение из недр сознания поднялось на поверхность, и Виталий Николаевич, помучившись с полчаса, все-таки снял телефонную трубку.

— Здравствуй, Виктор, — осторожно сказал он, услышав на другом конце знакомый баритон.

— Вечер добрый, — ответил Виктор Алексеевич Гордеев, не узнавая собеседника.

— Кабанов моя фамилия.

— Паровоз?! Какими судьбами? Ты в последние годы меня избегать начал, — насмешливо поддел его Гордеев. — Провинился в чем, что ли?

— Я, Витя, не по твоей части. Ты же у нас в Москве главный ловец душегубов и насильников, а под меня все твои коллеги-экономисты подкапываются. Ты им шепни по-дружески, Виктор, пусть на меня силы зря не тратят, я честно живу и деньги у меня честные.

— Ой, ладно тебе, Паровоз, о том, какой ты честный, легенды ходили, еще когда мы с тобой в пионерах да в комсомольцах штаны протирали.

— Грех тебе, Виктор, старым мне пенять, — усмехнулся в трубку Кабанов. — Забыл, как ты из

троек по химии не вылезал, а я тебя в круглые отличники вытащил?

— Ну, на то и Паровоз, чтобы тащить. Специальность у тебя такая. Вообще-то ты молодец, Виталя, ты хорошую идею мне тогда подкинул, насчет разделения труда. Я ее в своей работе вовсю использую. Очень плодотворная идея. Так что я в некотором смысле твой должник.

— Это хорошо, — неожиданно серьезным голосом откликнулся Кабанов. — Потому что мне с тобой поговорить надо.

— Хочешь встретиться? — предложил Гордеев.

— Не могу. Пасут меня.

— Кто? Наши?

— Да какие ваши! Мой собственный, хрен бы его взял. Стучит на меня самому Трофиму.

— Чего ж ты так неосмотрительно? — посочувствовал Виктор Алексеевич. — Людей надо тщательно подбирать, а не абы как.

— Да я только на днях узнал, что он стучит. Так-то он парень хороший, надежный, я ему доверяю. Но то, о чем я хочу с тобой поговорить, должно мимо него пройти. Не приведи господь, Трофим узнает, что я с тобой связался.

— Говорят, крут ваш Трофим? — полюбопытствовал полковник.

— Крут, ох крут, — подтвердил Кабанов. — И, между прочим, у него, как у всякого уважающего себя мафиози, есть люди в твоем ведомстве.

— Понял, не дурак, — быстро ответил Гордеев. — Запиши телефончик, через двадцать пять

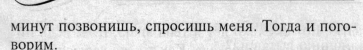

минут позвонишь, спросишь меня. Тогда и поговорим.

Через двадцать пять минут телефонный звонок Кабанова раздался в огромной коммунальной квартире, где жил Степан Игнатьевич Голубович, бывший учитель и наставник полковника Гордеева, передававший ему свой огромный опыт и любовно отшлифованное мастерство, почти пятьдесят лет проработавший в уголовном розыске и больше десяти лет находящийся на пенсии. На самом деле такие люди, как Голубович, не выходят на пенсию. Они просто не могут и не умеют этого делать. Они рождаются сыщиками и умирают ими, даже если давно уже не числятся в кадрах МВД.

5

Настя еще не успела уйти с работы, и звонок Гордеева застал ее на месте.

— Никуда не уходи, — бросил он. — Я буду через полчаса.

Это ничего не меняло в ее планах, она и не собиралась уходить еще по меньшей мере часа два. Работы накопилось много, и писанины, и статистики, и она так увлеклась, что страшно удивилась, увидев возникшего в ее кабинете начальника. Ей казалось, что он звонил буквально только что, ну в крайнем случае пару минут назад.

— Неужели полчаса прошло? — удивилась она, поднимая глаза на Виктора Алексеевича.

— Сорок пять минут. Я, как всегда, опоздал. Скажи, Стасенька, можно научиться не опаздывать? Вот сколько лет я тебя знаю, и ты ведь ни разу никуда не опоздала. Как ты это делаешь?

— Выхожу заранее, — пожала плечами Настя.

— Так и я выхожу заранее. Ты что же, думаешь, я из дому выхожу за пять минут до назначенного времени? А все равно никогда у меня не получается прийти во столько, во сколько я задумал. Вот почему так?

— Наверное, вы маршрут рассчитывать не умеете. Чтобы правильно рассчитывать время, надо быть предусмотрительным. Помнить, что автобуса можно прождать минут тридцать-сорок, что поезда метро могут остановиться посреди тоннеля, что у троллейбусной линии оборвутся провода, что вы застрянете у витрин и прилавков, разглядывая товары. Знаете, как мой Лешка дорогу рассчитывает? Сорок минут на электричке, потом восемь остановок на метро — это еще двадцать минут, потом четыре остановки на автобусе — еще минут десять. Итого час десять. Вы бы видели, как искренне он изумлялся, когда вместо часа десяти минут добирался до меня два с половиной часа. Он забывал, что электричка ходит не каждые три минуты, мало того, что ее нужно дождаться, до нее еще нужно дойти. От вагона электрички до поезда метро тоже нужно дойти. Автобуса нужно дождаться. И так далее. Виктор Алексеевич, я могу забивать эфир сколь угодно долго, если вам нужно расслабиться и потрепаться. Вы же, как я понимаю, не для этого просили меня задержаться, правда?

— Правда, деточка, правда. Сорока мне на хвос-

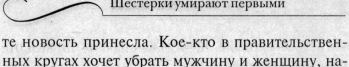

те новость принесла. Кое-кто в правительственных кругах хочет убрать мужчину и женщину, находящихся в однокомнатной квартире в доме, где находится магазин «Дары океана». Чуешь, чем пахнет?

— Дерьмом! — в сердцах сказала Настя.

— Деточка, ты же девушка, в смысле, молодая женщина, — укоризненно произнес Колобок. — Следи за речью.

— Не буду, — огрызнулась она. — За домом, где находятся Левченко и Платонов, установлено наблюдение, ее теперь ни на шаг не отпустят, тем более что она, как кажется, предпочитает для работы выходные дни. А уральская компания, по-видимому, вместе с нашим другом Русановым, их опасается, уж больно много они знают. И собираются подослать к ним киллера или еще какую бяку устроить. Как же это Дмитрия угораздило с маньячкой связаться? Придет киллер, убьет снайпера, все довольны. Платонова только жалко.

— Что ты несешь? — возмутился Гордеев. — Придет киллер, убьет снайпера... Чушь какая-то! Ты... Стасенька! Ты что? Что с тобой? Деточка... Валидол? Где у тебя? Что тебе дать?

Настя медленно переводила взгляд с начальника на его отражение в темном стекле окна.

— Ничего не надо, Виктор Алексеевич, я в порядке, — сказала она каким-то деревянным голосом.

— Да ты белая как мел.

— Это сосуды. Сосуды плохие, кровь к коже не приливает.

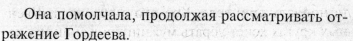
Она помолчала, продолжая рассматривать отражение Гордеева.

— Вы правы. Чушь это. Киллер не придет убивать снайпера.

— Откуда ты знаешь?

— Потому что это один и тот же человек. Тогда все получается.

— Что получается?

— Все. Все получается. Все сходится. Завтра можно арестовывать Русанова. Лучше, конечно, сегодня, но для его ареста нужно слишком много всяких согласований, не успеют. Виктор Алексеевич, Левченко получила заказ на собственное убийство. Как вы считаете, что она будет делать? Убьет Платонова и попытается скрыться? Или будет придумывать, как спастись обоим?

— Ну, голубушка, это ты мне должна сказать, что будет думать и делать Левченко. Это ты у нас женщина, а не я, — пожал плечами Гордеев.

— Если она такая, каким должен быть снайпер, то она не принимает поспешных решений, не суетится, не мечется. Она выбирает такой вариант, при котором максимальный результат достигается минимальными затратами, то есть единственным выстрелом. Что нужно сделать, чтобы избежать неприятностей, связанных с заказом?

— И что? — полюбопытствовал Гордеев.

— Заказ не выполнять. А для этого заказ нужно аннулировать. А как это сделать? Правильно, убить заказчика.

— Но с чего ты взяла, что заказчик — Русанов?

— Я ни с чего это не взяла. Я-то как раз знаю, да и вы тоже знаете, что заказчик — не он. Он только помощник, пособник. А Кира Владимировна скорее всего будет считать именно так. Она контактировала с ним. У нее есть его телефоны. Она, судя по всему, подловила его на каком-то обмане и поняла, что он работает на другую сторону. Так что в роли заказчика ей наверняка видится он. Если бы она спросила Платонова, он бы объяснил ей, что к чему, но она спросить не может, потому что не сможет сказать, откуда ей вообще известно про то, что его и ее должны убить. Не станет же она признаваться ему в том, что она — наемный убийца. Виктор Алексеевич, мы ничем не рискуем. Она отправится убивать Русанова, и мы ее возьмем. В иной ситуации это делать бессмысленно, нужно, чтобы при ней было оружие, а еще лучше, чтобы она его попыталась применить. Тогда ей не отвертеться.

— А ты подумала о том, что она находится один на один с Платоновым? А если она его убьет?

— Ага, или он ее. Виктор Алексеевич, риск всегда есть. Даже когда по улице идете, можете упасть и ногу сломать. Если Платонов придумал и осуществил эту невероятную авантюру со звонками в ЦАБ, значит, он вычислил свою подругу, понял, что она — тот самый снайпер, и сдал ее нам. Как вы думаете, на основании чего, по каким признакам он ее вычислил? Да ваш Платонов, судя по его поведению, человек с нормальной психикой и хорошо развитым интеллектом, поэтому, если уж он принял решение сдать ее, значит, доказательства бесспорны. Улики килограммовые. Он нашел оружие, Виктор Алексеевич, он нашел этот проклятый девятимиллиметровый револьвер Стечкина. А уж если он его нашел, то я готова спорить с вами на что хотите, но я уверена, что Платонов спилил боек. Любой нормальный сыщик это сделает. А Платонов, как мы с вами уже решили, именно нормальный сыщик. Так что из «стечкина» мадам Левченко больше не выстрелит. Конечно, у нее может оказаться и другое оружие. И Платонов может оказаться не таким, каким я его представляю себе. Риск всегда есть...

6

Эту ночь они спали вместе. Платонов решил не рисковать, оставляя Киру в другой комнате на всю ночь. Пусть лучше она будет у него перед глазами. По крайней мере он может быть уверен, что, если она захочет встать с постели, он тут же проснется.

После завтрака Кира ушла в магазин, а минут через десять раздался звонок в дверь. Платонов неслышно вышел в прихожую и замер, прислушиваясь. Звонок прозвенел еще раз. Потом раздался тихий незнакомый голос:

— Дмитрий, это Каменская. Вы меня слышите?

— Да, — вполголоса ответил он.

— Я сейчас зайду в соседнюю квартиру и позвоню вам. Вы снимете трубку?

— Да, — так же тихо ответил он.

Через несколько минут затренькал телефон.

— Что у вас происходит? — спросила Каменская. — Куда ушла ваша подружка?

— В магазин и звонить.

— Кому?

— Вам и Заточному, кому же еще. Вы с Иваном только у меня и остались.

— Значит, вы уже все поняли про Русанова?

— Кира объяснила. Сам бы я, конечно, не подумал про Сережку.

— Что она собирается делать?

— Она считает, что я должен с ним разобраться.

— Это понятно. А что считаете вы сами?

— Я не знаю, Анастасия Павловна. Если честно, я растерялся. Я ее боюсь.

— Вы нашли оружие?

— Да. «Стечкин», 9 миллиметров.

— Она не догадывается?

— Надеюсь, что нет. Я очень стараюсь, чтобы она не догадалась. Но она чего-то безумно боится. Ее что-то очень напугало. И я не знаю, что.

— Зато я знаю. Она должна вас убить. Она получила заказ.

— Меня?!

— Вас, Дима. И себя тоже.

— Не понял...

— Она как снайпер получила заказ на убийство Дмитрия Платонова и его помощницы Киры Левченко. Теперь поняли?

— Боже мой, бедная девочка... Теперь понятно, отчего она с ума сходит. Скажите, я все еще в розыске?

— Конечно. Ориентировку снимут только после ареста Русанова.

— Значит, я не могу уйти отсюда?

— Можете, но вас тут же возьмут. Так что лучше не надо.

— А когда?..

— Не знаю, Дима. Будем надеяться, что уже недолго осталось ждать. Ее револьвер в порядке?

— Был.

— Другого оружия нет?

— Не знаю. Я старался обыскать всю квартиру, но не уверен.

— Хорошо. Спасибо вам, Дима. Фокус с Бицадзе у вас получился.

— Это вам спасибо, что догадались. Что вы будете делать?

— Еще не решила. Но вы не беспокойтесь. Я знаю, что вы не виноваты ни в чем. Но говорить об этом никому не буду, чтобы не спугнуть Русанова. Когда вашей подруги не будет дома, можете мне звонить, я все равно теперь знаю и адрес ваш, и телефон. Но только мне.

— А Ивану?

— Лучше не надо.

— Почему?

— Не знаю. Не надо, и все. Хорошо?

— Хорошо, Анастасия Павловна.

— Просто Настя. Я моложе вас на семь лет.

— Правда? Никогда бы не подумал... Мне почему-то казалось, что вы похожи на Ламару, эдакая тертая тетка в годах и с зычным голосом.

— Дима, я понимаю, как вам трудно. И в связи с Русановым, и в связи с Кирой. Но вы держитесь. Я обещаю, уже недолго.

— Спасибо. Я продержусь.

Повесив трубку, Платонов метнулся к окну. Через некоторое время из подъезда вышла высокая худая блондинка в куртке и джинсах, с длинными, стянутыми в «хвост» волосами. Дмитрий не видел ее лица, но почему-то решил, что она должна быть очень красивой.

7

Областное и городское начальство наконец договорилось между собой, потому что дело «областного» снайпера плотно срослось с делом Платонова. Когда во вторник вечером Кира Левченко вышла из дома, сигнал об этом поступил по меньшей мере в три разных места, в том числе и Гордееву, который тут же перезвонил Насте.

— Сиди в кабинете, никуда не уходи. Может, тебе Платонов отзвонится.

И он действительно позвонил.

— Куда вы ее послали? — спросила Настя.

— Звонить Русанову. Я же звоню вам всем каждый день. И ему тоже, чтобы не заподозрил чего-нибудь.

— Интересно, что он ей говорит?

— Что все очень плохо, что меня подозревают

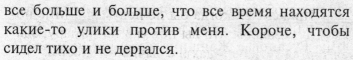

все больше и больше, что все время находятся какие-то улики против меня. Короче, чтобы сидел тихо и не дергался.

— Улики находятся, это точно, — подтвердила Настя. — Он же сам их и находит. Что она должна сделать еще, кроме того, что позвонит Русанову?

— Больше ничего. Она должна сразу вернуться домой.

— Хорошо, я учту это.

Поговорив с Платоновым, она вышла из кабинета и постучалась к Гордееву.

— Виктор Алексеевич, скажите ребятам, что она должна только позвонить Русанову. Если после этого она будет возвращаться на Ивановскую, то на сегодня отбой, уже десятый час. Если же она поедет в другую сторону, значит, она решилась.

Через полчаса поступило сообщение, что объект наблюдения вошел в метро, но поехал не по Серпуховской линии, а по Замоскворецкой.

— Она поехала к Русанову, — сказала Настя с тяжелым вздохом.

Почему-то всегда, когда ей удавалось правильно спрогнозировать попытку совершить преступление, ей делалось грустно. И не радовало даже то, что она оказалась права, что разгадала характер человека и сумела предвидеть его поведение. Это были те, увы, нередкие минуты, когда ей одинаково сильно хотелось и оказаться правой, и ошибиться.

Группа, наблюдавшая за домом, где жил Сергей Русанов, пришла в готовность. Они увидели, как из автобуса вышла женщина, чья фотография была у них уже второй день, и медленно пошла к дому Русанова. Женщина села на скамейку и стала ждать. Через некоторое время из подъезда вышел человек, которого они знали как подполковника Русанова. Он огляделся, заметил женщину и подошел к ней. Женщина встала ему навстречу, они сказали друг другу несколько слов и вместе пошли в сторону соседнего переулка, где стояла машина Русанова.

Тут же в движение были приведены автомашины, блокирующие все выезды из переулка. Но все это оказалось ненужным, потому что, как только Русанов вместе с красивой стройной женщиной сел в свой автомобиль, закрыл дверь и повернул ключ зажигания, раздался мощный взрыв. Машина мгновенно превратилась в огненный шар, в котором погибли Сергей Русанов и Кира Левченко.

Адрес официального сайта Александры Марининой
в Интернете http:www.marinina.ru

Литературно-художественное издание

Маринина Александра Борисовна
ШЕСТЕРКИ УМИРАЮТ ПЕРВЫМИ

Ответственный редактор *Г. Калашников*
Художественные редакторы *А. Стариков, С. Курбатов («ДГЖ»)*,
М. Левыкин
Художник *И. Варавин («ДГЖ»)*
Технический редактор *Н. Носова*
Компьютерная верстка *Г. Павлова*
Корректор *М. Мазалова*
В оформлении использованы фотоматериалы *В. Майкова*

Подписано в печать с готовых диапозитивов 28.08.2000.
Формат 84 × 108¹/₃₂. Гарнитура «Таймс».
Печать офсетная. Усл. печ. л. 20,16. Уч.-изд. л. 13,6.
Доп. тираж 6000 экз. Зак. № 2431.

ЗАО «Издательство «ЭКСМО-Пресс»
Изд. лиц. № 065377 от 22.08.97.

125190, Москва, Ленинградский проспект,
д. 80, корп. 16, подъезд 3.
Интернет/Home page – www.eksmo.ru
Электронная почта (E-mail) – info@ eksmo.ru

Отпечатано с готовых диапозитивов
в полиграфической фирме «КРАСНЫЙ ПРОЛЕТАРИЙ»
103473, Москва, Краснопролетарская, 16